이 책을 쓴 선생님들

이 책은 초등교육과정의 단계별 수준에 맞추기 위하여 학년별 교과과정에 맞는 글을 선정하였습니다. 학년별 교과과정에 따라 6단계로 나눈 것입니다. 1단계에서 6단계로 나아갈수록 지문과 문제의 수준이 차츰차츰 높아집니다. 이런 점에 따라 이 책은 자신의 학년에 맞추어 공부하는 편이 바른 방법이겠지요.그러나 독해력은 개인차가 존재하므로 독해력의 기초를 다진다는 의미로 볼 때 자신의 학년보다 조금 단계를 낮추어 시작하는 것이 효율적일 수 있습니다.

읽기는 종합적인 생각의 과정으로 글의 사실을 이해하고, 이해한 사실에 미루어 새로운 내용을 짐작해보고, 비판도 하면서, 새로운 다른 일에 적용할 줄도 알아야 합니다. 이점에 착안한 4번 미루어알기, 6번 적용하기 유형을 통하여 응용력과 창의력을 키울 수 있습니다.

문항 유형별로 갈래에 따른 출제 유형과 대응 전략을 7가지 독해법과 함께 소개하였으므로, 본격적인 학습에 들어가기 전에 잘 익혀두면 독해력 향상에 크게 도움이 됩니다. 특히 취약유형은 더욱 대응 전략을 잘 숙지하면서 문제를 푸는 습관이 필요합니다.

김갑주 선생님 서울대학교 국어국문학과 졸업, 장훈고등학교 국어교사, 대성학원과 종로학원 강사, 중고등 참고서 다수 집필, 초등 독해력 키움 집필

저는 초등학교에서 15년 가까이 근무하며 국어뿐만 아니라 모든 공부의 바탕에 문해력이 있다는 데에 확신을 가지게 되었습니다. 그런데 학생들이 문해력을 효과적으로 향상시키려면 다음 두 가지가 꼭 필요합니다.

첫째는 독해력입니다. 여러분은 이 교재의 회차별 7가지 문항 유형을 통해 주제찾기(1번유형) 및 글감 찾기(2번유형)부터 사실 이해하기(3번유형), 미루어 알기(4번유형), 세부 내용 찾기(5번유형), 적용하기(6번유형), 요약하기(7번유형)까지 연습할 수 있습니다. 둘째는 어휘력입니다. 회차별 지문뿐 아니라 <어휘 넓히기>, <어휘·어법 총정리>에서 여러분은 많은 낱말을 익히게 됩니다. 또 학년에 따라 맞춤법 및 한자어에 대한 영역까지 두루 살펴볼 수 있습니다.

이 교재를 꾸준히 공부하면 독해력과 어휘력을 함께 체계적으로 신장할 수 있습니다. 하지만 가장 좋은 것은 독서와 이 교재를 병행하는 것이겠지요. 어려움이 있더라도 끈기와 집중력을 발휘하여 최선을 다해 주기를 바랍니다.

김미나 선생님 경인교육대학교 사회과교육과 졸업, 서울대학교 국어교육과 석사 졸업, 초등 사회 교과서 문장 오류 분석, 이스라엘 초등 국어 교과서 한국어 번역 작업, EBS 뉴스의 우리말 순화 활동지 제작 등 다수의 사업 참여, 현재 세종 다빛초등학교 재직 중

구성과 학습 방법

구성에 따른 학습 방법을 알고 공부하면 효과를 높일 수 있습니다.
(표를 보는 순서 ① 주간 시작 → ② 독해 지문 → ③ 7가지 문항 유형 → ④ 어휘 학습 → ⑤ 주간 총정리)

② 독해 지문

18

생각 열기

점수 계산

과학 | 설명문

1. 15점 2. 15점 3. 10점 4. 15점 5. 15점 6. 15점 7. 15점

"큰 의심이 없는 … 음도 없다!"

18세기 조선의 대표적인 실학자[1] 홍대용[2]의 말입니다. 그는 의심을 통해 진리를 탐구하는 과학적인 사고의 선구자였습니다. 실용적인 학문으로 그릇된 세상을 바로잡으려 했다는 점에서는 다른 실학자와 같지만, 당시 학자들이 그다지 관심을 두지 않았던 과학 사상을 배우고 전파하기 위해 애썼다는 점에서 다른 실학자와 구별됩니다.

그가 처음 관심을 가진 분야는 수학입니다. 이는 서양 과학이 우수한 이유가 수학에 있다고 봤기 때문입니다. 홍대용은 구장산술 외에도 수학계몽, 수학통종, 수법전서 등 많은 책을 정리하고 연구해 당시 수학을 집대성했습니다. 주해수용에서 그는 당시 수학의 거의 모든 부문을 망라해 잘못을 지적하고 분석했으며, 비율법, 약분법, 면적과 체적 등 근대적인 표현을 썼습니다.

나이 29세에 호남 출신의 학자 나경적을 만난 뒤로 홍대용의 관심은 천문학으로 옮겨 갑니다. 나경적과 함께 혼천의를 제작하고 자명종, 혼상의도 만들었습니다. 홍대용이 만든 혼천의는 물을 사용해 움직이던 이전 혼천의와는 달리 기계시계를 톱니바퀴로 연결해 움직이게 한 것입니다. 홍대용은 더 나아가 사비를 털어 사설 관측소인 '농수각(籠水閣)'을 짓고 천체 관측 기구인 측관의, 구고의 등을 제작해 설치했습니다. 홍대용이 천체 관측 기구 제작에 열심을 낸 이유 …에서 가장 중요한 요소가 (㉠)이라고 생각했기 때문입니다.

낱말 풀이

84 7유형 독해법 6단계

'생각 열기'는 아래에서 읽어야 할 글(본문)에 대한 실마리를 담고 있어요.

문항별 점수에 따라 나의 점수를 계산해 봅니다.

본문에서는 국어 교과서의 글은 물론, 사회, 과학, 국활 등에서 학년단계에 맞는 글들을 선별하고, 통합교과적 소재에 대한 독해 능력을 올리는데 알맞은 글들을 최종적으로 엄선하여 수록했습니다.

본문에 나온 어려운 말에 어깨번호를 붙이고 그 말에 대해 자세히 설명해 둔 것이에요.

- 단계별 교과 과정에 맞추어 모든 교과서에서 통합 교과적인 글감을 선별하고 이것을 다시 인문, 사회, 과학, 산문문학, 운문문학으로 체계화하며 수록하였습니다.
- '생각 열기'를 통하여 어떤 내용이 실려 있는지 대강 알고 읽으면 본문을 쉽게 파악할 수 있어요.
- 본문으로 실은 글의 종류가 무엇인지는 중요하지 않습니다. 다만 통합교과적인 글들을 읽는 훈련을 통하여 인문, 사회, 과학, 문학 등의 여러 종류의 글을 읽으면서 체계적인 독해능력을 기르도록해요.
- 본문을 읽으면서 어깨번호가 붙은 말이 있으면 본문의 아래에 있는 설명을 보아 도움을 받도록 해요.

③ 7가지 문항유형

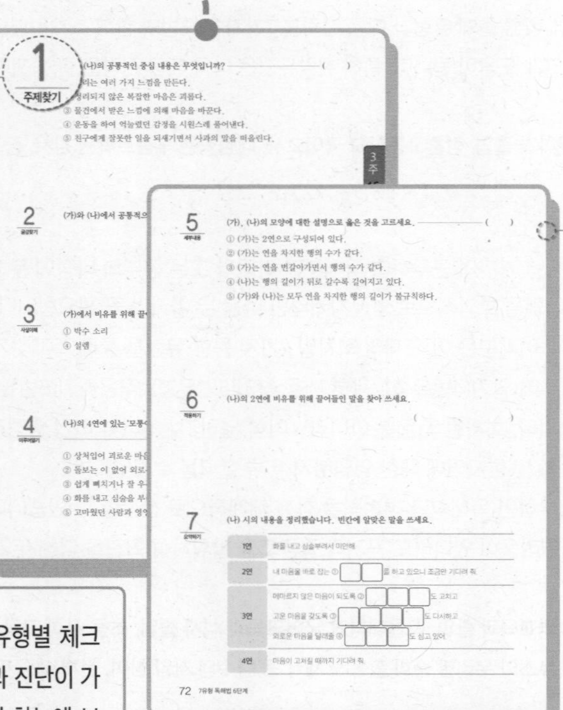

'대학수학능력시험', 'SSAT(미국 중등학교 입학시험)' 등의 평가 유형을 참고하여 초등과정에서 효과적인 독해력 향상을 위한 독창적이고 체계적인 7가지 독해 비법을 유형으로 개발하였습니다.

7가지 유형의 지정 문항을 매회 1개씩 배치하여 각 유형마다 40문항씩 익히게 됨으로써 체계적 독해력 향상이 가능합니다.

피드백효과

평가와 진단하기에 문항 유형별 체크를 하여 유형별 실력 파악과 진단이 가능하며, 글감별로도 진단이 한눈에 보이게 됩니다.

- 7가지 독해력 측정을 위해 [주제 찾기(1번), 글감이나 제목 찾기(2번), 사실 이해(3번), 미루어 알기(4번), 세부내용 파악(5번), 적용하기(6번), 요약하기(7번)]를 지정문항으로 반복함으로 유형별로 효과적인 해결능력을 올리도록 했습니다. 또한 모든 단계가 끝나는 자리(이 책의 끝)에 있는 평가 진단표를 작성하도록 하여 취약 유형을 파악하고 보완하도록 하였습니다.

4 어휘학습

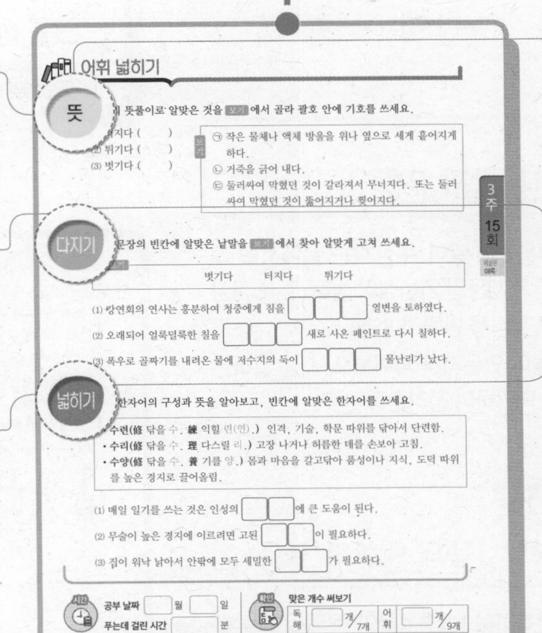

낱말의 뜻을 알고, 부려서 쓸 줄 아는 힘은 읽기를 잘하기 위해서 바탕이 되는 힘이에요.

위에서 뜻을 알아본 낱말을 문장에서 부려 쓸 줄 아는지 평가해 보려고 해요.

초등과정에서 알아야 할 한자를 익혀서 독해력의 기본기를 다져요.

왼쪽의 낱말을 보고 오른쪽의 어느 것이 그 뜻일지 서로 견주어 보면 어렵지 않게 맞추어 갈 수 있어요.

빈칸의 앞과 뒤에 놓여 있는 말을 잘 살펴 가면서 알맞은 말을 고르면 되어요.

괄호 속에 적혀 있는 한자 한 글자씩 그 뜻을 살펴보고, 오른쪽의 풀이를 새겨봅니다. 한자의 뜻에 맞도록 빈칸을 채워보세요. (여기에 나오는 한자어는 본문에 수록된 한자어를 기반으로 다루고 있습니다.)

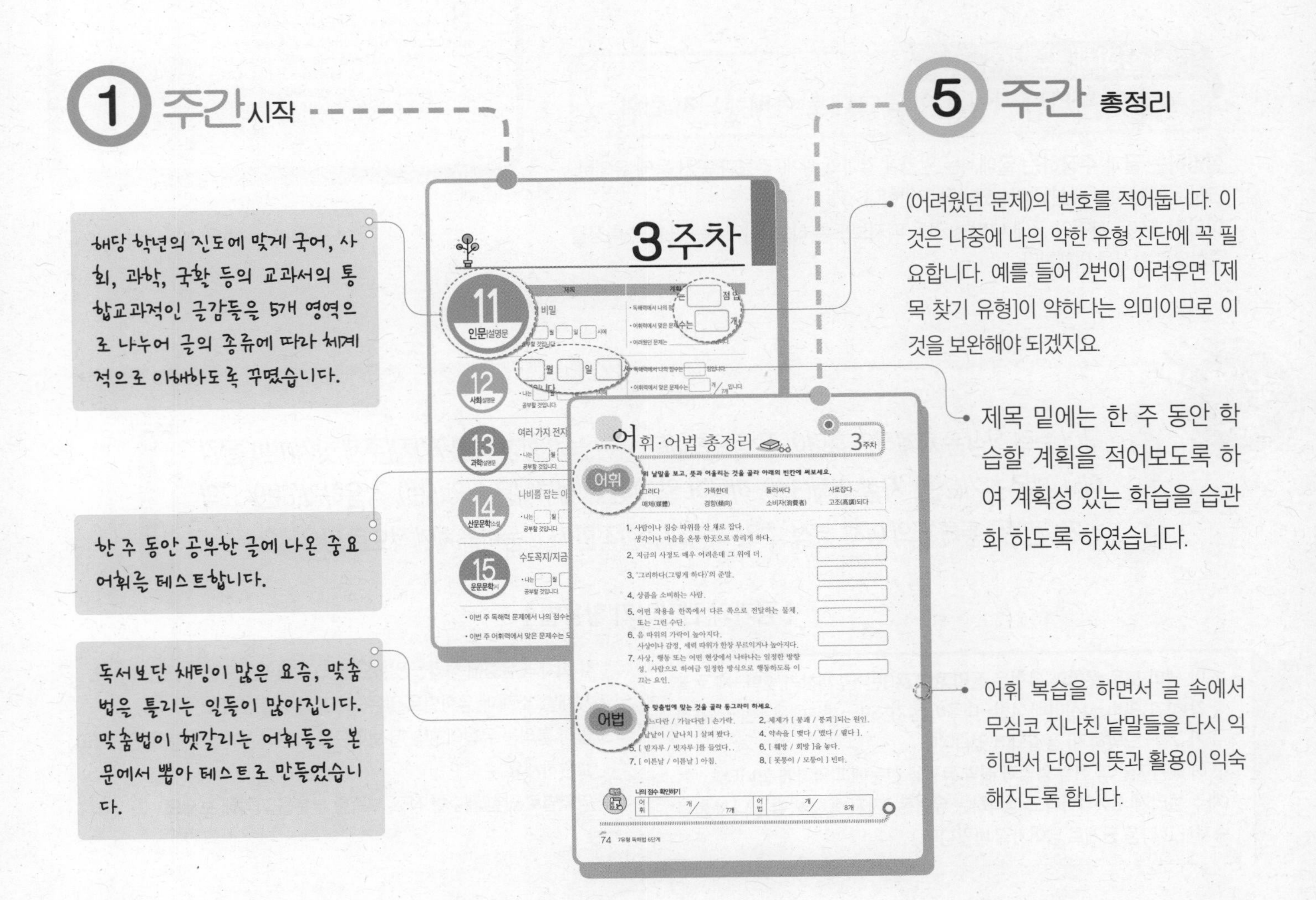

1 주간시작

해당 학년의 진도에 맞게 국어, 사회, 과학, 국활 등의 교과서의 통합교과적인 글감들을 5개 영역으로 나누어 글의 종류에 따라 체계적으로 이해하도록 꾸몄습니다.

한 주 동안 공부한 글에 나온 중요 어휘를 테스트합니다.

독서보단 채팅이 많은 요즘, 맞춤법을 틀리는 일들이 많아집니다. 맞춤법이 헷갈리는 어휘들을 본문에서 뽑아 테스트로 만들었습니다.

5 주간 총정리

(어려웠던 문제)의 번호를 적어둡니다. 이것은 나중에 나의 약한 유형 진단에 꼭 필요합니다. 예를 들어 2번이 어려우면 [제목 찾기 유형]이 약하다는 의미이므로 이것을 보완해야 되겠지요.

제목 밑에는 한 주 동안 학습할 계획을 적어보도록 하여 계획성 있는 학습을 습관화 하도록 하였습니다.

어휘 복습을 하면서 글 속에서 무심코 지나친 낱말들을 다시 익히면서 단어의 뜻과 활용이 익숙해지도록 합니다.

7가지 유형 독해 방법

[7가지 유형으로 학습한 후, 책 뒷면에 있는 평가와 진단하기에 문항별로 체크를 하여보면 자신의 실력과 부족한 부분을 자가 진단할 수 있습니다.]

주제찾기 유형(1번)

글 전체의 중심 내용 찾기 문항

설명하는 글에서는 '이처럼', '이와 같이', '요컨대' 등의 말이, **주장하는 글**에서는 '그러므로', '따라서' 등의 말이 문장의 앞에 놓이면 주제문일 가능성이 높다. 주제 문장이 보이지 않으면 마지막 문단을 요약하여 주제 문장을 만들어야 한다.

이야기는 인물, 사건, 배경 중 무엇이 중심에 놓여 있는지 파악해보고, **시**는 말하는 사람이 어떤 느낌이나 생각에 사로잡혀 있는지 파악하여 정리한다.

글감(제목)찾기 유형(2번)

글에서 반복하여 나타난 말이나, 글의 대상이 된 것

설명하는 글과 **주장하는 글**에서는 여러 번 반복하여 나타난 글의 중심 낱말을 찾아내는 것이 가장 중요하고, 이야기에서는 인물, 사건, 배경 중 무엇에 초점을 두었는지를 확인한다. **시**는 작품을 음미해본 다음, 무엇을 대상으로 하여 내용을 이루었는지 따져본다.

사실이해 유형(3번)

글에 나타난 사실을 있는 그대로 이해했는지 확인

설명하는 글과 **주장하는 글**에서는 원인과 결과의 관계, 주장과 근거 등에 유의하면서 글에 나타난 사실을 이해했는지 확인한다.

이야기에서는 사건이 글에 나타난 것을 따져보도록 하고, **시**에서는 표현의 특징을 중심으로 사실을 이해한다.

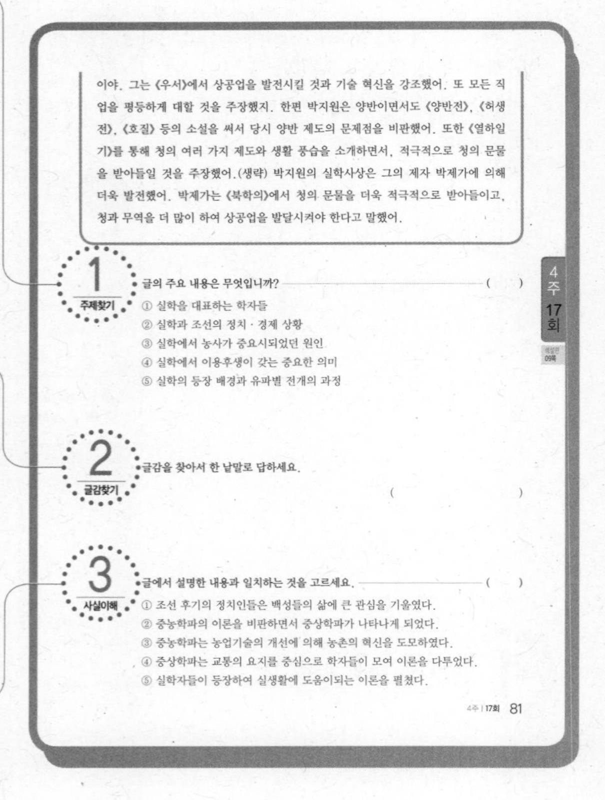

이야. 그는 《우서》에서 상공업을 발전시킬 것과 기술 혁신을 강조했어. 또 모든 직업을 평등하게 대할 것을 주장했지. 한편 박지원은 양반이면서도 《양반전》, 《허생전》, 《호질》 등의 소설을 써서 당시 양반 제도의 문제점을 비판했어. 또한 《열하일기》를 통해 청의 여러 가지 제도와 생활 풍습을 소개하면서, 적극적으로 청의 문물을 받아들일 것을 주장했어.(생략) 박지원의 실학사상은 그의 제자 박제가에 의해 더욱 발전했어. 박제가는 《북학의》에서 청의 문물을 더욱 적극적으로 받아들이고, 청과 무역을 더 많이 하여 상공업을 발달시켜야 한다고 말했어.

1 주제찾기 글의 주요 내용은 무엇입니까? ( )

① 실학을 대표하는 학자들
② 실학과 조선의 정치 · 경제 상황
③ 실학에서 농사가 중요시되었던 원인
④ 실학에서 이용후생이 갖는 중요한 의미
⑤ 실학의 등장 배경과 유파별 전개의 과정

2 글감찾기 글감을 찾아서 한 낱말로 답하세요.

( )

3 사실이해 글에서 설명한 내용과 일치하는 것을 고르세요. ( )

① 조선 후기의 정치인들은 백성들의 삶에 큰 관심을 기울였다.
② 중농학파의 이론을 비판하면서 중상학파가 나타나게 되었다.
③ 중농학파는 농업기술의 개선에 의해 농촌의 혁신을 도모하였다.
④ 중상학파는 교통의 요지를 중심으로 학자들이 모여 이론을 다투었다.
⑤ 실학자들이 등장하여 실생활에 도움이되는 이론을 펼쳤다.

4주 | 17회 81

[*국어 능력 향상은 체계적인 훈련이 꼭 필요합니다. 국어 능력 향상 비법 7가지[주제 찾기(1번), 글감이나 제목 찾기(2번), 사실 이해(3번), 미루어 알기(4번), 세부내용 파악(5번), 적용하기(6번), 요약하기(7번)]를 통해 글의 이해, 분석, 추리, 적용의 종합적인 사고 능력을 체계적으로 키우세요.*]

[평가와 진단하기 활용법]

※ 이 책의 모든 문항과 유형은 동일 번호로(1번→주제찾기, 2번→제목(글감)찾기, 3번→사실이해, 4번→미루어 알기, 5번→세부내용 6번→적용하기, 7번→요약하기) 통일되어 있습니다.
※ 이 표는 자신의 취약 영역과 취약 유형을 한눈에 파악하게 합니다.
(자주 틀리거나 취약하다고 생각하는 유형은 7가지 독해 방법을 다시 한번 숙지하고 다음 단계로 넘어가길 바랍니다.)

1. 각 회차의 유형에 정답을 맞혔으면 'O'표를 틀렸으면 '×'표를 하세요.
2. 제재별 '소계'에 유형별로 맞은('O'표) 개수를 쓰세요.
3. 많이 틀리는 유형이 한눈에 보이므로 자신의 부족한 부분을 진단하고 보완하세요.
4. 영역별로 맞힌 개수를 적고, 부족한 부분을 파악해 보세요.

" *글을 읽고 문제를 풀 때는, 가장 먼저 '사실이해 유형(3번)'을 유념해 보아 두어야 합니다. 글 읽기는 주어진 글의 사실 이해로부터 출발해야 하기 때문입이다.* "

4 미루어알기

글을 읽고 미루어 알 수 있는 내용은 어느 것입니까? ( )

① 예법은 지켜야 할 예의와 법도이다.
② 조선 전기의 농사법이 조선 후기로 이어졌다.
③ 백성의 삶이 어려워지면 개혁의 움직임이 일어난다.
④ 조선 후기에 상업의 발달로 전국 팔도에 시장이 생겨났다.
⑤ 중상학파는 우리나라에 봉건 질서 대신 자본주의가 들어서게 했다.

5 세부내용

실학자의 저서를 잘못 연결한 것은 어느 것입니까? ( )

① 유형원-반계수록
② 이익-성호사설
③ 정약용-목민심서
④ 유수원-우서
⑤ 박제가-열하일기

6 적용하기

실학의 이념을 현대적으로 가장 잘 계승한 주장은 어느 것입니까? ( )

① 사상적인 논쟁을 그만두어야 한다.
② 생활에서 허례허식을 멀리하여야 한다.
③ 자신의 생각을 자유롭게 표현할 수 있어야 한다.
④ 백성과 나라를 부강하게 하는 학문을 추구해야 한다.
⑤ 정치인은 농업과 상업의 발달을 위해 온힘을 다하여야 한다.

7 요약하기

중농학파의 세 학자 유형원, 이익, 정약용의 공통된 주장을 빈칸을 채워 완성하세요.

⇨ 실제로 [ ][ ]를 짓는 사람이 [ ][ ]를 소유하여야 한다.

82 7유형 독해법 6단계

미루어 알기(추론) 유형(4번)

글에 나타난 사실에 미루어 집작해 본 내용

설명하는 글과 **주장하는 글**에서는 선택지에 나타난 내용이, 글의 어떤 내용으로부터 이끌어낸 생각인지 찾아보고, **이야기**에서는 인물의 말이나 행동, 사건의 진행 과정 등을 파악하면서 추리해보며, **시**에서는 고백하는 말 뒤에 숨겨진 느낌이나 생각을 떠올려본다.

세부내용 유형(5번)

글의 모양, 어휘의 뜻, 어법, 글과 관련된 배경 지식 등

설명하는 글과 **주장하는 글**에서는 낱말의 뜻, 접속하는 말의 구실, 고사성어 등을 알아두고, **이야기**는 글을 읽으면서 배경을 알려주는 말이 나오면 어떤 시간이나 장소인지 정리하며, **시**는 비유나 상징에 숨어 있는 뜻을 새길 수 있어야 한다.

적용하기 유형(6번)

글의 내용을 바탕으로 새로운 생각을 떠올려보거나, 다른 일에 응용할 수 있는 능력

설명하는 글과 **주장하는 글**에서는 글을 읽어서 알게 된 내용을 다른 일에 적용할 수 있는지 알아보는 문항이 출제되고 **이야기**는 글에 나타난 대로 새로운 인물이나 사건, 배경을 그려 보일 수 있는지 묻는다. **시**는 말하는 사람의 느낌이나 생각을 정확히 이해 하는지 묻는다.

요약하기 유형(7번)

글의 전체 또는 주요 내용을 간추리는 능력

설명하는 글과 **주장하는 글**에서는 중심 내용을 간추릴 수 있는지 측정하려는 문항이다. **이야기**는 '사실이해 3'처럼 주요한 사건을 다시 확인하는 유형이 출제되기가 쉽다. 이유형은 **시**에서는 내용 흐름에 따라 중심 내용을 정리한다.

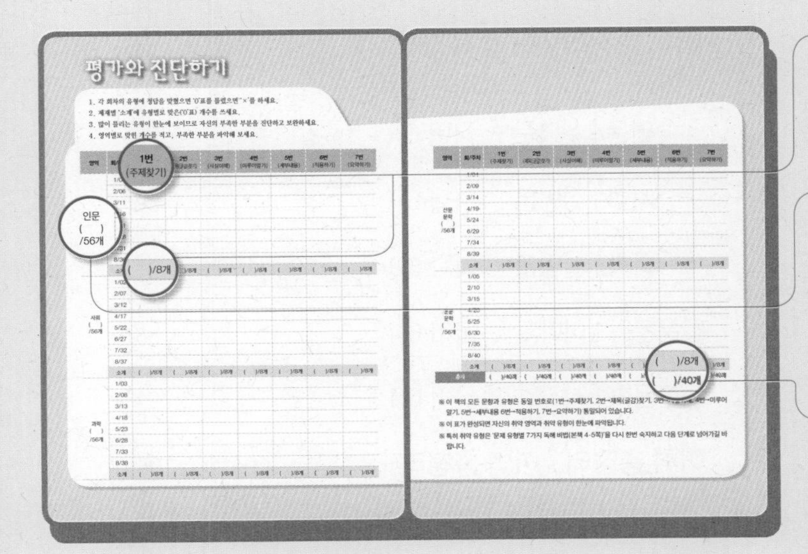

유형별로 한눈에 실력을 파악할 수 있게 하였습니다.
예 인문제재에서 주제찾기 유형(1번)은 8문항 중 몇 개를 맞고 틀렸는지 한 눈에 파악이 됩니다.

글의 갈래를 표시했습니다. 인문, 사회, 과학, 이야기, 시의 5개 영역의 정답률을 표 하나에 알 수 있어 자신의 취약 글의 갈래가 어떤 것인지 한 눈에 알 수 있습니다.
예 인문제재 56문항 중 몇 개를 틀렸는지 한 눈에 파악이 되어 자신의 부족한 점을 보충할 수 있습니다.

모든 글에서 자신의 부족한 유형이 무엇인지 한 눈에 파악할 수 있습니다.
예 적용하기 유형(6번)에서 총 40문항 중 정답은 몇 개고 오답은 몇 개인지를 알아서 독해 실력을 자가 진단합니다.

6단계

목차

『독해력키움』은,

본문이든 그 아래의 문항이든 아이들이 스스로의 힘으로 이해할 수 있도록 꾸몄습니다. 되도록 간섭은 줄이고, 부모님이나 선생님, 그 밖의 다른 분들께서 아이를 도와주실 때는 다음에 유의하십시오.

01

글이나 문제에서 뜻을 모르는 낱말이 있다고 할 때는, 그 낱말의 앞이나 뒤에 놓인 다른 말과 연결하여 미루어 뜻을 떠올려 볼 수 있도록 힘을 키워주십시오. 섣불리 사전을 찾도록 한다거나 글 전체, 문제 전부를 풀이해주었다가는 의존하는 버릇만 들이게 할 것입니다.

02

회가 끝날 때마다 붙어있는 문항 풀이의 결과를 자주 확인하여, 아이의 약점을 파악하고 자주 틀리거나 이해가 부족한 문항 유형을 중심으로, 그 문항 유형의 어려움을 극복하기 위해서 무엇을 고치고 보완해야 하는지 깨닫게 해주십시오. 고칠 점, 보완해야 할 점은『독해력키움』의 해설을 보면 잘 나와 있습니다.

03

주관식 문제의 채점 기준을 예시해두겠습니다.
한 낱말이나 빈칸이 정해진 하나의 구절로 답하는 문제에서는 모범 답안과 모양과 내용이 일치하는 답안만 만점으로 합니다. 모양은 다르지만 빈칸의 수가 같고 내용이 비슷한 답안은 비슷한 정도에 따라 점수를 낮추어 채점합니다.
여러 개의 낱말로 답하는 문제에서는 배점에 문항 수를 나누어 정답에 비례하여 채점합니다.
하나의 구절이나 문장으로 답하는 문제에서는 미리 주어진 조건을 고려하여 모범 답안의 내용과 일치하는 정도에 따라 점수를 주어야 할 것입니다. 그 기준은 도와주는 사람이 정해야 합니다.

1주차

회차 / 영역	제목	계획 및 점검
01 인문|논설문	콜럼버스 항해의 진실 • 나는 ☐ 월 ☐ 일 ☐ 시에 공부할 것입니다.	• 독해력에서 나의 점수는 ☐ 점입니다. • 어휘력에서 맞은 문제수는 ☐ 개/7개 입니다. • 어려웠던 문제는 ______ 번입니다.
02 사회|설명문	국민의 권리와 의무 • 나는 ☐ 월 ☐ 일 ☐ 시에 공부할 것입니다.	• 독해력에서 나의 점수는 ☐ 점입니다. • 어휘력에서 맞은 문제수는 ☐ 개/7개 입니다. • 어려웠던 문제는 ______ 번입니다.
03 과학|설명문	태양이 지구를, 지구가 태양을 • 나는 ☐ 월 ☐ 일 ☐ 시에 공부할 것입니다.	• 독해력에서 나의 점수는 ☐ 점입니다. • 어휘력에서 맞은 문제수는 ☐ 개/7개 입니다. • 어려웠던 문제는 ______ 번입니다.
04 산문문학|수필	괜찮아 • 나는 ☐ 월 ☐ 일 ☐ 시에 공부할 것입니다.	• 독해력에서 나의 점수는 ☐ 점입니다. • 어휘력에서 맞은 문제수는 ☐ 개/7개 입니다. • 어려웠던 문제는 ______ 번입니다.
05 운문문학|시	길 • 나는 ☐ 월 ☐ 일 ☐ 시에 공부할 것입니다.	• 독해력에서 나의 점수는 ☐ 점입니다. • 어휘력에서 맞은 문제수는 ☐ 개/7개 입니다. • 어려웠던 문제는 ______ 번입니다.

• 이번 주 독해력 문제에서 나의 점수는 평균 ☐ 점입니다.

• 이번 주 어휘력에서 맞은 문제수는 모두 ☐ 개입니다.

01

유럽중심주의 또는 서구중심주의는 서구 문명에 기초하고 그쪽으로 쏠려 있는 세계관입니다. 이 주의에서 중심이 되는 지역은 서구 전체에서 오로지 유럽, 혹은 그저 서유럽일 따름입니다. 이런 세계관이 신대륙 발견 이후 서구는 물론이고 전 세계에 퍼져 있었습니다.

1. 15점 2. 15점 3. 15점 4. 15점 5. 10점 6. 15점 7. 15점

우리는 흔히 '콜럼버스의 신대륙 발견'이라는 표현을 쓰면서 콜럼버스가 아메리카 대륙을 발견하였다고들 한다. 또, 콜럼버스의 항해는 역사적으로 아주 중요한 사건으로 여겨진다. 그 뒤 유럽 사람들이 아메리카로 물밀 듯이 밀려들었으며, 아메리카는 물론이고 유럽, 나아가서는 세계 전체의 운명까지도 완전히 달라졌다는 점에서 주목할 만한 역사적인 사건임에는 틀림없다.

(㉠) 과연 콜럼버스가 아메리카 대륙을 발견하였다고 할 수 있을까? '발견'은 아무도 살지 않는 비어 있는 땅을 처음 알아내고 상륙하여 개척하였을 때 사용할 수 있는 낱말이다. 그렇다면 콜럼버스가 항해했던 그 시대, 아메리카 대륙은 아무도 살고 있지 않은 비어 있는 땅이었을까?

콜럼버스가 살던 무렵, 유럽은 큰 변화를 겪고 있었다. 여러 국가에서 강력한 왕이 나타나 갈라져 있던 영토를 통일하고 나라의 힘을 크게 키우고 있었다. 상업이 크게 발달하고 돈과 무역에 대한 사람들의 관심도 커졌다. 유럽의 여러 국가는 새로운 항로와 땅을 찾기 위하여 경쟁적으로 탐험대를 파견하였다. 당시 유럽에서는 인도나 중국에서 사막을 거쳐 지중해로 들어오는 향신료와 비단, 보석 등이 큰 인기였다. 특히, 인도는 향신료와 금, 보석, 비단 등을 쉽게 구할 수 있는 꿈의 세계였다. 그래서 유럽 사람들은 이 물건들을 인도에서 직접 뱃길로 들여오면 큰돈을 벌 수 있으리라고 생각하였다.

포르투갈에서도 일찌감치 아프리카를 돌아 인도로 가는 뱃길을 찾고 있었다. 그런데 이탈리아 사람 콜럼버스는 다른 방향으로 항해하여 인도로 가려는 계획을 세웠다. 땅과 땅의 중간에 다른 대륙이 있으리라고는 아무도 상상하지 못하였으므로 콜럼버스는 대서양을 반대 방향으로 돌아 항해하려고 하였다. 콜럼버스는 이러한 계획을 가지고 먼저 포르투갈을 찾아갔지만, 왕실은 관심을 보이지 않았다. 콜럼버스는 다시 에스파냐를 찾아갔다. 에스파냐 왕실은 포르투갈에 뒤질세라 콜럼버스를 지원하였고, 이렇게 해서 콜럼버스의 항해가 이루어졌다. 1492년 8월 3일, 콜럼버스는 산타 마리아호를 비롯한 배 세 척과 선원 구십 명을 이끌고 에스파냐의 파로스 항을 떠났다. 두 달이 넘게 항해한 끝에 어느 섬에 도착하였다. 콜럼버스는 마침내 인도에 도착하였다고 믿고, 신께 감사드리는 뜻으로 그곳을 '산살바도르 섬'이라고 이름 붙였다. 그리고 죽을 때까지 그곳이 인도라고 믿었다. 몇 년 뒤, 이탈리아 사람 아메리고 베스푸치는 콜럼버스가 발견한 곳이 인도가 아니라 유럽 사람들이 몰랐던 다른 땅이라는 사실을 밝혔다. 이 땅이 오늘날의 아메리카 대륙이다. '아메리카'는 그의 이름 '아메리고'에서 딴 것이다.

(㉡) 우리가 알고 있는 것과는 달리, 콜럼버스가 항해 끝에 도착한 아메리카 대륙에는 적어도 수백만 명에서 수천만 명으로 추정되는 많은 사람이 다양하고 수준 높은 문화를 누리면서 넓은 땅 곳곳에 살고 있었다. 그들이 바로 인디언들, 아니 아메리카 원주민들이었다. '인디언'이라는 말은 콜럼버스가 발견한 대륙을 인도라고 믿었기 때문에 붙여진 이름이다. 요즈음에는 '아메리카 원주민'이라고 고쳐 부른다.

이렇게 그들만의 문화를 형성하며 아메리카 대륙에서 대대손손 살아온 원주민들의 처지에서 보면, 콜럼버스는 초대하지 않은 손님이었다. 초대하지 않은 손님이 갑자기 나타나면서 약탈과 정복이 시작되었다. 콜럼버스와 그 뒤에 밀려든 유럽 사람들은 원주민들의 것을 약탈하였고, 정복을 위해 원주민들의 목숨을 앗아 가는 일도 서슴지 않았다. 결국 콜럼버스의 항해는 전통과 문화를 가꾸며 살아오던 원주민들의 삶을 송두리째 앗아 갔다. 이처럼 콜럼버스의 항해는 '신대륙 발견'이 아니라 원주민이 살고 있던 곳을 침범한 '구대륙 침략'이었다.

1 주제찾기

글쓴이의 생각이 뚜렷하게 담겨 있는 문장은 어느 것입니까? ( )

① 콜럼버스의 항해는 역사적으로 중요한 사건이다.
② 콜럼버스가 살던 무렵 유럽은 큰 변화를 겪고 있었다.
③ 인도는 향신료와 금, 보석, 비단 등을 쉽게 구할 수 있었다.
④ 콜럼버스의 항해는 '신대륙 발견'이 아니라 '구대륙 침략'이었다.
⑤ 오래 전부터 신대륙에는 원주민이 수백만 명 이상이나 살고 있었다.

2 제목찾기

보기 에서 알맞은 말을 골라 글의 제목을 완성하세요.

보기
콜럼버스 항로 항해 결과 진실

⇨ □□□□ □□의 □□

3
사실이해

콜럼버스의 항해와 관련해서, 글의 내용과 어긋나는 것은 어느 것입니까? ( )

① 이 사건 이후에 유럽 역사가 크게 달라졌다.
② 향신료와 비단, 보석 등은 유럽에서 인기가 있었다.
③ 이 시도가 있기 전에는 육로를 통해 무역이 이루어졌다.
④ 콜럼버스는 당시 사람들과 다른 뱃길을 이용하려고 하였다.
⑤ 포르투갈과 에스파냐 왕실 양쪽에서 지원을 받아 항해가 이루어졌다.

4
미루어알기

글을 읽고 떠올린 생각으로 적절한 것은 어느 것입니까? ( )

① 왕국의 번영을 위해 큰돈이 필요했다.
② 유럽인들은 신대륙 발견을 예상하고 있었다.
③ 콜럼버스는 지구가 둥글다는 사실을 알고 있었다.
④ 유럽인들은 뱃길로 인도를 왕래하며 이익을 남겼다.
⑤ 신대륙을 발견하면 지원해준 왕의 이름을 지명으로 삼았다.

5
세부내용

㉠과 ㉡에 공통적으로 들어갈 수 있는 낱말은 무엇입니까? ( )

① 그래서 ② 그러나 ③ 그러면 ④ 왜냐하면 ⑤ 그리고

6
적용하기

다음은 글쓴이의 무엇을 파악하는 방법입니까? ( )

> 글에 나타난 사실이 무엇인지 파악한다. → 글쓴이의 생각이 담겨 있는 낱말을 찾아 생각을 짐작해 본다. → 제목에 담겨 있는 의미나 의도를 따져본다.

① 문체 ② 취미 ③ 관점 ④ 입장 ⑤ 전통

7
요약하기

다음 문장들은 글쓴이의 생각을 담고 있는 문장입니다. 이런 문장 한 개를 더 찾아서 그대로 옮겨 쓰세요.

- 과연 콜럼버스가 아메리카 대륙을 발견하였다고 할 수 있을까?
- 콜럼버스는 초대하지 않은 손님이었다.
- ( )

어휘 넓히기

뜻

낱말의 뜻풀이로 알맞은 것을 보기 에서 골라 괄호 안에 기호를 쓰세요.

(1) 부치다 (　　　)
(2) 붙이다 (　　　)

보기
㉠ 맞닿아 떨어지지 않게 하다. 주가 되는 것에 달리게 하거나 딸리게 하다. 어떤 것을 더하게 하거나 생기게 하다. '붙다'의 사동사.
㉡ 편지나 물건 따위를 일정한 수단이나 방법을 써서 상대에게로 보내다. 마음이나 정 따위를 다른 것에 의지하여 대신 나타내다.

다지기

아래 문장의 빈칸에 알맞은 낱말을 보기 에서 찾아 알맞게 고쳐 쓰세요.

보기
붙이다　　부치다

(1) 한 해 동안 소식이 없는 친구에게 편지를 [ ][ ][ ] 안부를 묻다.

(2) 어려운 글의 아래에 해설을 [ ][ ][ ] 읽는 이의 이해를 돕다.

넓히기

다음 한자어의 구성과 뜻을 알아보고, 빈칸에 알맞은 한자어를 쓰세요.

- **지원(支** 지탱할 지. **援** 도울 원.**)하다.** 지지하여 돕다.
- **항해(航** 배 항. 건널 항. **海** 바다 해.**)하다.** 배를 타고 바다를 다니다.
- **도착(到** 닿을 도. **着** 닿을 착. 쓸 착.**)하다.** 목적한 곳에 다다르다.

(1) 콜럼버스 일행은 두 달이 넘게 항해한 끝에 어느 섬에 [ ][ ]하였다.

(2) 신대륙에 도착하려면 오랜 시간 [ ][ ]해야 했다.

(3) 여러 척의 배와 많은 인원이 필요한 대양 항해는 왕실이 [ ][ ]해야 가능했다.

시간
공부 날짜 [　　] 월 [　　] 일
푸는데 걸린 시간 [　　] 분

확인
맞은 개수 써보기

독해	[　　] 개/7개	어휘	[　　] 개/7개

02

'헌법'이 나오고, '국민의 권리와 의무'가 나오고, 이러면 아주 중요한 내용이 틀림없어요. 권리란 어떤 일을 하거나 누릴 수 있는 힘이나 자격을 뜻하지요. 의무란 사람으로서 마땅히 해야만 하는 일을 뜻하고요. 이 글에서 여러 가지 권리와 의무에 대해 함께 알아 보아요.

점수 계산 1.  2.  3.  4. 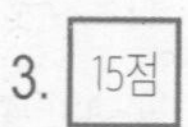 5.  6.  7. 15점

우리는 모두 자유로운 개인이지만 무슨 일이든지 할 수 있는 건 아니야. 민주 국가에서 우리는 어떤 권리를 갖고 있을까? 모든 사람에게는 인간으로서 당연히 누려야 할 기본적인 권리가 있고, 그것을 기본권이라고 해. 우리 헌법은 인간의 존엄성과 행복을 추구할 수 있는 권리를 보장하고, 국민의 기본권을 정해 두고 있어.

자유권은 국가로부터 간섭을 받지 않고 행동하고 생각할 수 있는 권리야. 종교를 믿을 권리, 살고 싶은 곳에 살 권리, 말할 권리, 원하는 직업을 가질 권리 등이 있어. 평등권은 누구든지 성별이나, 종교, 직업, 장애 등에 의해 차별 받지 않을 권리를 말해. 사회권은 인간답게 살 수 있도록 국가에 요구할 수 있는 권리지. 일할 기회를 요구할 권리, 교육을 받을 수 있는 권리, 깨끗한 환경에서 살 권리 등이 사회권이야. 또 청구권은 국민이 국가에게 어떤 행위를 해 달라고 하는 권리야. 국민의 어려움을 국가 기관에 알려 국민의 뜻을 반영시킬 수 있는 청원권이나 재판을 받을 수 있는 권리인 재판 청구권 등이 있어. 참정권은 국민의 한 사람으로서 정치에 참여할 수 있는 권리야. 투표에 참여할 권리, 공무원이 되어 나랏일을 담당할 권리 등이 있어.

권리가 있으면 의무도 있다고? 그런데 의무는 무엇이고, 우리들에게는 어떤 의무가 있는 거지? 꼼꼼히 살펴보고 내게 주어진 의무에 최선을 다해야겠는걸! 의무란 말 그대로 당연히 해야 하는 일이야. 누군가 의무를 다하지 않으면 불편한 일들이 생겨. 반 친구들 모두가 각자 할 일을 맡았는데, 청소를 담당하는 친구가 자신의 일을 게을리 했다면, 이 친구는 청소를 해야 할 자신의 의무를 다하지 않은 거야. 그 때문에 교실이 더러워져 결국 모두가 피해를 입게 되지.

학교뿐만 아니라 국가도 마찬가지야. 이 나라의 국민인 우리에겐 국민의 권리와 함께 국민의 의무도 있어. 그중 나라를 지킬 의무인 국방의 의무, 나랏일을 운영하는데 드는 세금을 내는 납세의 의무, 모든 국민이 일정한 교육을 받도록 해야 하는 교육의 의무, 일을 해야 하는 근로의 의무, 이 네 가지를 국민의 4대 의무라고 해.

1

주제찾기

헌법에서 보장하는 국민의 권리가 바탕에 깔고 있는 생각은 무엇입니까? ······ (　　　)

① 국가는 법률에 의해서 국민의 권리를 제한할 수 있다.
② 국민의 권리는 다른 사람의 권리와 조화를 이루어야 한다.
③ 법률로 보장하고 있는 모든 권리는 항상 완벽하게 행사할 수 있다.
④ 법률에 의할지라도 자유와 권리의 본질적인 내용을 제한할 수는 없다.
⑤ 모든 국민은 인간의 존엄한 가치를 가지며 행복을 추구할 권리를 가진다.

2

글감찾기

빈 칸을 채워 글의 제목을 완성하세요.

⇨ 국민의 ☐☐ 와 ☐☐

3

사실이해

국민의 권리 중, 다른 권리를 보장받도록 요청하는 권리는 무엇입니까? ······ (　　　)

① 자유권
② 평등권
③ 사회권
④ 참정권
⑤ 청구권

4

미루어알기

아래에 소개한 사례는 국민의 의무 중 무엇에 충실하고자 한 것으로 볼 수 있습니까? ······ (　　　)

> 빌 게이츠나 워런 버핏과 같은 세계 최고의 부자들은 세금을 줄여 주겠다는 정책에 반대하면서 오히려 자신들과 같은 부자들이 더 많은 세금을 내야 한다고 말했습니다. 재산을 자식들에게만 물려주지 않고, 어려운 이웃들과 세계 평화를 위해 기부도 아끼지 않고 하겠다고 했습니다.

① 교육의 의무
② 근로의 의무
③ 국방의 의무
④ 납세의 의무
⑤ 환경 보전의 의무

5
세부내용

교육의 의무와 직접 관련되는 국민의 권리는 무엇입니까? ( )

① 자유권
② 평등권
③ 사회권
④ 참정권
⑤ 청구권

6
적용하기

글의 내용을 펼쳐가기 위해 바탕에 둔 글쓴이의 생각을 아래와 같이 간추렸습니다. 빈칸에 알맞은 낱말을 쓰세요.

우리 헌법은 인간의 존엄성과 행복을 추구할 수 있는 권리를 보장하고, 국민의 □□□을 정해 두고 있다.

7
요약하기

오른쪽의 설명에 따라 왼쪽의 빈칸을 채우세요.

① □□□	직업 선택의 자유, 종교의 자유, 신체의 자유, 거주 이전의 자유
② □□□	성별, 종교 또는 사회적 신분에 따라 차별받지 않을 권리
③ □□□	능력에 따라 균등하게 교육 받을 권리, 일할 권리, 좋은 환경에서 살 권리
④ □□□	투표할 권리, 입후보할 권리, 나랏일을 할 권리
⑤ □□□	권리가 침해당했을 때 국가에 일정한 요구를 할 수 있는 권리

어휘 넓히기

해설편 01쪽

뜻

낱말의 뜻풀이로 알맞은 것을 보기 에서 골라 괄호 안에 기호를 쓰세요.

(1) -던지 (　　　)
(2) -든지 (　　　)

보기
㉠ 나열된 동작이나 상태, 대상들 중에서 어느 것이든 선택될 수 있음을 나타내는 말.
㉡ 과거의 일을 돌이켜 떠올려 다시 생각하거나 감탄하는 뜻을 나타내는 말.

다지기

다음 괄호 속의 '던지, 든지' 중 옳은 것을 골라 ○표 하세요.

(1) 나돌아다니지만 않는다면, 노래를 부르(던지, 든지) 춤을 추(던지, 든지) 네 맘대로 해라.
(2) 비가 온 뒤에 갠 가을 하늘이 얼마나 곱(던지, 든지) 눈물이 다 나더라.

넓히기

다음 한자어의 구성과 뜻을 알아보고, 빈칸에 알맞은 한자어를 쓰세요.

- **존엄성(尊** 높을 존. **嚴** 엄할 엄. **性** 성품 성.) 감히 범할 수 없는 높고 엄숙한 성질.
- **기본권(基** 터 기. **本** 근본 본. **權** 저울추 권.) 인간이 태어날 때부터 가지고 있는 기본적인 권리.
- **자유권(自** 스스로 자. **由** 말미암을 유. **權** 저울추 권.) 국가 권력에 의하여 자유를 제한받지 아니하는 권리.

(1) 모든 사람에게는 인간으로서 당연히 누려야 할 ☐☐☐이 있다.
(2) 종교를 믿을 권리, 살고 싶은 곳에 살 권리 등은 ☐☐☐에 속한다.
(3) 오늘날 일부 학자들은 동물에게도 ☐☐☐이 있다고 주장한다.

시간
공부 날짜 ☐ 월 ☐ 일
푸는데 걸린 시간 ☐ 분

확인
맞은 개수 써보기

독해	☐ 개/7개	어휘	☐ 개/7개

03

태양이 중심인가, 지구가 중심인가? 이 문제에 대해 지금은 별로 의심하지 않고 태양이라고 답하지만, 오랜 동안 다투어온 어려운 문제예요. 17세기 초 갈릴레이가 망원경을 만들어 우주 관측을 정밀하게 하여 태양 중심설이 옳다고 확신하도록 하기 전까지 다툼은 이어져 왔어요.

1. 15점 2. 15점 3. 10점 4. 15점 5. 15점 6. 15점 7. 15점

지구가 태양을 중심으로 도는지, 태양이 지구를 중심으로 하여 도는지의 문제는 옛날부터 많은 사람이 궁금해 하는 것이었습니다. 지구가 태양의 주위를 공전하고 있다는 주장을 태양 중심설이라고 합니다. 지금으로부터 2300여 년 전에 고대 그리스의 천문학자인 아리스타르코스는 처음으로 태양 중심설을 주장하였습니다. 그러나 그 시대의 사람들은 모두 지구 중심설을 믿고 있었으며, 아리스타르코스 역시 자신의 주장을 뒷받침해 줄 만한 확실한 증거를 찾지 못하였습니다. 그래서 그의 생각은 사람들에게 받아들여지지 않았습니다.

그 후 많은 천문학자가 태양 중심설에 대한 증거를 찾기 위하여 노력하였으나 번번이 실패하였습니다. 그러다가 고대 그리스의 천문학자인 프톨레마이오스는 여러 관측 자료를 바탕으로 하여 지구 중심설을 주장하였습니다. 달과 태양, 그리고 행성들이 모두 지구를 중심으로 한 원 궤도로 돌고 있다는 학설입니다. 행성의 운동을 맨눈으로 관측하면 동쪽에서 서쪽으로 역행 운동을 하기도 하는데, 이것은 행성들이 작은 원을 그리며 큰 원 궤도를 돌기 때문이라고 설명하였습니다. 그러나 이 주장에는 ㉠ 행성의 공전을 복잡하고 이상하게 설명하는 문제점이 있었습니다.

프톨레마이오스가 지구 중심설을 주장한지 1400여 년이 지나서야 이 학설은 조금씩 의심을 받기 시작하였습니다. 1543년에 폴란드의 천문학자인 코페르니쿠스는 천체를 정밀하게 관측한 결과를 분석하여 새로운 우주의 모습을 주장하였습니다. 우주의 중심에는 태양이 있고 지구는 태양 주위를 원운동으로 공전하고 있다는 태양 중심설이었습니다. 태양 중심설로 설명하면 지구 중심설에서 가장 문제가 되었던 행성의 운동이 쉽고 간단하게 설명되었습니다. 그러나 그 역시 지구가 공전을 하고 있다는 확실한 증거를 제시하지 못하였습니다.

1609년에 갈릴레이는 망원경을 만들어 달, 금성, 목성, 토성, 태양 등을 관측하였습니다. 그는 관측한 결과를 바탕으로 하여 코페르니쿠스의 태양 중심설이 옳다고 확신하였습니다. 이러한 발견이 여러 사람에게 알려지자, 교회에서 잘못된 지식을 전파한다고 문제를 삼았습니다. 그는 목숨의 위협을 느껴 할 수 없이 자신의 주장을 거두게 되었습니다. 그러나 관측한 결과가 확실하였기 때문에 많은 사람이 태양 중심설을 받아들이기 시작했습니다. 갈릴레이와 이후 과학자들의 노력으로 대부분의 사람들은 태양 중심설을 믿게 되었습니다.

1 주제찾기

글의 중심 내용을 요약한 문장을 글에서 찾아 쓰세요.

(　　　　　　　　)

2 글감찾기

빈칸을 채워 제목을 완성하세요.

□□이 중심인가, □□가 중심인가?

3 사실이해

우주의 모습에 대한 과학적 증명을 처음 시도한 사람은 누구입니까? ( )

① 아리스타르코스
② 프톨레마이오스
③ 아리스토텔레스
④ 코페르니쿠스
⑤ 갈릴레이

4 미루어알기

글을 읽고 내세울 수 있는 올바른 주장은 무엇입니까? ( )

① 우주의 모습은 끊임없이 변화한다.
② 증거가 없는 이론은 믿음을 얻기 어렵다.
③ 대립된 이론이 시대의 흐름을 따라 번갈아 나타난다.
④ 종교가 학자의 이론에 도움을 주기도 한다.
⑤ 학자는 학문적 신념을 저버리지 않는다.

5
세부내용

글의 내용에 따르면 천문학에서 가장 중요한 작업은 무엇입니까? ( )

① 가설과 증명
② 관측과 분석
③ 주장과 의견
④ 직관과 증거
⑤ 사실과 지식

6
적용하기

㉠의 문제점을 쉽게 밝힐 수 있는 방법은 무엇입니까? ( )

① 지구와 다른 행성의 운동을 비교한다.
② 행성의 운동이 무엇을 뜻하는지 자세히 알린다.
③ 행성의 순행과 역행이 어떤 차이가 있는지 설명한다.
④ 행성의 공전을 그림으로 그려놓고 설명이 왜 이상한지 밝힌다.
⑤ 복잡한 행성의 운동을 하나의 궤도에 그려놓고 그 특징을 제시한다.

7
요약하기

갈릴레이 이후 태양 중심설을 믿게 된 과정을 정리해 보았습니다. 글에 나온 낱말을 활용하여 빈칸을 채우세요.

갈릴레이; ① □□□ 발명, 행성의 꾸준한 ② □□

⇩

종교 재판; 갈릴레이, 주장을 거둠

⇩

이후의 학자들의 노력; 대부분의 사람들이 ③ □□ □□□을 믿게 됨

어휘 넓히기

뜻

낱말의 뜻풀이로 알맞은 것을 보기 에서 골라 괄호 안에 기호를 쓰세요.

(1) 번번이 (　　　)
(2) 번번히 (　　　)

보기
㉠ 사람, 물건 따위가 멀끔하여 보기도 괜찮고 제법 쓸 만하게. 순우리말. '번번하다'에서 온 말.
㉡ 무엇을 할 때마다. 한자어 '번번(番番)'에 '이'가 붙은 말.

다지기

아래 문장의 빈칸에 알맞은 낱말을 보기 에서 찾아 쓰세요.

보기
번번이　　번번히

(1) 생김새는 □□□ 생겼는데 그런 쉬운 일도 못하느냐고 핀잔이다.
(2) 반장 선거에 여러 번 나갔지만 □□□ 낙방이었다.

넓히기

다음 한자어의 구성과 뜻을 알아보고, 빈칸에 알맞은 한자어를 쓰세요.

- **관찰(觀** 볼 관. **察** 살필 찰.**)하다.** 사물이나 현상을 주의하여 자세히 살펴보다.
- **관측(觀** 볼 관. **測** 헤아릴 측.**)하다.** 맨눈이나 기계로 자연 현상 특히 별들이나 기상의 상태, 움직임, 변화 따위를 관찰하여 측정하다.
- **분석(分** 나눌 분. **析** 쪼갤 석.**)하다.** 복잡한 현상이나 대상 또는 개념을, 그것을 구성하는 단순한 요소로 분해하다.

(1) 실험실에서 관찰한 물질의 성분을 □□하다.
(2) 현미경으로 세포 조직을 □□하다.
(3) 인공위성은 우주에서 지구 표면의 상태를 □□하게 될 것이다.

시간
공부 날짜 □ 월 □ 일
푸는데 걸린 시간 □ 분

확인
맞은 개수 써보기

독해	개/7개	어휘	개/7개

04

글쓴이가 겪은 일을 사실 그대로 옮기면서 느낌과 생각을 곁들인 '수필'이라는 갈래가 있어요. 정해진 형식이 있는 것은 아니고, 붓 가는 대로 쓴 글이라고 하여 수필이라는 이름을 붙였어요. 수필 중에도 한 편의 이야기가 될 만한 내용을 엮어놓은 것이 있어요.

1. 20점 2. 15점 3. 15점 4. 15점 5. 15점 6. 15점 7. 20점

초등학교 때 우리 집은 제기동에 있는 작은 한옥이었다. 골목 안에는 고만고만한 한옥 여섯 채가 서로 마주 보고 있었다. 그때만 해도 한 집에 아이가 보통 네댓은 됐으므로 골목길 안에만도 초등학교 다니는 아이가 줄잡아 열 명이 넘었다. 학교가 파할 때쯤 되면 골목은 시끌벅적 아이들의 놀이터가 되었다.

어머니는 내가 집에서 책만 읽는 것을 싫어하셨다. 그래서 방과 후 골목길에 아이들이 모일 때쯤이면 대문 앞 계단에 작은 방석을 깔고 나를 거기에 앉히셨다. 아이들이 노는 것을 구경이라도 하라는 뜻이었다.

딱히 놀이 기구가 없던 그때, 친구들은 대부분 술래잡기, 사방치기, 공기놀이, 고무줄놀이 등을 하고 놀았지만 나는 공기놀이 외에는 그 어떤 놀이에도 참여할 수 없었다. 하지만 골목 안 친구들은 나를 위해 꼭 무언가 역할을 만들어 주었다. 고무줄놀이나 달리기를 하면 내게 심판을 시키거나 신발주머니와 책가방을 맡겼다. 그뿐인가. 술래잡기를 할 때에는 한곳에 앉아 있어야 하는 내가 답답해할까 봐 어디에 숨을지 미리 말해주고 숨는 친구도 있었다.

우리 집은 골목에서 중앙이 아니라 모퉁이 쪽이었지만 내가 앉아 있는 계단 앞이 늘 친구들의 놀이 무대였다. 놀이에 참여하지 못해도 나는 전혀 소외감이나 박탈감을 느끼지 않았다. 아니, 지금 생각하면 내가 소외감을 느낄까 봐 친구들이 배려해 준 것이었다.

그 골목길에서의 일이다. 초등학교 1학년 때였던 것 같다. 하루는 우리 반이 좀 일찍 끝나서 혼자 집 앞에 앉아 있었다. 그런데 그때 마침 골목을 지나던 깨엿 장수가 있었다. 그 아저씨는 가위를 쩔렁이며 목발을 옆에 두고 대문 앞에 앉아 있는 나를 흘낏 보고는 그냥 지나쳐 갔다. 그러더니 리어카를 두고 다시 돌아와 내게 깨엿 두 개를 내밀었다. 순간 아저씨와 내 눈이 마주쳤다. 아저씨는 아무 말도 하지 않고 아주 잠깐 미소를 지어 보이며 말했다. / "괜찮아."

무엇이 괜찮다는 것인지도 몰랐다. 돈 없이 깨엿을 공짜로 받아도 괜찮다는 것인지, 아니면 목발을 짚고 살아도 괜찮다는 말인지……. 하지만 그건 중요하지 않다. 중요한 것은 내가 그날 마음을 정했다는 것이다. 이 세상은 그런대로 살 만한 곳이라고. 좋은 친구들이 있고, 성의와 사랑이 있고, “괜찮아.”라는 말처럼 용서와 너그러움이 있는 곳이라고 믿기 시작했다는 것이다.

괜찮아 – 난 지금도 이 말을 들으면 괜히 가슴이 찡해진다. 2002년 월드컵 4강에서 독일에 졌을 때, 관중은 선수들을 향해 외쳤다.

“괜찮아! 괜찮아!”

혼자 남아 문제를 풀다가 결국 골든벨을 울리지 못해도 친구들이 얼싸안고 말해준다.

“괜찮아! 괜찮아!”

‘그만하면 참 잘했다’고 용기를 북돋아 주는 말, ‘너라면 뭐든지 다 눈감아 주겠다’는 용서의 말, ‘무슨 일이 있어도 나는 네 편이니 넌 절대 외롭지 않다’는 격려의 말, ‘지금은 아파도 슬퍼하지 말라’는 나눔의 말, 그리고 마음으로 일으켜 주는 부축의 말, “괜찮아!”

그래서 세상을 사는 것이 만만치 않다고 느낄 때, 죽을 듯이 노력해도 내 마음대로 일이 풀리지 않는다고 생각될 때, 나는 내 마음속에서 작은 속삭임을 듣는다. 오래전 내 따뜻한 추억 속 골목길 안에서 들은 말 – ‘괜찮아! 조금만 참아, 이제 다 괜찮아질 거야.’

아, 그래서 ‘괜찮아’는 (㉠)

1 주제찾기

글쓴이가 깨엿 장수의 말 한 마디를 듣고 정한 마음의 내용은 무엇입니까? ( )

① 아이들이 노는 것을 구경이라도 하라는 뜻이었다.
② 어머니는 내가 집에서 책만 읽는 것을 몹시 싫어하셨다.
③ 돈 없이 깨엿을 공짜로 받아도 괜찮다는 것인지 도무지 알 수 없었다.
④ 세상은 성의와 사랑이 있고, 용서와 너그러움이 있는 곳이라고 믿기 시작했다.
⑤ 죽을 듯이 노력해도 일이 풀리지 않는다고 생각될 때, 마음속에서 작은 속삭임을 듣는다.

2 글감찾기

글쓴이가 스스로 마음을 정하도록 한 말을 글에서 찾아 쓰세요.

( )

3 사실이해

‘괜찮아’에서 떠올린 말의 뜻과 거리가 먼 것은 어느 것입니까? ( )

① 용기 ② 용서 ③ 격려
④ 나눔 ⑤ 승리

4
미루어알기

(㉠)에 들어가기에 알맞은 문장은 어느 것입니까? ( )

① 친구들이 얼싸안고 주고받는 말이다.
② 이제 다시 시작할 수 있다는 희망의 말이다.
③ 상대의 잘못을 너그럽게 용서해주겠다는 말이다.
④ 장애가 세상을 살아가는 데 걸림돌이 아니라는 말이다.
⑤ 세상 함께 가는 길은 누구도 외롭지 않다고 외치는 말이다.

5
세부내용

이 글이 속한 갈래의 특징을 적절하게 설명한 것은 어느 것입니까? ( )

① 몸의 움직임을 따라 사건이 생긴다.
② 만들어진 목소리의 주인공이 작품에 있다.
③ 정해진 형식 없이 솔직하게 마음을 드러낸다.
④ 대립적인 성격을 가진 인물들이 무대에서 활동한다.
⑤ 같거나 비슷한 소리의 반복에 의해 아름다움을 이루어낸다.

6
적용하기

글쓴이가 말에 의해 떠올린 감동을 관용적으로 표현한 문장을 찾아 쓰세요.

( )

7
요약하기

글의 내용을 아래의 표로 정리했습니다. 빈칸을 채워 표를 완성하세요.

처지	두 다리가 불편하여 걷지 못함.
일어난 일	골목길에서 글쓴이에게 깨엿 장수 아저씨가 깨엿 두 개를 내밀며 "① □□□"라고 말해줌.
생각이나 느낌	글쓴이는 이 세상은 좋은 친구들이 있고, 선의와 ② □□이 있고, ③ □□와 너그러움이 있어 그런대로 살 만한 곳이라고 ④ □□ 시작함.

어휘 넓히기

해설편 02쪽

뜻 낱말의 뜻풀이로 알맞은 것을 보기 에서 골라 괄호 안에 기호를 쓰세요.

(1) 괜찮다 (　　　)
(2) 귀찮다 (　　　)

보기
㉠ 마음에 들지 아니하고 괴롭거나 성가시다. '귀하지 않다'의 준말.
㉡ 별로 나쁘지 않고 보통 이상이다. 탈이나 문제, 걱정이 되거나 꺼릴 것이 없다. '괜하지 않다'의 준말.

다지기 아래 문장의 빈칸에 알맞은 낱말을 보기 에서 찾아 쓰세요.

보기
귀찮다　　　괜찮다

(1) 처음 본 사람이지만 상대를 배려하는 마음도 있고 너그러워서 ☐☐☐.
(2) 며칠 밤을 새웠더니 머리가 어지럽고 힘이 없어서 움직이기가 ☐☐☐.

넓히기 다음 한자어의 구성과 뜻을 알아보고, 빈칸에 알맞은 한자어를 쓰세요.

- **관용(寬** 너그러울 관. **容** 얼굴 용.) 남의 잘못 따위를 너그럽게 받아들이거나 용서함. 또는 그런 용서.
- **박애(博** 넓을 박. **愛** 사랑 애.) 모든 사람을 평등하게 사랑함.
- **동정(同** 한가지 동. **情** 뜻 정.) 남의 처지를 딱하고 가엾게 여김.

(1) 사람의 병을 고쳐 주고 죽어가는 사람을 살려 주는 ☐☐ 정신을 실천하다.
(2) 비록 적일지라도 너그럽게 받아들이라는 ☐☐의 정신은 기독교에만 있는 것이 아니다.
(3) 남이 어떤 처지에 있으며 어떤 마음을 가지고 있을지 자신이 겪은 일에 미루어 짐작해보는 것이 ☐☐이다.

시간 공부 날짜 ☐월 ☐일
푸는데 걸린 시간 ☐분

확인 맞은 개수 써보기

독해	☐개/7개	어휘	☐개/7개

05

생각 열기

시의 중요한 표현 방법 중의 하나는 비유예요. 하나를 다른 것에 빗대어 표현하는 방법이에요. 비유를 하려면 둘 사이에 같거나 비슷한 점이 있어야 해요. 그래서 비유가 나오면 먼저 둘 사이의 같은 점이나 비슷한 점이 무엇인지 알아내어야 해요.

점수 계산 1. 20점 2. 15점 3. 15점 4. 15점 5. 15점 6. 15점 7. 20점

길은
포도 덩굴

몇 백 년을 자라서
땅덩이를 다 덮었다.

이 덩굴
가지마다

포도송이 같은
마을이 있고

포도알 같은
집들이 달렸다.

포도알이 늘 때마다
포도송이는 자꾸 커가고

갈봄 없이
자라기만 하는
이 덩굴을 통하여

사람과 사람이 도와가고
마을과 마을이 이어져서

세계가
한 덩이로 되었다.

해설편
03쪽

1

주제찾기

전하고자 한 중심 생각은 무엇입니까? ( )

① 시간이 흐르면 길이 만들어진다.
② 길에서 옛 사람들의 흔적을 떠올린다.
③ 가을의 풍성한 수확이 사람들을 기쁘게 한다.
④ 서로 돕는 사람들이 길을 통해 이어지게 되었다.
⑤ 사람들이 길에 의해 서로 통하는 데 몇 백 년이 걸렸다.

2

글감찾기

무엇을 중심에 두고 읊은 시입니까? 한 낱말로 답하세요.

( )

3

사실이해

'길이 계속하여 생기고 커간다'는 내용을 담고 있는 연을 고르세요. ( )

① 3연
② 4연
③ 5연
④ 6연
⑤ 7연

4

미루어알기

'길'과 '포도 덩굴'의 공통점은 무엇입니까? ( )

① 두 지점을 연결한다.
② 여러 군데로 뻗어 있다.
③ 손을 뻗어서 닿을 수 있다.
④ 작은 것이 모여 큰 것을 이룬다.
⑤ 도구를 통해 일을 하여 다듬을 수 있다.

5
세부내용

'포도알'을 닮았다고 한 것은 무엇입니까? ( )

① 집
② 사람
③ 마을
④ 가지
⑤ 땅덩이

6
적용하기

'길은 포도 덩굴'과 같은 표현 방법으로 '시간'을 표현해 보세요.

( )

7
요약하기

이 시에서 비유한 것들의 짝을 완성하세요.

뜻	비유
① □	포도 덩굴
② □□	포도송이
집	③ □□□

어휘 넓히기

뜻 낱말의 뜻풀이로 알맞은 것을 보기에서 골라 괄호 안에 기호를 쓰세요.

(1) 덩굴 (　　　)

(2) 덤불 (　　　)

보기
㉠ 어수선하게 엉클어진 수풀.
㉡ 길게 뻗어 나가면서 다른 물건을 감기도 하고 땅바닥에 퍼지기도 하는 식물의 줄기. '넝쿨'과 비슷한 말.

다지기 아래 문장의 빈칸에 알맞은 낱말을 보기에서 찾아 쓰세요.

보기
덤불　　　덩굴

(1) 정원에는 장미 ☐☐이 무성하게 자라 있었다.

(2) 산등성이의 나무 ☐☐ 사이를 헤치고 나아가다.

넓히기 다음 한자어의 구성과 뜻을 알아보고, 빈칸에 알맞은 한자어를 쓰세요.

- **근간(根** 뿌리 근. **幹** 줄기 간.) 뿌리와 줄기. 사물의 바탕이나 중심이 되는 것.
- **연대(連** 잇닿을 연. **帶** 띠 대.) 한 덩어리로 서로 연결되어 있음.
- **확장(擴** 넓힐 확. **張** 베풀 장.) 범위, 규모, 세력 따위를 늘려서 넓힘.

(1) 마음을 터놓을 만큼 ☐☐가 굳게 되었다는 믿음이 있었다.

(2) 전쟁을 통해 영토를 ☐☐했다.

(3) 섬유 산업은 우리나라 경제성장의 ☐☐이 되었다.

시간 공부 날짜 ☐월 ☐일
푸는데 걸린 시간 ☐분

확인 맞은 개수 써보기

독해	개/7개	어휘	개/7개

어휘·어법 총정리

1주차

보기 의 낱말을 보고, 뜻과 어울리는 것을 골라 아래의 빈칸에 써보세요.

보기			
내세우다	뒷받침하다	청구권(請求權)	지동설(地動說)
탐험대(探險隊)	무방(無妨)하다	파견(派遣)하다	

1. 뒤에서 지지하고 도와주다. 어떤 주장이나 의견을 내세우는 까닭이 되다. (　　　　)
2. 어떤 일에 나서게 하거나 앞장서서 행동하게 하다. 주장이나 의견 따위를 내놓고 주장하거나 지지하다. (　　　　)
3. 위험을 무릅쓰고 어떤 곳을 찾아가 살피고 조사할 목적으로 조직된 무리. (　　　　)
4. 지구는 스스로 돌면서 태양의 주위를 돈다는 학설. (　　　　)
5. 특정인이나 집단, 국가에 대하여 일정한 행위를 요구할 수 있는 권리. (　　　　)
6. 일정한 임무를 주어 사람을 다른 곳으로 보내다. (　　　　)
7. 거리낄 것이 없이 괜찮다. (　　　　)

어법 다음 중 맞춤법에 맞는 것을 골라 동그라미 하세요.

1. 미끄러워서 [너머졌다 / 넘어졌다].
2. 검사 항목이 [느러났다 / 늘어났다].
3. 국 맛이 [밋밋하다 / 믿믿하다].
4. 뒷맛이 [씁쓸하다 / 씁슬하다].
5. 감자튀김이 [짭짤하다 / 짭잘하다].
6. 전모가 [드러나다 / 들어나다].

나의 점수 확인하기

어휘	개 / 7개	어법	개 / 6개

2주차

회차 / 영역	제목	계획 및 점검
06 인문|설명문	우리의 자랑스러운 판소리 • 나는 [ ]월 [ ]일 [ ]시에 공부할 것입니다.	• 독해력에서 나의 점수는 [ ]점입니다. • 어휘력에서 맞은 문제수는 [ ]개/8개 입니다. • 어려웠던 문제는 ______ 번입니다.
07 사회|설명문	전란의 극복 • 나는 [ ]월 [ ]일 [ ]시에 공부할 것입니다.	• 독해력에서 나의 점수는 [ ]점입니다. • 어휘력에서 맞은 문제수는 [ ]개/8개 입니다. • 어려웠던 문제는 ______ 번입니다.
08 과학|설명문	빛의 성질 • 나는 [ ]월 [ ]일 [ ]시에 공부할 것입니다.	• 독해력에서 나의 점수는 [ ]점입니다. • 어휘력에서 맞은 문제수는 [ ]개/9개 입니다. • 어려웠던 문제는 ______ 번입니다.
09 산문문학|이야기	우주 호텔 • 나는 [ ]월 [ ]일 [ ]시에 공부할 것입니다.	• 독해력에서 나의 점수는 [ ]점입니다. • 어휘력에서 맞은 문제수는 [ ]개/9개 입니다. • 어려웠던 문제는 ______ 번입니다.
10 운문문학|시	목련 그늘 아래서는 • 나는 [ ]월 [ ]일 [ ]시에 공부할 것입니다.	• 독해력에서 나의 점수는 [ ]점입니다. • 어휘력에서 맞은 문제수는 [ ]개/7개 입니다. • 어려웠던 문제는 ______ 번입니다.

• 이번 주 독해력 문제에서 나의 점수는 평균 [ ]점입니다.

• 이번 주 어휘력에서 맞은 문제수는 모두 [ ]개입니다.

중학교 때부터 줄곧 우리나라 전통 예술에 관한 글을 많이 읽게 될 거예요. '판소리'도 그 중의 하나이죠. 판소리에는 이야기가 들어있고(문학), 가락이 있는 소리가 따라붙고(음악), 소리꾼의 몸짓(연극)까지 곁들여져 있어요. 그야말로 종합예술이에요.

1. 15점 2. 15점 3. 10점 4. 15점 5. 15점 6. 15점 7. 15점

서양에 오페라[1]가 있다면 우리에게는 판소리[2]가 있습니다. 물론 판소리와 오페라는 다르지만 종합 예술이라는 점에서 여러 모로 비슷합니다. 그러나 서양의 오페라에는 수십 명이 등장하는데, 판소리는 소리꾼이 홀로 수십 명의 역할을 한다는 점에서 참으로 특별한 예술입니다.

소리꾼이 노래로 부르는 것을 '소리'라고 하고, 말로 하는 것을 '아니리'라고 합니다. 소리꾼이 노래를 부르다 중간 중간 아니리로 설명을 하지요.

"흥부는 참말로 반갑고도 반가워서 물끄러미 아이들이 밥 먹는 모양새를 쳐다보다가 이렇게 노래 부르는 것이었다!" / "심청이는 하늘을 쳐다보고 한없이 눈물을 흘리다가 치마폭으로 얼굴을 감싸 안고 뱃전으로 나아갔다. 인당수로 뛰어들려고 보니 많은 생각이 몰려드는 것이었다. 이때 그 심정을 노래로 불렀으니 이렇게 하는 것이었다!"

소리꾼은 이런 식으로 아니리를 하고 나서 소리를 합니다. 또, '발림'이라고 하여 손짓, 발짓을 하며 박진감 있게 온몸으로 판을 이끌어 나갑니다. 관중은 신명나는 소리와 아니리, 그리고 춤을 추듯 연극을 하듯 상황에 맞게 연출되는 발림에 빠져들어 저마다 호응을 합니다.

"거, 좋다!" / "아이고, 잘한다!" / "얼씨구!"

이와 같이 관중이 호응하는 소리를 '추임새'라고 합니다. 추임새가 있어야 소리꾼이 신명 나고 소리판도 흥겨워집니다. 탈춤에서도 관중은 "얼씨구!" 하며 추임새를 넣습니다. 추임새는 공연자와 관중이 대화하는 중요한 통로인 셈입니다. 서양 연극을 볼 때 관중이 소리를 지르면 예의가 아니지만, 우리의 공연은 다릅니다. 관중이 공연장의 열기를 이끌고 나가기 때문이지요. 추임새가 얼마나 중요한지 다음 장면에서 다시 확인할 수 있어요.

"사람은 모두 오장 육보가 있는디, 놀부놈은 오장 육보가 아니라 오장 칠보라고, 놀부놈에게는 심술보가 하나 더……" ('흥부가'에서)

이 대목에 이르면 어른 아이 할 것 없이 박장대소를 하지요. 더러는 "잘한다!", "얼씨구!" 하며 추임새를 넣고요. 추임새에 신이 난 소리꾼의 능청스런 연기에 또다시 구경꾼들은 배꼽을 잡지요. 흥부의 가난과 비탄을 이야기할 때 소리꾼의 소리는 애절해져요. 박장대소하던 구경꾼들은 금세 눈시울이 붉어집니다.

판소리는 소리와 아니리, 발림, 그리고 추임새가 모두 어우러져야 제격입니다. 그런데 추임새에서 빠질 수 없는 것은 북을 치는 고수입니다. 고수는 극 중 상황에 맞게 장단을 치며 곧잘 추임새를 던집니다. 북을 치는 고수의 장단이 좋아야 소리꾼도 신명이 나서 노래를 잘할 수 있지요. 그래서 '1고수 2명창'이라는 말도 있답니다. 고수가 첫 번째이고, 명창은 그 다음이라는 뜻이지요.

이쯤 되면 판소리가 소리꾼의 소리로만 이루어지지 않음을 알 수 있습니다. 판소리는 한 사람의 소리꾼이 고수의 북장단에 맞추어 서사적인 이야기를 소리와 아니리를 엮어 발림을 곁들이며 구연하는 우리 고유의 민속악입니다. 판소리에서 관중의 호응도 중요합니다. 판소리를 종합 예술이라고 부르는 것은 이 모든 것이 한데 어우러져 하나로 완성되기 때문입니다. 판소리는 서양 오페라 뺨치는 우리 공연 예술의 꽃입니다.

❶ 오페라 음악을 중심으로 한 종합 무대 예술. 대사는 독창, 중창, 합창 따위로 부르며, 서곡이나 간주곡 따위의 기악곡도 덧붙인다. ❷ 판소리 광대 한 사람이 고수(鼓手)의 북장단에 맞추어 서사적(敍事的)인 이야기를 소리와 아니리로 엮어 발림을 곁들이며 구연(口演)하는 우리 고유의 민속악.

2주 06회

해설편 03쪽

1 주제찾기

글의 전체 내용을 한 문장으로 표현할 때 들어갈 필요가 없는 낱말을 고르세요. ············ ( )

① 판소리 ② 소리꾼 ③ 북장단 ④ 이야기 ⑤ 현대극

2 글감찾기

글감을 한 낱말로 쓰세요.

( )

3 사실이해

판소리와 서양 오페라의 공통점은 무엇입니까? ············ ( )

① 1인극이다.
② 종합예술이다.
③ 극장이 필요하다.
④ 무대 장치를 해야 한다.
⑤ 여러 가지 악기가 있어야 한다.

4
미루어알기

판소리의 무대가 구경꾼을 향해 열려 있어서 가능해지는 일은 무엇입니까? ( )

① 소리꾼이 큰 목소리로 노래할 수 있다.

② 소리꾼이 구경꾼의 방해를 미리 막을 수 있다.

③ 소리꾼과 구경꾼이 힘을 합하여 무대 장치를 할 수 있다.

④ 소리꾼이 구경꾼의 도움을 받아 공연의 비용을 줄여갈 수 있다.

⑤ 소리꾼과 구경꾼이 대화를 통해 현실의 잘못된 점을 꼬집어 비판할 수 있다.

5
세부내용

첫 문단에서 사용한 설명의 방법은 무엇입니까? ( )

① 분석, 묘사 ② 정의, 분류 ③ 비교, 대조

④ 분류, 비교 ⑤ 예시, 묘사

6
적용하기

판소리가 이야기 문학이라고 할 때, 다음 글과 관계 깊은 판소리의 구성 요소를 쓰세요.

사건의 변화, 시간의 경과, 주인공의 심리 등을 전달한다.

( )

7
요약하기

글의 내용을 아래와 같이 요약했습니다. 빈칸에 알맞은 낱말을 넣으세요.

판소리는 한 사람의 ① □□□이 고수의 북장단에 맞추어 ② □□□인 이야기를 소리와 ③ □□□로 엮어 발림을 곁들이며 구연하는 전통극입니다. 판소리의 무대 장치는 별도로 할 필요가 없으며, 이 때문에 무대가 ④ □□에게 열려 있어서 자유롭게 극에 참여할 수 있습니다.

어휘 넓히기

뜻 **낱말의 뜻풀이로 알맞은 것을 보기 에서 골라 괄호 안에 기호를 쓰세요.**

(1) 모양새 (　　　)
(2) 추임새 (　　　)
(3) 차림새 (　　　)

보기
㉠ 옷이나 음식 따위를 차린 그 모양.
㉡ 겉으로 보이는 모양의 상태. 체면이나 일이 되어 가는 꼴을 속되게 이르는 말.
㉢ 판소리에서, 장단을 짚는 고수(鼓手)가 창(唱)의 사이사이에 흥을 돋우기 위하여 삽입하는 소리. '좋지', '얼씨구', '흥' 따위이다.

다지기 **아래 문장의 빈칸에 알맞은 낱말을 보기 에서 찾아 쓰세요.**

보기
모양새　　차림새　　추임새

(1) 우리집 안뜰에는 [　][　][　] 좋은 바윗돌과 돌로 만든 등이 놓여 있다.
(2) 소리꾼의 구성진 노랫가락에 관객들은 흥겹게 [　][　][　]를 넣었다.
(3) 모임을 주도한 주인의 화려한 [　][　][　]는 많은 사람들의 눈길을 끌었다.

넓히기 **다음 한자어의 구성과 뜻을 알아보고, 빈칸에 알맞은 한자어를 쓰세요.**

- **긴장감(緊** 긴할 긴. **張** 베풀 장. **感** 느낌 감.) 마음을 조이고 정신을 바짝 차려야 하겠다는 느낌.
- **박진감(迫** 핍박할 박. **進** 나아갈 진. **感** 느낌 감.) 생동감 있고 활기차고 적극적이어서 현실적으로 느껴지는 느낌.

(1) 여러 각도에서 싸우는 장면을 촬영하여 [　][　][　] 넘치는 작품이 완성되었다.
(2) 소설의 줄거리가 진행될수록 손에 땀을 쥐게 하는 [　][　][　]이 점점 높아졌다.

시간 공부 날짜 [　] 월 [　] 일
푸는데 걸린 시간 [　] 분

확인 맞은 개수 써보기

독해	개/7개	어휘	개/8개

07

전쟁은 사람의 삶을 송두리째 바꾸어 놓을 만큼 큰 변화를 일으킵니다. 조선 사회처럼 백성들이 아무 힘이 없는 상태에서 두 차례나 맞았던 전쟁은 정치, 경제, 문화, 사상의 모든 방면에서 큰 변화를 가져왔습니다. 백성들은 무능한 정치인을 탓하거나 원망할 겨를도 없이 살아남기 위해 몸부림쳐야 했습니다.

1. 15점 2. 15점 3. 15점 4. 15점 5. 10점 6. 15점 7. 15점

조선은 16세기 말과 17세기 초에 임진왜란과 병자호란이라는 두 차례의 큰 전란을 겪으면서 참담한 피해를 입었습니다. 많은 백성과 군사가 죽거나 다쳤고, 일본과 청에 포로로 끌려갔습니다. 궁궐 등의 건축물이 불에 타 사라지거나 책 · 도자기와 같은 귀중한 문화재가 외적에게 약탈되었습니다. 농민은 오랫동안 농사를 짓지 못하여 식량이 부족하였고 기대어 쉴 만한 집도 없어져서 생활은 더욱 어려워졌습니다. 이렇게 되고 보니 세금이 잘 걷히지 않아 나라의 살림살이도 어려워졌습니다. 조선은 두 차례에 걸친 전란의 피해를 극복하기 위해 어떤 노력을 하였을까요?

농업 생산력을 늘리기 위한 백성의 노력을 먼저 들어야겠습니다. 황폐해진 농촌을 회복하여 수확을 늘리기 위하여 한 일입니다. 황폐해진 땅을 다시 일구어 농사지을 수 있는 땅을 늘려나가는 일부터 했습니다. 그리고 농사에 필요한 저수지나 보를 만들어 시설을 확충해갔습니다. 모내기법과 같은 새로운 농사 기술을 이용하여 생산량을 늘리려고 한 노력도 빠뜨릴 수 없지요. 밭작물 재배를 늘려 인삼, 담배, 채소 등의 작물도 널리 재배하였습니다. 농사에 필요한 시설이 늘어나고 새로운 농사 기술이 발달함에 따라 적은 노동력으로 넓은 땅을 경작할 수 있게 되어 일부 부유한 농민이 나타나기 시작했습니다. 시간이 지나면서 서서히 나타나기는 했지만 전국 곳곳에 장시가 늘어나고 장을 돌아다니며 물건을 사고파는 사람들도 생겨 (㉠)이 발달해간 것도 이 무렵부터입니다.

조정에서도 피해를 극복하기 위해 노력을 아끼지 않았습니다. 토지 조사와 인구 조사를 새로 실시하여 나라의 재정을 늘리고 백성의 생활을 안정시키고자 하는 일부터 했습니다. 그런 다음 대동법을 실시하였습니다. 대동법은 특산물 대신 토지 면적에 따라 쌀이나 베 · 무명 · 돈 등을 세금으로 내도록 하는 제도입니다. 전란으로 생활이 황폐해진 백성의 부담을 덜어 주기 위하여 세금 제도를 정비한 것입니다.

1 주제찾기

글의 중심 내용을 가장 잘 표현한 것은 어느 것입니까? ( )

① 농사의 권장과 왕실의 재건
② 생산력의 향상과 재정의 확충
③ 두 차례의 큰 전쟁과 문화재의 소실
④ 새로운 농사 기술의 보급과 역사책의 편찬
⑤ 밭작물 재배지의 전국적 확대와 세금제도의 정비

해설편 04쪽

2 글감찾기

글에 나온 낱말을 사용하여 알맞은 제목을 완성하세요.

□□ 의 피해를 □□ 하기 위한 노력

3 사실이해

글의 내용과 일치하지 않는 것은 어느 것입니까? ( )

① 왜란에 이어 호란이 일어났다.
② 전쟁으로 궁궐이 불타고 땅이 황폐해졌다.
③ 농사 기술의 발달로 농민들이 부자가 되었다.
④ 장시가 늘어나고 물건을 사고파는 직업이 생겼다.
⑤ 토지와 인구 조사를 실시하여 나라 살림을 늘리려했다.

4 미루어알기

아래의 글을 읽고, 윗글에서 알 수 있는 내용은 무엇입니까? ( )

특산물을 세금으로 낼 때는 그 종류와 양이 정해져 있었습니다. 그런데도 백성이 특산물을 세금으로 내면 관리가 온갖 구실을 붙여 더 많이 내게 하기 일쑤였습니다. 백성은 상인에게 특산물을 사서 세금으로 내야 했는데, 이때 상인들은 관청과 짜고 특산물의 가격을 비싸게 받았습니다.

① 세금과 대동법의 관계
② 대동법을 위한 특산물 재배
③ 대동법을 실시하게 된 까닭
④ 대동법 이전의 나라 재정
⑤ 생산력 향상을 위한 노력

5 세부내용

㉠에 들어갈 낱말로 알맞은 것을 고르세요. .... (　　)

① 농업
② 공업
③ 산업
④ 상업
⑤ 어업

6 적용하기

아래의 사람들 중에서, 대동법에 찬성했던 사람들과 반대했던 사람들을 구별하여 정리하세요.

> 농민, 지주(땅을 가진 사람), 공인(왕궁이나 관청에 필요한 물품을 대는 일을 맡아보는 사람), 방납업자(공물을 나라에 대신 바치고 그 대가로 백성들에게서 더 많은 것을 받아 챙겼던 하급 관리나 상인), 조정

(1) 찬성 :
(2) 반대 :

7 요약하기

전란 이후 농업 생산력을 늘리기 위하여 한 일을 아래에 간추렸습니다. 빈칸에 알맞은 낱말을 글에서 찾아 쓰세요.

> 황폐해진 땅을 다시 일구어 ① □□지을 수 있는 땅을 늘려나가는 한편 농사에 필요한 ② □□을 확충해 나갔다. 모내기법과 같은 농사 ③ □□을 개발하고 밭작물의 재배를 늘려갔다.

어휘 넓히기

뜻 낱말의 뜻풀이로 알맞은 것을 보기 에서 골라 괄호 안에 기호를 쓰세요.

(1) 사라지다 ( )
(2) 스러지다 ( )
(3) 쓰러지다 ( )

보기
㉠ 힘이 빠지거나 외부의 힘에 의하여 서 있던 상태에서 바닥에 눕는 상태가 되다.
㉡ 현상이나 물체의 자취 따위가 없어지다.
㉢ 형체나 현상 따위가 차차 희미해지면서 없어지다.

다지기 아래 문장의 빈칸에 알맞은 낱말을 보기 에서 찾아 쓰세요.

보기
사라지다 쓰러지다 스러지다

(1) 부자가 되고자 한 꿈이 물거품처럼 □□□□.
(2) 몰아닥친 폭풍으로 나무들이 폭폭 □□□□.
(3) 동틀 무렵이 되어 하늘의 별빛이 점차 □□□□.

넓히기 다음 한자어의 구성과 뜻을 알아보고, 빈칸에 알맞은 한자어를 쓰세요.

- **회복(回** 돌아올 회. **復** 회복할 복.**)하다.** 원래의 상태로 돌이키거나 원래의 상태를 되찾다.
- **확충(擴** 넓힐 확. **充** 채울 충.**)하다.** 늘리고 넓혀 충실하게 하다.

(1) 외세의 침략으로 잃어버렸던 주권을 □□했다.
(2) 농업 생산을 늘리기 위하여 수리 시설을 새로 □□했다.

시간 공부 날짜 □월 □일
푸는데 걸린 시간 □분

확인 맞은 개수 써보기

독해	개/7개	어휘	개/8개

08

어려운 낱말의 뜻을 글에서 직접 가르쳐주기도 해요. 예를 들어 '투과'라는 낱말을 처음 보았다고 해요. 그런데 이 낱말이 나온 앞에 '물이나 유리처럼 투명한 물체를 통과할 수 있다.'는 말이 있어요. 이쯤 되면, '투과'란 '물체를 뚫고 지나간다.'라는 뜻임을 알아차릴 수 있어요. 이렇게 순발력 있게 응용하는 능력을 키워야 해요.

1. 15점 2. 15점 3. 15점 4. 15점 5. 10점 6. 15점 7. 15점

우리는 빛이 있기 때문에 물체를 볼 수 있습니다. 우리 주변에는 태양이나 전등처럼 스스로 빛을 내는 물체가 있어요. 이와 같이 스스로 빛을 내는 물체를 '광원'이라고 해요. 우리는 광원을 볼 수 있으며 광원 아래에서는 스스로 빛을 내지 않는 물체도 볼 수 있어요. 극장과 같이 어두운 곳에 갑자기 들어가면 처음에는 잘 보이지 않다가 시간이 지나면서 주변의 물체가 조금씩 보이기 시작합니다. 암실에서도 전등이 켜져 있으면 광원인 전등에서 나오는 빛이 물체를 비추기 때문에 볼 수 있어요. 우리가 물체를 볼 수 있는 것은 광원에서 나온 빛이 물체에 반사되어 우리의 눈에 들어오기 때문입니다. 따라서 빛이 전혀 없는 곳에서는 물체를 볼 수 없어요.

창문 틈으로 새어 들어오는 빛은 곧게 뻗어 나갑니다. 또 어두운 방에서 손전등을 벽에 비추면 빛은 벽을 향하여 똑바로 나아갑니다. 이처럼 빛은 언제나 '직진'합니다. 직진해 온 빛이 거울에 비치면 어떻게 될까요? 빛은 거울에서 반사된 후에도 직진합니다. 거울의 방향을 바꾸면 빛이 반사되어 나가는 방향이 바뀌지만 여전히 직진해요. 빛은 물이나 유리처럼 투명한 물체를 통과할 수 있지요. 유리창을 통하여 바깥의 경치가 보이는 것은 빛이 유리를 투과하여 우리 눈에 들어오기 때문이에요.

빛은 물이나 유리의 표면에서 일부 반사되기도 합니다. 거울이나 수면에서 빛이 반사될 때, 빛이 거울로 들어가는 입사각과 거울에서 반사되는 반사각의 크기는 같습니다. 입사한 빛과 거울의 표면에 수직으로 세운 선이 이루는 각을 반사각이라 해요. 빛이 어떠한 각도로 입사하더라도 입사각과 반사각은 항상 같습니다. 이 관계를 반사의 법칙이라 해요. 잔잔한 수면이나 거울처럼 매끄러운 평면에서는 빛이 일정한 방향으로 반사되는데, 이를 '정반사'라고 합니다. 반면 종이처럼 울퉁불퉁한 면에서 빛은 여러 방향으로 흩어져 반사하는데, 이를 '난반사'라고 합니다. 흰 종이와 같은 하얀 물체는 모든 빛을 반사해요. 그러나 거울과 달리 표면이 거칠어 난반사가 일어나기 때문에 물체가 비치지 않는 거예요.

컵 속에 동전을 놓고 동전이 보일락 말락 한 위치에서 물을 부으면 서서히 동전이 떠올라 보입니다. 이것은 동전에서 나온 빛이 수면에서 굴절하여 우리 눈에 들어오기 때문이지요. 빛이 공기에서 진행하다가 물을 만나면 경계면에서 일부는 반사하지만, 대부분의 빛은 물속으로 들어갑니다. 이 때 경계면에 비스듬하게 들어간 빛은 진행 방향이 꺾어집니다. 이처럼 빛이 서로 다른 물질 속을 통과해 갈 때 경로가 바뀌는 현상을 '빛의 굴절'이라고 해요.

1
주제찾기

글에서 설명한 중심 내용을 간추리고자 할 때 꼭 필요한 낱말들만 모아 놓은 것은 어느 것입니까? ( )

① 물체, 광원, 굴절
② 광원, 거울, 반사
③ 직진, 거울, 반사
④ 물체, 반사, 법칙
⑤ 직진, 반사, 굴절

2
글감찾기

빈칸을 채워 글에 알맞은 제목을 붙이세요.

[ ] 의 [ ][ ]

3
사실이해

설명한 내용과 일치하는 것은 어느 것입니까? ( )

① 스스로 빛을 내지 않는 물체도 볼 수 있다.
② 빛이 들어오지 않는 곳에서도 물체를 볼 수 있다.
③ 손전등을 거울에 비추면 여러 방향으로 빛이 나아간다.
④ 투명한 유리가 아니어도 창 너머에 있는 경치를 볼 수 있다.
⑤ 흰 종이를 앞에 두고 물체를 비추면 물체의 상이 생기지 않는다.

4 미루어알기

글의 내용에 바탕을 두고 그 이유를 설명할 수 있는 것은 어느 것입니까? ······ (   )

① 극장에는 낮보다 밤에 가는 편이 덜 피곤하다.
② 달에서 지구를 광원으로 삼아 다른 별을 볼 수 있다.
③ 태양은 우리가 눈으로 보는 것보다 늦게 떠서 일찍 진다.
④ 어두운 곳에서 작업을 하기 위해서는 반사경을 가지고 들어간다.
⑤ 돌을 매끄럽게 갈아서 그 앞에 물체를 세워두면 물체의 상이 비친다.

5 세부내용

글에서 자주 사용한 설명의 방법은 무엇입니까? ······························ (   )

① 둘의 공통점과 차이점을 견주었다.
② 원인을 자세히 밝히고 그 결과를 말했다.
③ 전체를 구성하는 요소를 하나하나 늘어놓았다.
④ 말의 뜻이 무엇인지 밝히고 같은 성질끼리 묶었다.
⑤ 대상이 무엇이며 어떠한지 손가락으로 가리키듯이 말했다.

6 적용하기

거울 앞에 '나'를 세워 두면 나의 상은 오른쪽과 왼쪽이 서로 바뀌어 보입니다. 그렇게 비치는 까닭은 무엇인지 빈칸을 채워 답하세요.

⇨ 내 몸의 상을 [ ][ ]하여 보여 주기 때문입니다.

7 요약하기

빛의 세 가지 성질을 글의 내용에 따라 아래와 같이 간추렸습니다. 빈칸에 알맞은 낱말을 글에서 찾아 쓰세요.

광원에서 나온 빛은 주변의 매질이 변화하지 않는 한 ① [ ][ ]한다. 반사나 굴절이 일어난 뒤에도 마찬가지이다. 빛은 또한 거울처럼 더 이상 나아갈 수 없는 표면에서는 ② [ ][ ]한다. 그리고 빛이 서로 다른 물질 속을 통과해 경로가 바뀌는 현상을 ③ [ ][ ]이라 한다.

어휘 넓히기

뜻 낱말의 뜻풀이로 알맞은 것을 보기 에서 골라 괄호 안에 기호를 쓰세요.

(1) 비추다 (　　　)
(2) 비치다 (　　　)

보기
㉠ 빛이 나서 환하게 되다. 빛을 받아 모양이 나타나 보이다.
㉡ 빛을 내는 대상이 다른 대상에 빛을 보내어 밝게 하다.

다지기 아래 문장의 빈칸에 알맞은 낱말을 보기 에서 찾아 쓰세요.

보기
비춘　　비친　　비추지　　비쳐서

(1) 해가 □□ 동쪽의 수평선이 붉게 물들다.
(2) 조금 전까지 내 얼굴을 □□ 달은 구름 속으로 들어갔다.
(3) 초가지붕이 달빛에 □□□ 눈에 훤히 들어온다.
(4) 광원이 희미한 빛을 내면 물체를 또렷하게 □□□ 못한다.

넓히기 다음 한자어의 구성과 뜻을 알아보고, 빈칸에 알맞은 한자어를 쓰세요.

- **직진(直 곧을 직. 進 나아갈 진.)하다.** 곧게 나아가다.
- **투과(透 뚫을 투. 過 지나갈 과.)하다.** 광선이나 물질이 다른 물질의 내부를 통과하다.
- **투명(透 뚫을 투. 明 밝을 명.)하다.** 물 따위가 속까지 환히 비치도록 맑다.

(1) 네거리에서 □□하면, 백화점이 나온다.
(2) 뒷산에는 차고 □□한 샘물이 있다.
(3) 빛이 유리 창문을 □□했다.

시간 공부 날짜 　월 　일
푸는데 걸린 시간 　분

확인 맞은 개수 써보기

독해	개/7개	어휘	개/9개

09

인물 사이의 다툼이 거의 나타나지 않는 이야기가 있어요. 이런 이야기에서는 배경이나 인물이 강조되어요. 우리가 실제로 겪어보지 못한 세계나 때가 배경이 되어요. 또 인물의 마음이 어떠한지 자세하게 그려지기도 해요.

1. 15점 2. 15점 3. 10점 4. 15점 5. 15점 6. 15점 7. 15점

[앞의 줄거리] 사람들은 땅만 쳐다보고 폐지를 줍는 할머니를 '종이 할머니'라고 불렀다. 허리가 구부러질 대로 구부러지면 땅에 납작하게 붙어 버리겠지 하는 마음으로 살았다. 종이 할머니네 맞은편 집에 이사 온 메이는 종이 할머니께 다 쓴 종이를 가져다 드렸고, 얼마 뒤에는 스케치북을 놓고 갔는데, 거기에는 우주 그림이 그려져 있어서, 할머니는 어릴 적 꿈을 떠올리며 모처럼 하늘을 올려다보았다.

종이 할머니는 스케치북을 안고 집으로 들어갔어. 햇빛이 잘 들어오지 않아서 단칸방은 늘 어둑했어. 하지만 아늑했지. 종이 할머니는 스케치북에 있는 그림을 한 장 한 장 떼어 내어 벽에 붙였어. 그리고 옆으로 누워서 찬찬히 그림을 보았단다. 가장 마음에 드는 건 마지막 장에 그려진 우주 그림이었어. 종이 할머니는 우주 그림을 자세히 보다가 아까는 보지 못했던 것을 보게 되었어. 바로 찌그러진 파란 지구 맞은편 위에 떠 있는 포도 모양의 성이야. 포도 알갱이들은 하나하나가 작은 방 같았지. 그리고 그 알갱이들은 투명하고 푸른빛을 띠며 빛나고 있었어. 꼭 유리로 만든 바다처럼 보였어.

포도 모양의 성 맨 꼭대기에는 두 아이가 앉아서 차를 마시고 있었어. 그런데 참 이상하지 뭐야. 두 아이 중 하나는 눈이 불룩하게 튀어나오고 입은 개구리처럼 커다랬어. 게다가 팔다리는 길고 머리부터 발끝까지 초록빛이었지. 이런 사람은 한 번도 본 적이 없었어. 할머니는 그게 뭔지 무척 궁금했어.

'그 초록색 아이는 누구일까?' 하고 / 그때였어. / "할머니, 이거요?"

아이의 목소리가 들렸어. 종이 할머니는 반가운 마음에 문을 활짝 열었어.

"우리 집에 들어올려?" / 아이는 방으로 들어와 벽에 붙여진 자신의 그림을 보고는 팔짝팔짝 뛰었지. / "와, 이거 내가 그린 그림이다!"

종이 할머니는 우주 속에 떠 있는 포도 모양의 성을 가리켰어.

"그란디 저건 뭐여?" / "우주 호텔."

"우주 호텔이 뭐여? 우주에도 호텔이 있단 말이여?"

"네, 우주는 아주아주 넓은 곳이니까요. 우주 호텔은 우주를 여행하다가 쉬는 곳이에요. 목성에 갔다가 쉬고, 토성에 갔다가 쉬고……. 우주여행은 무척 힘들어요. 그래서 우주 호텔에 들러 잠깐 쉬는 거예요. 외계인 친구를 만나서 차도 마시면서요."

"외계인? 진짜 외계인이 있는 겨?"

종이 할머니의 눈이 커다래졌어. 그러자 아이는 초록색 아이를 가리켰어.

"얘는 뽀뽀나예요. 내가 우주를 여행할 때 만난 외계인 친구예요. 뽀뽀나는 뽀뽀하는 걸 좋아해요. 그래서 입을 개구리처럼 내밀고 다녀요."

아이는 이렇게 말하고는 밖으로 달려 나갔어.

아이가 나가고, 종이 할머니는 아이의 말을 곰곰이 생각해 보았어.

'그래, 아이의 말이 맞을지도 모르겠군. 하늘도 저렇게 넓은데 저 하늘 밖의 우주는 얼마나 넓을까?'

종이 할머니는 그곳으로 비둘기처럼 날아가고 싶었단다. 종이 할머니는 작은 마당으로 나갔어. 그리고 힘겹게 허리를 펴고 천천히 고개를 들었단다. 그러고는 하늘을 올려다보았지. 하늘엔 먹구름이 물러가고 환한 빛이 눈부시게 쏟아지고 있었어.

"눈은 아직 늙지 않았구먼. 아주 멀리 있는 것도 볼 수 있지."

종이 할머니는 환한 빛 너머, 하늘 너머, 별 너머, 우주 호텔 너머, 유리 바다에 둘러싸인 성을 보았지. 종이 할머니는 결심했어. 쉽게 허리를 구부리지 않기로 말이야. 쉽게 허리를 구부리면 다시는 저 우주 호텔을 보지 못할 것 같았거든.

1 주제찾기

이야기의 주제를 가장 잘 표현한 것을 고르세요. ( )

① 꿈을 가지게 되면 삶이 행복해진다.
② 어린아이의 마음이 세상을 아름답게 한다.
③ 이웃과 어울리며 살아갈 때 세상이 밝아진다.
④ 가난이 마음을 병들게 하여 사람을 불행에 빠뜨린다.
⑤ 재물에 대한 욕심이 가난하고 힘없는 사람을 미워하게 한다.

2 글감찾기

이야기의 주제와 관련된 상징적인 공간을 글에서 찾아 쓰세요.

( )

3 사실이해

'포도 모양의 성'을 그리는 데 끌어들인 요소와 거리가 먼 것은 무엇입니까? ( )

① 빛깔 ② 색깔 ③ 크기 ④ 모양 ⑤ 움직임

4
미루어알기

종이 할머니로 하여금 편안히 쉴 수 있는 곳이라는 생각이 들도록 한 곳은 어디입니까? ( )

① 스케치북
② 파란 지구
③ 초록색 아이
④ 우주 호텔
⑤ 외계인

5
세부내용

종이 할머니가 스스로를 비유한 낱말은 무엇입니까? ( )

① 부스러기 ② 바람개비 ③ 비둘기 ④ 하늘 ⑤ 바다

6
적용하기

이야기를 읽고 다음과 같이 감상문을 썼습니다. 빈칸에 알맞은 낱말을 써넣으세요.

⇨ 종이를 찾아 땅만 쳐다보던 할머니가 새로운 ① □□을 갖고, 당당하게 살아가게 된 모습이 ② □□□이었다.

7
요약하기

[앞의 줄거리]를 포함하여 글의 주요 내용을 순서에 따라 간추리려고 합니다. ①과 ②에 들어가야 할 낱말이나 어구를 쓰세요.

종이 할머니는 허리를 굽혀 땅만 보며 종이를 주웠다.

⇩

종이 할머니는 메이가 그린 우주 그림을 보고 어릴 적 ① □을 떠올린다.

⇩

종이 할머니가 ② □□ □□과 우주 여행에 대해 듣고 새로운 희망을 갖게 된다.

어휘 넓히기

뜻 낱말의 뜻풀이로 알맞은 것을 보기 에서 골라 괄호 안에 기호를 쓰세요.

(1) 떼다 (　　)
(2) 띄다 (　　)
(3) 띠다 (　　)

보기
㉠ 띠나 끈 따위를 두르다. 용무나, 직책, 사명 따위를 지니다.
㉡ 붙어 있거나 잇닿은 것을 떨어지게 하다.
㉢ 눈에 보이다. '뜨이다'의 준 말.

다지기 아래 문장의 빈칸에 알맞은 낱말을 보기 에서 찾아 쓰세요.

보기
띄는　　떼고　　띠고

(1) 빨간 지붕이 눈에 [　][　] 집이 언덕 위에 서 있다.
(2) 포도 알갱이들은 푸른 빛을 [　][　] 빛나고 있었다.
(3) 벽에 오래 붙어 있던 그림을 [　][　] 새 그림을 붙이다.

넓히기 다음 한자어의 구성과 뜻을 알아보고, 빈칸에 알맞은 한자어를 쓰세요.

- **환상**(幻 헛보일 환. **想** 생각 상.) 현실적인 기초나 가능성이 없는 헛된 생각이나 공상.
- **환영**(幻 헛보일 환. **影** 그림자 영.) 눈앞에 없는 것이 있는 것처럼 보이는 것.
- **환각**(幻 헛보일 환. **覺** 깨달을 각.) 외부 자극이 없는데도 마치 어떤 사물이 있는 것처럼 지각함.

(1) 그는 [　][　] 증상에 시달리고 있다.
(2) 그는 몸이 허약해지면서 죽은 사람의 [　][　]에 시달리고 있다.
(3) 어릴 적부터 하늘을 나는 [　][　]에 빠져 아무 일도 하지 못하는 때가 있었다.

시간 공부 날짜 [　]월 [　]일
푸는데 걸린 시간 [　]분

확인 맞은 개수 써보기

독해	개/7개	어휘	개/9개

10

시에서 한 번 비유를 하고, 계속하여 그 뜻을 이어가는 경우가 있어요. '꽃봉오리'를 '물새알'로 비유했어요, 이 뜻을 이어서 다음에는 '새 꽃잎'을 '흰 부리'로 비유해요, 또 그 다음에는 '가지마다 피는 꽃'을 '하얗게 날아오르는 새들'로 비유해요. 이렇게 되면, '물새알', '흰 부리', '하얗게 날아오르는 새들' 역시 순서를 따라 서로 이어지는 거예요.

1. 15점 2. 10점 3. 15점 4. 15점 5. 15점 6. 15점 7. 15점

목련 아래를 지날 때는
가만가만
발소리를 죽인다

마른 가지 어디에 물새알 같은
꽃봉오리를 품었었나

톡 / 톡
껍질을 깨고
꽃봉오리들이
흰 부리를 내놓는다.
톡톡
하늘을 두드린다

가지마다
포롱포롱
꽃들이 하얗게 날아오른다

목련 아래를 지날 때는
목련꽃 날아갈까 봐
발소리를 죽인다.

1
주제찾기

시에서 말하는 사람의 태도는 어떠합니까? ( )

① 아름다운 자연을 예찬한다.
② 자연에서 사람의 일을 배우려 한다.
③ 새 생명의 탄생을 보며 조심스러워한다.
④ 꽃이 피어나자마자 지는 것을 안타까워한다.
⑤ 태어났다 사라지려고 하는 생명에 대해 동정한다.

해설편 05쪽

2
글감찾기

중심 소재를 시에서 찾아 쓰세요.

( )

3
사실이해

움직임이 가장 큰 느낌을 주는 연은 어느 것입니까? ( )

① 1연
② 2연
③ 3연
④ 4연
⑤ 5연

4
미루어알기

목련꽃이 막 피어나는 순간을 무엇에 비유하였습니까? ( )

① 목련 아래를 사람이 지날 때
② 새가 껍질을 깨고 나오는 모습
③ 목련 가지에 새가 날아오는 모습
④ 새들이 나무 위로 날아오르는 모습
⑤ 목련 꽃봉오리에 새들이 앉아있을 때

5
세부내용

시에서 비유를 위해 끌어들인 첫 낱말은 무엇입니까? ( )

① 목련
② 발소리
③ 물새알
④ 꽃봉오리
⑤ 부리

6
적용하기

이 시는 다음의 효과를 내기 위해 1연과 마지막 연이 비슷한 모양으로 이루어져 있어요. 보기 에서 알맞은 말을 골라 빈칸을 채우세요.

보기

느낌 내용 비유 운율 소리

시의 ① [ ][ ]을 완벽하게 끝맺는 느낌을 주고, 같은 말과 구조의 반복으로 ② [ ][ ]을 이룬다.

7
요약하기

시를 다음과 같이 정리했습니다. 빈칸에 알맞은 말을 쓰세요.

목련의 ① [ ][ ][ ][ ]가 마치 물새가 톡톡 껍질을 깨고 ② [ ][ ][ ]를 내놓는 것처럼 신비롭다. 가지마다 꽃들이 피어난 모습이 새가 하얗게 날아오르는 것처럼 보인다. 그래서 목련 아래를 지날 때는 새 생명의 ③ [ ][ ]이 조심스러워 발소리까지 죽이게 된다.

어휘 넓히기

뜻

낱말의 뜻풀이로 알맞은 것을 보기 에서 골라 괄호 안에 기호를 쓰세요.

(1) 꽃봉오리 (　　　)

(2) 산봉우리 (　　　)

보기

㉠ 망울만 맺히고 아직 피지 아니한 꽃. 장래가 기대되는 젊은 세대를 비유적으로 이르는 말.

㉡ 산에서 뾰족하게 높이 솟은 부분. 그냥 '봉우리'로 줄여 부르기도 함.

2주 10회

해설편 05쪽

다지기

아래 문장의 빈칸에 알맞은 낱말을 보기 에서 찾아 쓰세요.

보기

꽃봉오리　　　산봉우리

(1) 하루 사이에 □□□□가 탐스럽게 맺혔다.

(2) 눈이 하얗게 덮인 □□□□가 신비롭다.

넓히기

다음 한자어의 구성과 뜻을 알아보고, 빈칸에 알맞은 한자어를 쓰세요.

- **개화(開** 열 개. **花** 꽃 화.) 풀이나 나무의 꽃이 핌. 문화나 예술이 한창 번영함을 비유적으로 이르는 말.
- **비상(飛** 날 비. **翔** 날 상.) 공중을 날아다님.
- **경외(敬** 공경 경. **畏** 두려워할 외.) 공경하면서 두려워함.

(1) 오로라는 성스럽고 □□로운 느낌의 찬연한 빛을 발한다.

(2) 새가 알껍질을 깨고 자라나서 처음으로 □□을 시도했다.

(3) 봄이 되면, 대부분의 식물들이 □□를 시작한다.

시간

공부 날짜 　　월 　　일

푸는데 걸린 시간 　　분

확인

맞은 개수 써보기

독해	개/7개	어휘	개/7개

어휘·어법 총정리 2주차

어휘 **보기 의 낱말을 보고, 뜻과 어울리는 것을 골라 아래의 빈칸에 써보세요.**

보기			
줍다	기대다	신명나다	흩어지다
경외심	호응(呼應)하다	경탄(敬歎)하다	

1. 저절로 일어나는 흥겨운 기분과 멋이 생기다. [ ]
2. 바닥에 떨어지거나 흩어져 있는 것을 집다. [ ]
3. 한데 모였던 것이 따로따로 떨어지거나 사방으로 퍼지다. [ ]
4. 몸이나 물건을 무엇에 의지하면서 비스듬히 대다. 남의 힘에 의지하다. [ ]
5. 부름이나 호소 따위에 대답하거나 응하다. 앞에 어떤 말이 오면 거기에 응하는 말이 따라오다. [ ]
6. 공경하면서 두려워하는 마음. [ ]
7. 우러르며 감탄하다. [ ]

어법 **다음 중 맞춤법에 맞는 것을 골라 동그라미 하세요.**

1. [박찐감 / 박진감]이 넘쳤던 경기.
2. [추임세 / 추임새]를 넣는다.
3. [굳이 / 구지] 따지진 않겠다.
4. [황폐한 / 황패한] 땅을 일구었다.
5. 창문에 그림자가 [비쳤다 / 비췄다].
6. [안흑하게 / 아늑하게] 꾸민 방.
7. [꽃봉우리 / 꽃봉오리]
8. 생명은 [경외 / 경왜]스럽다.

나의 점수 확인하기

어휘	개 / 7개	어법	개 / 8개

3주차

회차 / 영역	제목	계획 및 점검
11 인문|설명문	광고의 비밀 • 나는 [ ]월 [ ]일 [ ]시에 공부할 것입니다.	• 독해력에서 나의 점수는 [ ]점입니다. • 어휘력에서 맞은 문제수는 [ ]개/7개 입니다. • 어려웠던 문제는 ______ 번입니다.
12 사회|설명문	조선을 뒤덮은 농민의 함성 • 나는 [ ]월 [ ]일 [ ]시에 공부할 것입니다.	• 독해력에서 나의 점수는 [ ]점입니다. • 어휘력에서 맞은 문제수는 [ ]개/7개 입니다. • 어려웠던 문제는 ______ 번입니다.
13 과학|설명문	여러 가지 전지 • 나는 [ ]월 [ ]일 [ ]시에 공부할 것입니다.	• 독해력에서 나의 점수는 [ ]점입니다. • 어휘력에서 맞은 문제수는 [ ]개/8개 입니다. • 어려웠던 문제는 ______ 번입니다.
14 산문문학|소설	나비를 잡는 아버지 • 나는 [ ]월 [ ]일 [ ]시에 공부할 것입니다.	• 독해력에서 나의 점수는 [ ]점입니다. • 어휘력에서 맞은 문제수는 [ ]개/6개 입니다. • 어려웠던 문제는 ______ 번입니다.
15 운문문학|시	수도꼭지/지금은 공사 중 • 나는 [ ]월 [ ]일 [ ]시에 공부할 것입니다.	• 독해력에서 나의 점수는 [ ]점입니다. • 어휘력에서 맞은 문제수는 [ ]개/9개 입니다. • 어려웠던 문제는 ______ 번입니다.

• 이번 주 독해력 문제에서 나의 점수는 평균 [ ]점입니다.

• 이번 주 어휘력에서 맞은 문제수는 모두 [ ]개입니다.

11

글에 직접적으로 물음을 던져놓고, 거기에 대한 답을 찾아보자고 글쓴이가 직접 말했다면 이다음부터가 글의 중심 내용을 이루어요. 다음 글에서 확인해 보세요. '우리는 왜 광고에서 눈을 뗄 수가 없는 것일까요? 이제부터 그 답을 찾아보기로 해요.'

1. [15점] 2. [10점] 3. [15점] 4. [15점] 5. [15점] 6. [15점] 7. [15점]

상품을 팔기 위하여 소비자들을 일일이 찾아다니며 상품에 대하여 설명할 수는 없어요. 그 대신 한꺼번에 많은 사람에게 새로운 상품을 선보이는 방법을 쓰지요. 그것이 무엇이냐고요? 바로 광고예요. 광고는 텔레비전, 인터넷, 스마트폰 등 각종 매체를 통하여 소비자들에게 상품을 선보이고, 그것을 가지고 싶은 마음이 들게 하기 위하여 기업이 만든 판매 전략이에요.

광고를 자주 접하다 보면 사람들은 자신이 타는 자동차나 살고 있는 집, 사용하는 세탁기며 휴대 전화가 자신의 능력을 나타낸다고 믿게 돼요. 그래서 할 수 있다면 새롭고 좋은 것을 사려고 하지요. 하지만 이렇게 소비를 계속한다고 과연 멋진 사람이 될까요? 불과 며칠 뒤면 또 다른 신제품 광고가 나올 테고, 우리는 또 그것을 탐내게 되겠지요. 바로 구매할 수 없는 처지라면 자신의 무능력을 한탄할 거고요. (㉠) 광고는 우리를 설레게도 하지만 초라하게도 만드는 고약한 구석이 있어요. 그런데도 우리는 왜 광고에서 눈을 뗄 수가 없는 것일까요? 이제부터 그 답을 찾아보기로 해요.

화장품 매장의 판매원은 제품에 대하여 열심히 설명하면서 소비자의 마음을 사로잡으려고 애를 써요. 이런 행동이 광고일까요? 물론 상품에 대한 광고 효과가 있기는 해요. 하지만 광고는 이렇게 직접적인 만남을 통하여 이루어지는 것은 아니에요. 광고는 광고 내용을 전달하는 특정한 매체를 필요로 해요. 바로 텔레비전, 신문, 인터넷, 잡지 같은 것들이지요. 그런 매체에 돈을 지불하고 상품에 대한 내용을 싣는 것을 광고라고 한답니다.

철민이 엄마는 세탁기 광고를 보고 드럼 세탁기를 샀어요. 그런데 철민이 엄마가 산 것은 단순히 드럼 세탁기만이 아니에요. 광고에서 보여 주는 드럼 세탁기가 놓여 있는 현대적이고 세련되게 꾸며진 거실과 주부들의 거친 손과는 딴판인 광고 모델의 희고 가느다란 손가락이 우아하게 버튼을 누르는 모습들을 산 것이지요. 그러니까 철민이 엄마는 드럼 세탁기를 생각하면서 세탁기를 둘러싼 멋진 분위기도 함께 떠올린 거예요. 드럼 세탁기 광고가 보여 준 멋진 생활을 자신의 실생활과 자꾸만 비교하면서 뭔가 부족함을 느꼈을 거예요. 광고는 이런 식으로 우리로 하여금 뭔가 부족하다는 느낌이 들게 만들어요. (㉡) 광고의 목적은 사람들이 자신에게 없는 것에 대하여 욕구 불만을 품게 하는 거예요. 그래야 사람들이 무엇인가 소비하려고 애쓸 테니까요.

광고는 '먹고 싶다'는 생리적인 욕구부터 '예뻐지고 싶다', '인기 있고 싶다'와 같은 사람의 고차적인 욕구까지, 광고하는 상품만 소비하면 이 모든 욕구를 다 해결할 수 있다고 설득한답니다. 그럼으로써 소비자로 하여금 무엇인가 사고 싶은 이차적인 욕구가 솟구치게 만들지요.

하지만 광고가 감추고 있는 사실이 있어요. 바로 "이 제품은 얼마 안 있으면 또 다른 신제품에 밀려서 특별함이 곧 사라질 운명에 처해 있답니다. 그러니까 특별하고 싶은 당신의 욕구를 얼마 동안밖에 채워 줄 수 없어요. 이 광고의 목적은 당신의 욕구를 채워주는 주는 것이 아니라 한없이 욕구 불만을 느끼게 하기 위한 것이랍니다."라는 것이지요.

해설편 06쪽

1 주제찾기

글의 주제를 가장 잘 표현한 문장은 어느 것입니까? ( )

① 광고는 자본주의 사회에서 필수적인 경제 활동이다.
② 광고는 과장과 허상으로 다가와 우리의 욕망을 자극한다.
③ 광고는 판매자와 구매자 사이에 놓여 징검다리 구실을 한다.
④ 광고는 온갖 매체를 수단으로 하여 상품을 구매하도록 강요한다.
⑤ 광고는 우리가 상품을 구매할 때 필요한 여러 가지 정보를 제공한다.

2 글감찾기

글감을 글에서 찾아 한 낱말로 쓰세요.

( )

3 사실이해

글의 내용이 아닌 것을 고르세요. ( )

① 광고는 소비자에게 그것을 가지고 싶은 마음이 들게 한다.
② 광고는 우리를 설레게도 하고 초라하게도 만드는 속성이 있다.
③ 광고는 한꺼번에 많은 사람에게 새로운 상품을 선보이는 방법이다.
④ 광고는 친구가 새로 나온 전화기를 들고 와서 성능을 자랑하는 것이다.
⑤ 광고는 우리로 하여금 뭔가 부족하다는 느낌이 들게 만들어 소비를 부추긴다.

4 미루어알기

글을 쓰게 된 동기로 볼 수 있는 것은 무엇입니까? ( )

① 광고의 개념을 알리기 위해
② 광고의 특성을 설명하기 위해
③ 광고에 숨겨진 사실을 밝히기 위해
④ 좋은 광고를 만드는 방법을 알리려고
⑤ 광고를 비판적으로 받아들이도록 하기 위해

5 세부내용

㉠과 ㉡에 공통으로 들어갈 알맞은 접속어는 무엇입니까? ( )

① 그런데 ② 이처럼 ③ 하지만
④ 따라서 ⑤ 그래서

6 적용하기

광고를 보고 신뢰성을 평가하는 세 가지 방법입니다. 빈칸에 알맞은 낱말을 넣으세요.

1. 광고의 의도를 파악한다.
2. 광고에서 □□된 내용이 있는지 찾아본다.
3. 광고에서 감추고 있는 내용이 있는지 찾아본다.

7 요약하기

글의 주요 내용을 몇 항목으로 나누어 간추렸습니다. 빈칸을 채워 완성하세요.

광고의 개념	① □□□□ 많은 사람에게 새로운 상품을 선보인다. 대중매체에 많은 돈을 주고 상품에 대한 내용을 싣는다.
광고의 목적	사람들의 ② □□을 자극한다. 광고한 상품을 ③ □□하도록 유도한다.
광고의 비밀	광고가 ④ □□□있는 사실이 있다.

어휘 넓히기

뜻 **낱말의 뜻풀이로 알맞은 것을 보기에서 골라 괄호 안에 기호를 쓰세요.**

(1) 설레다 (   )

(2) 울리다 (   )

보기
㉠ 소리가 반사되어 들리다. 어떤 일로 마음이 크게 흔들리다.
㉡ 마음이 가라앉지 아니하고 들떠서 두근거리다.

3주 11회 해설편 06쪽

다지기 **아래 문장의 빈칸에 알맞은 낱말을 보기에서 찾아 쓰세요.**

보기
울림 설렘

(1) 광고의 속삭임은 어느 순간 커다란 [ ][ ]으로 우리의 마음을 두드린다.

(2) 광고는 우리를 [ ][ ]으로 이끌기도 하지만 초라하게도 만드는 구석이 있다.

넓히기 **다음 한자어의 구성과 뜻을 알아보고, 빈칸에 알맞은 한자어를 쓰세요.**

- **광고(廣** 넓을 광. **告** 고할 고.) 상품이나 서비스에 대한 정보를 여러 가지 매체를 통하여 의도적으로 소비자에게 널리 알리는 활동.
- **선전(宣** 베풀 선. **傳** 전할 전.) 주의나 주장, 사물의 존재, 효능 따위를 많은 사람이 알고 이해하도록 잘 설명하여 널리 알리는 일.
- **홍보(弘** 넓을 홍. **報** 알릴 보.) 널리 알림.

(1) 회사의 사원이 나와 방문객들에게 회사를 자세히 [ ][ ]하였다.

(2) TV에서 아름다운 배우를 내세워 화장품을 [ ][ ]했다.

(3) 신약의 우수한 효과와 성능을 이해하기 쉽게 [ ][ ]하여 널리 알게했다.

시간 공부 날짜 [ ]월 [ ]일
푸는데 걸린 시간 [ ]분

확인 맞은 개수 써보기

독해	[ ]개/7개	어휘	[ ]개/7개

12

역사는 세상을 품위 있게 살아가는 데 매우 중요한 가치를 가져요. 아는 것을 바탕으로 이루는 사람의 품위가 교양인데, 역사를 알아야 교양을 이룰 수 있대요. 옛 사람들은 어떻게 살았는가? 왜 그렇게 살았는가? 이 두 가지 물음이 또 역사 공부를 하면서 품어야 하는 것이라고 해요.

1. 15점 2. 15점 3. 10점 4. 15점 5. 15점 6. 15점 7. 15점

전정(田政; 조세 제도)의 문란은 잡다한 토지세의 부당한 부과와 그 징수를 둘러싼 행정적 횡포를 뜻하고, 군정(軍政; 병역)의 문란은 군역(軍役) 부과의 부당성이며, 환곡(還穀: 양곡 대여)의 문란은 정부 대여 곡식의 대여와 환수를 둘러싼 지방 관리들의 농간을 말합니다. 이와 같은 재정행정의 문란은 특히 안동김씨의 세도 정치 때 심하였으며 홍경래의 난(1811), 임술 농민 봉기(1862) 등 농민 봉기를 유발하였지요. 날이 갈수록 농민들의 피해는 극심해지고 사회에 대한 불만이 고조되고 의식이 성장하면서 많은 사람들이 볼 수 있게 글을 게시하는 것 같은 소극적 저항이 일어나게 되었어요. 이후 사회의식이 더욱 성장하면서 적극적 저항인 농민 봉기로 이어지게 되었답니다.

몰락 양반이었던 홍경래는 세도정치의 폐단과 서북 지방민에 대한 차별에 저항하여 난을 일으키게 되었습니다. 이에 농민 · 중소 상인 · 광산 노동자들이 힘을 보태면서 세력이 확장되었으나 정주성 전투에서 패하면서 5개월 만에 평정되었습니다. 1862년은 농민 항쟁이 가장 많이 일어난 해였어요. 경상도 지리산 아래의 단성에서 시작하여 농민들이 진주성을 점거하면서 전국적으로 확대되었습니다. 이러한 농민 봉기는 농민들의 사회의식 성장에 기여하였으며, 양반 중심의 통치 체제가 붕괴되는 원인이 되었어요.

이 무렵에 동학을 믿는 사람들이 늘어나자 동학은 종교를 넘어 사회 개혁 운동으로 바뀌기 시작했어요. 신분제를 없애라거나 세금제도를 고치라는 등의 요구들을 한 거예요. 특히 갑오년(1894년)에는 거대한 사회 운동을 일으켰어요. 계기가 된 사건은 고부 민란이지요. 고부 군수 조병갑은 강 상류에 이미 보(저수지)가 있음에도 불구하고 농민들을 강제로 동원해 하류에 새로운 보(만석보)를 쌓게 했어요. 조병갑은 보가 다 지어지면 공짜로 물을 쓸 수 있게 해 주겠다며 농민들을 꾀었지요. 하지만 보가 다 지어지자 물세를 강제로 걷기 시작했어요.

그동안 조병갑의 횡포에 화가 쌓였던 농민들은 이 일로 폭발하고 말았어요. 동학의 지도자였던 전봉준은 화가 나 마을 사람들을 이끌고 나선 거예요. 그래서 동학교도들이 함께 일어서 조병갑을 쫓아내고 만석보를 무너뜨려 버렸어요. 조병갑 대신 마을에 온 사또는 농민들에게 잘하겠다고 말해 일이 진정되는가 싶었는데, 정부에서 내려 온 관리가 오히려 동학 농민군에게 잘못이 있다며 몰아세우자 더 화가 난 사람들은 다시 일어났고, 전봉준은 ㉠사발통문을 돌려 다른 지역의 동학 지도자들까지 모아 다시 일어나게 되었어요.

동학 지도자들이 합세하면서 정읍, 태안, 부안에서까지 농민들이 몰려왔어요. 이를 진압하려던 군대가 황토현에서 농민군의 함정에 빠져 무너지자 더 많은 마을이 힘을 합쳤지요. 중앙에서 군인이 내려왔지만 장성에서 농민군이 다시 이겼어요. 농민군이 전주성까지 점령하자 정부는 동학군에게 화해를 청하고 약속을 맺었어요. 전라도 지역에 '집강소'를 설치하고 정부와 농민이 함께 여러 개혁을 한다는 내용이었지요.

1 주제찾기

글에서 다룬 시대의 핵심 상황을 간추린 다음 문장을 완성하세요.

⇨ 농민들의 ① ☐☐☐☐ 성장과 ② ☐☐ 중심의 통치 체제 붕괴

2 글감찾기

글에 나온 두 낱말을 넣어서 글감을 쓰세요.

☐☐ ☐☐

3 사실이해

글에서 다룬 내용이 아닌 것은 어느 것입니까? ( )

① 전정의 문란은 토지세를 지나치게 물려서 생겼다.
② 정부 재정의 문란은 갈수록 농민에게 큰 피해를 주었다.
③ 환곡의 문란은 지방 관리들의 농간으로 더욱 심해졌다.
④ 홍경래는 세도정치의 폐단과 평안도에 대한 차별로 난을 일으켰다.
⑤ 농민군이 전주성을 점령할 무렵 동학 지도자들은 분열되어 있었다.

4
미루어알기

동학 농민 혁명이 일어나게 된 직접적인 원인으로 알맞은 것은 무엇입니까? ( )

① 지방의 관리가 농민을 착취하고 학대했기 때문이다.
② 농사짓기에 편리한 수리시설을 갖추지 못했기 때문이다.
③ 아전이 농간을 부려 농민에게 돌아갈 몫을 가로챘기 때문이다.
④ 조정 대신이 세도 정치를 하는 통에 임금이 무능해졌기 때문이다.
⑤ 청나라와 일본의 군대가 들어와 농민군을 무자비하게 처벌했기 때문이다.

5
세부내용

내용 흐름에 따라 ㉠의 뜻을 가장 잘 풀어 놓는 것을 고르세요. ( )

① 통솔자가 병사에게 보내는 글
② 비밀스럽게 여러 사람에게 알리는 글
③ 사발에 담아 농민들끼리만 주고받는 글
④ 사방팔방으로 널리 소식을 전하는 글
⑤ 지방 관청에 맞서기 위해 지은 글

6
적용하기

보기 에서 알 수 있는 현실을 표현한 아래 문장의 빈칸을 채우세요.

보기

문무의 재능이 있으나 세력이 없어 벼슬하지 못한 자는 나의 호소에 호응하라. 재상 자격을 갖춘 자는 재상이 될 것이며 장수가 될 능력이 있는 자는 장수가 될 것이다. 그리고 가난한 자는 부자가 되고 법을 두려워 피해 다니는 자는 보호를 받게 될 것이다. [〈순조실록〉(1801년 10월 하동지방 괘서사건)]

⇨ ☐☐이 없는 ☐☐이 벼슬을 하고 있다.

7
요약하기

글의 주요 내용인 농민봉기를 아래와 같이 정리하였습니다. 빈칸에 알맞은 낱말을 쓰세요.

원인	① ☐☐, ② ☐☐, ③ ☐☐ 등 3정의 문란.
전개 과정	▶서북 지방의 홍경래의 난 ▶전국적인 ④ ☐☐ 봉기 ▶⑤ ☐☐의 사회 개혁 운동

어휘 넓히기

뜻

낱말의 뜻풀이로 알맞은 것을 보기 에서 골라 괄호 안에 기호를 쓰세요.

(1) 둘러싸다 (   )

(2) 늘어나다 (   )

보기

㉠ 부피나 분량 따위가 본디보다 커지거나 길어지거나 많아지다.

㉡ 둥글게 에워싸다.
어떤 것을 행동이나 관심의 중심으로 삼다.

다지기

아래 문장의 빈칸에 알맞은 낱말을 보기 에서 찾아 쓰세요.

보기

둘러싸고　　늘어났다

(1) 원래는 없었던 여러 가지 토지세를 매겨서 세금 부담이 □□□□.

(2) 저수지의 사용에 따른 물세를 □□□□ 농민들과 고부 군수 사이에 다툼이 생겼다.

넓히기

다음 한자어의 구성과 뜻을 알아보고, 빈칸에 알맞은 한자어를 쓰세요.

- **성장(成** 이룰 성. **長** 길 장.) 사람이나 동식물 따위가 자라서 점점 커짐. 사물의 규모나 세력 따위가 점점 커짐.
- **봉기(蜂** 벌 봉. **起** 일어날 기.) 벌 떼처럼 떼지어 세차게 일어남.
- **평정(平** 평평할 평. **定** 고요할 정.) 반란이나 소요를 누르고 평온하게 진정함.

(1) 중앙에서 파견된 관리가 지방군과 합세하여 농민봉기를 □□했다.

(2) 농민들의 정부 비판 의식이 크게 □□했다.

(3) 해산을 당한 조선 군대가 의병들과 합세하여 곳곳에서 □□했다.

시간 공부 날짜 　 월 　 일
푸는데 걸린 시간 　 분

확인 맞은 개수 써보기

독해	개/7개	어휘	개/7개

3주 12회

해설편 06쪽

13

생각 열기

기술, 기계, 기기 등의 원리, 이치, 만드는 방법을 설명한 글은 읽기가 재미있어요. 글이 펼쳐진 순서를 따라가면서 차근차근 읽으면 아무 어려움이 없어요. 아니, 어려움이 있더라도 워낙 재미있게 읽다 보면 내용이 눈에 쏙쏙 들어와요.

점수 계산 1. 15점 2. 10점 3. 15점 4. 15점 5. 15점 6. 15점 7. 15점

최초의 화학 전지인 볼타 전지는 묽은 황산 용액이 든 그릇에 구리판과 아연판을 넣고 두 금속을 도선으로 연결한 것이야. 두 금속 중 아연이 이온화 경향이 크기 때문에 아연 이온(Zn^{2+})이 용액에 녹아 나와. 아연판의 전자는 도선을 통해 구리판으로 이동하여, 모여 있는 수소 이온(H^{+})에게 전자를 줘. 이 때 전자는 아연판에서 구리판으로 이동하므로, 아연이 음극(-), 구리는 양극(+)이야. 볼타 전지는 처음에 1.1V 정도의 전압을 나타내지만, 시간이 지남에 따라 전압이 떨어져. 왜냐하면 구리판에서 발생한 수소 기체가 구리판 주위에 막을 형성하여 전자의 이동을 방해하기 때문이야. 또한 사용하지 않을 때에도 아연판은 끊임없이 부식되는 단점이 있어.

걸어 다니면서 휴대폰이나 MP3를 사용할 수 있도록 하는 데 큰 역할을 하는 것 중에 하나는 전지일 거야. 우리가 사용하는 휴대폰 전지는 리튬-이온 전지야. 이 전지는 충전해서 사용하는 2차 전지지. 1차 전지는 벽시계나 리모컨에 주로 사용하는 1회용 전지를 가리키는 말이야. 1회용 전지는 충전하여 사용할 수 없어. 충전을 시도한다면 내부의 액이 새어 나오거나 파열될 위험성이 있기 때문에 조심해야 해.

충전해서 사용하는 2차 전지에는 니켈-카드뮴 전지, 니켈-수소 전지가 있어. 이 전지는 값이 싸서 소형 진공청소기나 전동 칫솔 등에 많이 쓰지만 메모리 효과가 있어. 이 때문에 완전히 방전하지 않고 충전하면 용량이 줄어들어 수명이 짧아져. 2차 전지 중에 리튬-이온 전지는 용량이 크고 메모리 효과가 거의 없어 휴대폰이나 노트북 배터리로 많이 사용되고 있지. 하지만 가격이 비싼 게 단점이야. 건전지의 유통 기한은 보통 2~5년으로 아무리 보관을 잘한다고 해도 성능이 자연스럽게 줄어들어. 또한 전자 기기에서 볼륨을 높여 음악을 들으면 전류가 더 많이 흘러야 하기 때

문에 전지 소모가 훨씬 (㉠)진단다.

최근에는 태양 전지와 같은 다른 원리의 전지가 개발되고 있어. 태양 전지를 만드는 방식은 크게 '결정형'과 '박막형'의 두 가지로 나누어져. 현재 대부분 기업들이 쓰는 방식은 '결정형'이야. 원재료인 폴리실리콘을 얇게 자른 웨이퍼 위에 회로를 그리는 방식이야. 결정형은 현존하는 태양전지 제조방식 가운데 광변환 효율이 가장 좋다는 장점이 있지만 폴리실리콘 등 원재료값이 비싸고 설치 장소가 제한적이란 단점이 있어. 결정형의 단점을 보완하기 위해 등장한 게 '박막형'이야. 박막형의 기본 제조 원리는 유리, 플라스틱 등 주변에서 흔히 볼 수 있는 판 위에 태양빛을 전기로 바꾸는 특성을 지닌 특수화합물질을 얇게 바르는 것이야. 결정형에 비해 광변환 효율이 떨어지는 단점이 있지만 폴리실리콘을 사용하지 않아도 되기 때문에 원가가 (㉡) 건물 유리창 등에 설치할 수 있다는 장점도 있어.

1 주제찾기

글의 중심 내용은 무엇입니까? ( )

① 1차 전지와 2차 전지
② 전지의 종류와 충전 가능성
③ 1차 전지가 충전이 되는 조건
④ 전지의 종류와 전기 생산의 원리
⑤ 2차 전지가 1차 전지보다 유용한 점

2 글감찾기

글에 나온 낱말로 글감을 찾아 쓰세요.

( )

3 사실이해

최근의 전자 기기에서 주로 사용하는 전지는 어느 것입니까? ( )

① 볼타 전지
② 1회용 전지
③ 리튬-이온 전지
④ 니켈-수소 전지
⑤ 니켈-카드뮴 전지

3주 13회
해설편 07쪽

4 미루어알기

글을 읽고 떠올린 생각으로 타당한 것을 고르세요. ( )

① 전지는 묽은 황산 용액이 기본 재료이다.
② 전지의 두 극 중, 전자를 받은 쪽이 양극이 된다.
③ 전지의 메모리 효과에 의해 전압의 크기가 결정된다.
④ 전지의 유통 기한 안에서 소모량은 일정 수준을 유지한다.
⑤ 전지 중에서 태양열을 이용한 것은 그 재료를 구하기 어렵다.

5 세부내용

내용의 흐름으로 볼 때, ㉠과 ㉡에 들어갈 낱말을 순서대로 늘어놓은 것은 어느 것입니까? ( )

① 빨라, 싸고
② 느려, 싸고
③ 빨라, 비싸고
④ 느려, 비싸고
⑤ 많아, 올라가고

6 적용하기

1회용 전지를 충전하여 사용할 수 없는 이유를, 글에 나온 낱말을 활용하여 한 문장으로 쓰세요.

( )

7 요약하기

글에 나온 태양 전지에 대해 요약한 표의 빈칸에 알맞은 낱말을 쓰세요.

종류	장점	단점
결정형	① □□□ 효율이 좋다.	원재료값이 비싸다.
박막형	② □□ 장소가 자유롭다.	광변환 효율이 떨어진다.

어휘 넓히기

뜻 낱말의 뜻풀이로 알맞은 것을 보기 에서 골라 괄호 안에 기호를 쓰세요.

(1) 거르다 (　　　)
(2) 비우다 (　　　)
(3) 채우다 (　　　)

보기
㉠ 일정한 공간에 사람, 사물 따위를 들어 있지 아니하게 하다.
㉡ 일정한 공간에 사람, 사물, 냄새 따위를 가득하게 하다.
㉢ 찌꺼기나 건더기가 있는 액체를 체나 거름종이 따위에 밭쳐서 액체만 받아 내다.

3주 13회

해설편 07쪽

다지기 아래 문장의 빈칸에 알맞은 낱말을 보기 에서 찾아 쓰세요.

보기
채워서　　비우면　　걸러서

(1) 전지는 전극이 될 수 있는 재료 위에 전기를 [　][　][　] 사용할 수 있도록 만든다.

(2) 실험실에서 쓸 용액을 만들 때는 물을 거름종이에 [　][　][　] 준비하여 둔다.

(3) 가득 차 있던 전기가 흘러나가 전기를 완전히 [　][　][　] 완전 방전이 된다.

넓히기 다음 한자어의 구성과 뜻을 알아보고, 빈칸에 알맞은 한자어를 쓰세요.

- **충전(充** 채울 충. **電** 전기 전.) 축전지나 축전기에 전기 에너지를 축적하는 일.
- **방전(放** 놓을 방. **電** 전기 전.) 전기를 띤 물체에서 전기가 흘러나오는 현상.

(1) 자동차 배터리가 [　][　]되어 시동이 걸리지 않는다.

(2) 전기차는 휘발유를 넣는 대신 전기를 [　][　]한다.

시간 공부 날짜 [　]월 [　]일
푸는데 걸린 시간 [　]분

확인 맞은 개수 써보기

독해	개/7개	어휘	개/8개

14

다툼이 주된 내용인 이야기는 조금만 읽어보아도 다툼이 주된 내용이라는 것을 알아차릴 수 있어요. 이런 판단이 생기면, 누구와 누가 다투는지, 무엇 때문에 다투는지, 다툼의 결과가 어떻게 되었는지 등을 파악해야 합니다.

1. 15점 2. 15점 3. 15점 4. 15점 5. 10점 6. 15점 7. 15점

[앞의 줄거리] 서울 상급 학교로 진학한 경환이가 하기휴가 때 집에 돌아와 유행가를 부르고 나비를 잡는 꼴이 바우 눈에는 곱게 보이지 않았다. 경환이와 말다툼을 한 바우는 경환이가 쫓던 나비를 일부러 날려 버렸고, 경환이도 바우의 송아지에게 돌을 던졌다. 경환이가 나비를 잡는 척하면서 바우네 참외밭을 결딴내자[1] 바우는 경환이를 때리고 서로 다투게 되었다. 바우 어머니가 바우에게, 경환이에게 나비를 잡아 가서 빌라고 하였으나, 바우는 그럴 생각이 없었다.

"인마, 남은 서울 학교 다녀서 다 나비도 잡고 그러는 건데 건방지게 왜 다니며 훼방을 놓는 거야, 훼방을."

그리고 바우가 그림 그리는 것과 그것은 아랑곳없는 일일 텐데 아버지는,

"다음부턴 내 눈앞에 그 그림 그리는 꼴 보이지 마라. 네깐 놈이 그림 그걸로 남처럼 이름을 내겠니, 먹고살게 되겠니?"

하고 돌아서 문밖으로 나가려다가 다시 돌아서며 아버지는, / "나비는 잡아갔지?"

하고 다져[2] 묻는다. 바우는 고개를 숙인 채 묵묵하다. 아버지는 기가 막힌 듯 잠시 건너다보기만 하다가 언성을 높였다.

"이때껏 나가서 뭘 했어. 인마, 간 봄에 늙은 아비가 땅 얻어 부치느라고 갖은 애 다 쓰던 것을 네 눈으로도 보았지? 가뜩한데 너까지 말썽일 게 뭐냐. 어서 가서 빌지 못하겠어." / 아버지는 담뱃대 끝으로 바우의 수그린 머리를 찌를 듯 겨눈다. 그러는 대로 바우는 무춤무춤[3] 피할 뿐 조금도 걸음을 옮기려 하지 않는다.

"그래도 네 고집만 셀 테냐. 그럴라거든 아주 나가거라. 아주 나가."

하고 아버지는 빗자루를 들고 나섰다. 이런 때 어머니가 방에서 나와 그걸 빼앗아 던져 버리고 / "가서 빌기만 하면 뭘 하우. 나비를 잡아 가야지, 그리고 지금은 어두워서 잡겠수? 내일 잡아 가라지."

그리고 어머니는 바우의 등을 밀며, / "어서 올라가 저녁이나 먹어라."

한종일 아버지 어머니에게 애매한 미움을 받고 또 그림책을 찢기고 한 그 억울한 감이 가슴속에 벅차 다른 무엇이 들어갈 여지가 없었다.

이튿날 아침이다. 건넌방 모퉁이서 바우는 아버지와 얼굴이 마주쳤다. 아버지는 어제와 다름없는 그 얼굴, 그 음성으로 부엌에서 아침을 짓는 어머니를 향하여 소리쳤다.

"오늘도 저놈이 제 고집만 세우고 나비를 잡아 가지 않거든 밥 주지 말어."

그 아버지가 보이지 않는 곳에 이르자 어머니는 부엌에서 나와 작은 음성으로 바우를 달랜다. / "아버지 속상하시게 하지 말고 오늘은 나비를 잡아 가지고 가 봐라. 땅이 떨어지거나 하면 너는 좋겠니? 생각해 봐라."

바우는 여전히 말이 없다. 어머니는 그것을 바우가 순종하는 뜻으로 여긴 모양. 부엌에서 아침을 차리기에 분주하였다. / "얼른 밥 차려 줄게 먹고 나가 봐."

그러나 바우는 어머니가 밥상을 날라 오기 전에 자기가 먼저 슬며시 집 밖으로 나갔다. 밥을 열 끼를 굶는 한이 있더라도 그 경환이 앞에 나비를 잡아 가지고 가서 머리를 숙이기는 무엇보다 싫었다. 아들의 그만한 체면쯤 보아줄 줄 모르고 자기네 요구만 고집하는 아버지가, 그리고 어머니까지 바우는 무척 야속하였다. 노여웠다.

'아버지 말대로 정말 집을 나오고 말까? 그러면 아버지도 뉘우칠 때가 있겠지. 그리고 서울 같은 도회로 나가서 어떻게 고학이라도 해 볼까?'

바우는 정말 그렇게 해 볼 것처럼 벌떡 일어선다. 그리고 걸음 걸리는 대로 따라 산 아래로 내려간다. 산 중턱쯤 이르렀다. ㉠건너다보이는 맞은편 언덕 너머 메밀밭 두덩에 허연 사람의 그림자가 엎드렸다 일어섰다 하며 무엇을 쫓는 모양으로 움직인다.

❶ 결딴내다 망가뜨려서 더이상 쓸 수 없게 하다. ❷ 다지다 뒷말이 없도록 단단히 강조하거나 확인한다. ❸ 무춤무춤 놀라거나 어색해서 자꾸 멈추는 모양을 나타내는 말.

1 주제찾기

이야기의 주요한 내용은 무엇입니까? ( )

① 일제 강점기 흔히 볼 수 있었던 시골사람들의 삶
② 지주로부터 땅을 빌려 농사를 지어야 하는 소작인의 설움
③ 신분의 차이로 인하여 서로 다른 삶을 살게 된 아이들 사이의 갈등
④ 마을에 원래 살던 사람들과 다른 마을에서 옮겨 살게 된 사람들 사이의 다툼
⑤ 가뭄과 홍수가 찾아와 가을에 수확을 할 수 없게 된 농촌의 비참한 현실

2 제목찾기

마지막 문단에서 떠올린 내용으로 빈칸을 채워 글에 알맞은 제목을 붙이세요.

⇨ □□를 잡는 아버지

3주 14회

해설편 07쪽

3
사실이해

이 글 전체에서 다른 사건을 불러일으킨 처음의 사건은 무엇입니까? ( )

① 바우가 시골 풍경을 그리는 데 열중하였다.
② 경환이 서울에서 내려와 나비를 잡으러 다녔다.
③ 바우는 그림에 몰두하여 진학 못한 벌충을 하려하였다.
④ 경환이는 동네 아이들과 더불어 유행가를 부르며 돌아다녔다.
⑤ 바우네 집이 마름을 하는 경환이네 집에서 땅을 부쳐 먹게 되었다.

4
미루어알기

㉠이 나비를 잡는 모습이라면 누구의 모습이라 할 수 있습니까? ( )

① 바우 ② 경환이 ③ 바우의 아버지
④ 바우의 어머니 ⑤ 경환이 집의 머슴

5
세부내용

글에 나타난 낱말 중, '놀라거나 어색해서 하던 행동을 자꾸 멈추는 모양'을 뜻하는 것은 어느 것입니까? ( )

① 졸아든 ② 아궁지 ③ 다조진다
④ 무춤무춤 ⑤ 지척지척

6
적용하기

다음 장면을 보고 떠올린 '바우'의 성격을 한 낱말로 쓰세요.

> "어서 나비를 잡아가서 빌지 못하겠어."
> 아버지는 담뱃대 끝으로 바우의 수그린 머리를 찌를 듯 겨눈다. 그러는 대로 바우는 무춤무춤 피할 뿐 조금도 걸음을 옮기려 하지 않는다.

( )

7
요약하기

바우와 경환이가 다툰 일의 요지입니다. 빈칸에 공통으로 들어갈 말을 쓰세요.

□□ 채집	바우	하찮은 일이다.
	경환	학교 성적이 달렸다.
참외밭	바우	삶의 터전이다.
	경환	□□ 채집 장소이다.

어휘 넓히기

뜻 낱말의 뜻풀이로 알맞은 것을 보기 에서 골라 괄호 안에 기호를 쓰세요.

(1) 아랑곳없다 (　　　)
(2) 터무니없다 (　　　)

보기
㉠ 허황하여 전혀 근거가 없다. '터무니(정당한 근거나 이유)'에 '없다'가 붙어서 이루어진 말.
㉡ 어떤 일에 참견을 하거나 관심을 둘 필요가 없다. '아랑곳(관심, 참견)'에 '없다'가 붙어서 이루어진 말.

다지기 아래 문장의 빈칸에 알맞은 낱말을 보기 에서 찾아 쓰세요.

보기
터무니없이　　　아랑곳없이

(1) 선인장이 개나리꽃을 피우건 개나리가 선인장꽃을 피우건 ☐☐☐☐☐ 제 할 일만 한다.

(2) 물건을 팔 사람이 살 사람에게 ☐☐☐☐☐ 비싼 값을 불러 흥정이 애초부터 이루어지지 않았다.

넓히기 다음 한자어의 구성과 뜻을 알아보고, 빈칸에 알맞은 한자어를 쓰세요.

- **작인(作** 지을 작. **人** 사람 인.**)** 소작인. 다른 사람의 땅을 빌려 농사를 짓고 그 대가로 수확의 일정량을 땅 주인에게 지급하는 사람.
- **지주(地** 땅 지. **主** 주인 주.**)** 땅의 주인.

(1) 바우의 아버지는 경환이네 땅을 빌려 농사를 짓는 ☐☐의 처지였다.

(2) 농사지을 땅을 마름에게 관리하게 하고 ☐☐는 서울에 사는 경우가 많았다.

시간 공브 날짜 ☐ 월 ☐ 일
푸는데 걸린 시간 ☐ 분

확인 맞은 개수 써보기

독해	☐ 개/7개	어휘	☐ 개/6개

3주 14회

해설편 07쪽

15

시를 이해하고 감상하기 위해서는 시에서 말하는 사람이 무엇을 하고 있는지를 눈여겨봐야 해요. 느끼고 있는지, 생각하고 있는지, 말하고 있는지, 관찰하고 있는지, 행동하고 있는지 등 나름대로 기준을 정해놓고 말하는 사람을 파악해야 해요.

1. 15점 2. 15점 3. 10점 4. 15점 5. 15점 6. 15점 7. 15점

(가) 수도꼭지를 확 틀면
박수 소리가 터져 나온다

한꺼번에 벼락같이
내지르는 탄성처럼

꾹 참고 또 참았다가
쏟아 낸 재채기처럼

복받치는 설렘으로
물 튀기며 안달하는

고 작은 폭포수에
두 손을 갖다 대면

마음이 저 먼저 달려와
시원하게 씻긴다.

(나) 어제는 미안해
별것 아닌 일로
너한테 화를 내고
심술부렸지?

조금만 기다려 줘
지금 내 마음은
공사 중이야

툭하면 물이 새는
수도관도 고치고
얼룩덜룩 칠이 벗겨진 벽에
페인트칠도 다시 하고

모퉁이 빈터에는
예쁜 꽃나무도 심고 있거든.

공사가 끝날 때까지 조금만 기다려 줄래?

1 주제찾기

(가), (나)의 공통적인 중심 내용은 무엇입니까? ············ (　　)

① 소리는 여러 가지 느낌을 만든다.
② 정리되지 않은 복잡한 마음은 괴롭다.
③ 물건에서 받은 느낌에 의해 마음을 바꾼다.
④ 운동을 하여 억눌렸던 감정을 시원스레 풀어낸다.
⑤ 친구에게 잘못한 일을 되새기면서 사과의 말을 떠올린다.

3주 15회

해설편 08쪽

2 글감찾기

(가)와 (나)에서 공통적으로 다루어진 글감을 찾아 쓰세요.

(　　　　　　　　)

3 사실이해

(가)에서 비유를 위해 끌어들인 소재가 아닌 것은 어느 것입니까? ············ (　　)

① 박수 소리　② 탄성　③ 재채기
④ 설렘　⑤ 폭포수

4 미루어알기

(나)의 4연에 있는 '모퉁이 빈터'가 지닌 속뜻으로 볼 수 있는 것은 어느 것입니까?
············ (　　)

① 상처입어 괴로운 마음
② 돌보는 이 없어 외로운 마음
③ 쉽게 삐치거나 잘 우는 마음
④ 화를 내고 심술을 부리는 마음
⑤ 고마웠던 사람과 영영 헤어져 슬픈 마음

5
세부내용

(가), (나)의 모양에 대한 설명으로 옳은 것을 고르세요. ( )

① (가)는 2연으로 구성되어 있다.
② (가)는 연을 차지한 행의 수가 같다.
③ (가)는 연을 번갈아가면서 행의 수가 같다.
④ (나)는 행의 길이가 뒤로 갈수록 길어지고 있다.
⑤ (가)와 (나)는 모두 연을 차지한 행의 길이가 불규칙하다.

6
적용하기

(나)의 2연에 비유를 위해 끌어들인 말을 찾아 쓰세요.

( )

7
요약하기

(나) 시의 내용을 정리했습니다. 빈칸에 알맞은 말을 쓰세요.

1연	화를 내고 심술부려서 미안해.
2연	내 마음을 바로 잡는 ① □□를 하고 있으니 조금만 기다려 줘.
3연	메마르지 않은 마음이 되도록 ② □□□도 고치고 고운 마음을 갖도록 ③ □□□□도 다시하고 외로운 마음을 달래줄 ④ □□□도 심고 있어.
4연	마음이 고쳐질 때까지 기다려 줘.

어휘 넓히기

뜻

낱말의 뜻풀이로 알맞은 것을 보기 에서 골라 괄호 안에 기호를 쓰세요.

(1) 터지다 ( )

(2) 튀기다 ( )

(3) 벗기다 ( )

보기
- ㉠ 작은 물체나 액체 방울을 위나 옆으로 세게 흩어지게 하다.
- ㉡ 거죽을 긁어 내다.
- ㉢ 둘러싸여 막혔던 것이 갈라져서 무너지다. 또는 둘러싸여 막혔던 것이 뚫어지거나 찢어지다.

다지기

아래 문장의 빈칸에 알맞은 낱말을 보기 에서 찾아 쓰세요.

보기

벗기고　　터져서　　튀기며

(1) 강연회의 연사는 흥분하여 청중에게 침을 [ ][ ][ ] 열변을 토하였다.

(2) 오래되어 얼룩덜룩한 칠을 [ ][ ][ ] 새로 사온 페인트로 다시 칠하다.

(3) 폭우로 골짜기를 내려온 물에 저수지의 둑이 [ ][ ][ ] 물난리가 났다.

넓히기

다음 한자어의 구성과 뜻을 알아보고, 빈칸에 알맞은 한자어를 쓰세요.

- **수련(修** 닦을 수. **練** 익힐 련(연).) 인격, 기술, 학문 따위를 닦아서 단련함.
- **수리(修** 닦을 수. **理** 다스릴 리.) 고장 나거나 허름한 데를 손보아 고침.
- **수양(修** 닦을 수. **養** 기를 양.) 몸과 마음을 갈고닦아 품성이나 지식, 도덕 따위를 높은 경지로 끌어올림.

(1) 매일 일기를 쓰는 것은 인성의 [ ][ ]에 큰 도움이 된다.

(2) 무술이 높은 경지에 이르려면 고된 [ ][ ]이 필요하다.

(3) 집이 워낙 낡아서 안팎에 모두 세밀한 [ ][ ]가 필요하다.

시간

공부 날짜 [ ] 월 [ ] 일

푸는데 걸린 시간 [ ] 분

확인

맞은 개수 써보기

독해	[ ] 개/7개	어휘	[ ] 개/9개

3주 15회

해설편 08쪽

어휘·어법 총정리 3주차

어휘 보기 의 낱말을 보고, 뜻과 어울리는 것을 골라 아래의 빈칸에 써보세요.

보기			
그러다	가뜩한데	둘러싸다	사로잡다
매체(媒體)	경향(傾向)	소비자(消費者)	고조(高調)되다

1. 사람이나 짐승 따위를 산 채로 잡다.
   생각이나 마음을 온통 한곳으로 쏠리게 하다.
2. 지금의 사정도 매우 어려운데 그 위에 더.
3. '그리하다(그렇게 하다)'의 준말.
4. 상품을 소비하는 사람.
5. 어떤 작용을 한쪽에서 다른 쪽으로 전달하는 물체. 또는 그런 수단.
6. 음 따위의 가락이 높아지다.
   사상이나 감정, 세력 따위가 한창 무르익거나 높아지다.
7. 사상, 행동 또는 어떤 현상에서 나타나는 일정한 방향성. 사람으로 하여금 일정한 방식으로 행동하도록 이끄는 요인.

어법 다음 중 맞춤법에 맞는 것을 골라 동그라미 하세요.

1. [가느다란 / 가늘다란] 손가락.
2. 체제가 [붕괘 / 붕괴]되는 원인.
3. [낱낱이 / 낱나치] 살펴 봤다.
4. 약속을 [맺다 / 맸다 / 맽다].
5. [빋자루 / 빗자루]를 들었다..
6. [훼방 / 회방]을 놓다.
7. [이튼날 / 이튿날] 아침.
8. [못퉁이 / 모퉁이] 빈터.

나의 점수 확인하기

어휘	개 / 7개	어법	개 / 8개

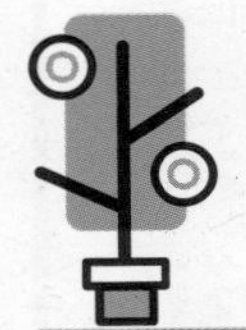

4주차

회차 / 영역	제목	계획 및 점검
16 인문|설명문	억지와 주장의 차이 • 나는 ☐ 월 ☐ 일 ☐ 시에 공부할 것입니다.	• 독해력에서 나의 점수는 ☐ 점입니다. • 어휘력에서 맞은 문제수는 ☐ 개 / 6개 입니다. • 어려웠던 문제는 ______ 번입니다.
17 사회|설명문	새로운 문물을 받아들인 조선 • 나는 ☐ 월 ☐ 일 ☐ 시에 공부할 것입니다.	• 독해력에서 나의 점수는 ☐ 점입니다. • 어휘력에서 맞은 문제수는 ☐ 개 / 6개 입니다. • 어려웠던 문제는 ______ 번입니다.
18 과학|설명문	홍대용, 지구의 자전을 말하다 • 나는 ☐ 월 ☐ 일 ☐ 시에 공부할 것입니다.	• 독해력에서 나의 점수는 ☐ 점입니다. • 어휘력에서 맞은 문제수는 ☐ 개 / 6개 입니다. • 어려웠던 문제는 ______ 번입니다.
19 산문문학|이야기	바리데기 • 나는 ☐ 월 ☐ 일 ☐ 시에 공부할 것입니다.	• 독해력에서 나의 점수는 ☐ 점입니다. • 어휘력에서 맞은 문제수는 ☐ 개 / 9개 입니다. • 어려웠던 문제는 ______ 번입니다.
20 운문문학|시	봄비 • 나는 ☐ 월 ☐ 일 ☐ 시에 공부할 것입니다.	• 독해력에서 나의 점수는 ☐ 점입니다. • 어휘력에서 맞은 문제수는 ☐ 개 / 7개 입니다. • 어려웠던 문제는 ______ 번입니다.

• 이번 주 독해력 문제에서 나의 점수는 평균 ☐ 점입니다.

• 이번 주 어휘력에서 맞은 문제수는 모두 ☐ 개입니다.

16

둘의 공통점을 견주는 것을 '비교'라고 하고, 차이점을 견주는 것을 '대조'라고 해요. 비교와 대조는 같은 부류에 속하는 것끼리 견주는 거예요. '억지'와 '주장'은 둘 다 말의 부류에 속하니까 비교, 대조가 가능하지만, '개'와 '돌'은 비교나 대조를 할 수 없어요.

1. 15점 2. 15점 3. 10점 4. 15점 5. 15점 6. 15점 7. 15점

우리는 흔히 억지와 주장을 구분해서 말하지. 둘을 표현하는 말에도 차이가 있어. 억지는 "떼를 쓴다."라는 말을 할 때처럼 "억지를 쓴다."라고 표현하지만, 주장은 "말을 한다."라고 할 때처럼 "주장을 한다."라고 표현하지. 물론 억지와 주장은 말을 하는 사람의 태도에도 차이가 있어. 억지는 주장과 달리 미숙[1]하게 행동할 때 더 많이 시용해. 그런데 억지와 주장에도 공통점이 있어. 둘 다 자신의 의견에 따르도록 상대를 설득하기 위한 것이라는 거야. 하지만 억지로 설득하는 것은 대부분 실패하지만 주장은 성공할 확률이 훨씬 크지. 어떤 차이 때문에 그런 것일까?

억지는 상대에게 생각할 틈도 주지 않고 계속 자신의 의견을 강요하기 때문에, 그 의견에 대하여 서로 이야기를 나누기보다는 감정을 내세우게 될 수 있어. 그렇게 되면 양쪽 모두 속상한 상태로 대화가 끝나기 쉽지. 하지만 대부분의 주장은 자신이 왜 그러한 주장을 하게 되었는지 과정을 설명하고 상대의 의견을 구하기 때문에 양쪽의 대화가 계속될 수 있어.

억지와 주장의 또 다른 중요한 차이는 상대의 의견에 따라 자신의 의견을 수정할 수 있는지에 있어. 주장은 서로 의견을 내놓을 때 반드시 자기 의견대로만 해야 한다고 생각하는 것이 아니라, 더 좋은 의견이 나왔을 때에는 언제든지 바꿀 수 있다고 생각하는 거야. 다시 말해, 주장은 자신의 의견이 여러 좋은 의견 중의 하나일 뿐이지 절대로 바꿀 수 없는 것은 아니라는 점을 인정하는 거야. 반대로 억지는 다른 사람들이 아무리 좋은 의견을 이야기해도 자신의 의견만을 고집하는 것을 말하지.

앞에서처럼 상대의 의견을 존중하고 칭찬해 주는 대화는, 서로 억지만 부리다가 낯을 붉히고 속상하게 되는 일을 막을 수 있어. 그뿐만 아니라 더 좋은 생각을 만들어 낼 가능성이 커지게 되지. 혹시 친구들과 의견을 나누다가 서로 감정이 상하게 되는 경우가 생기더라도 그대로 대화를 끝내기보다는 틀어진 감정을 해결하는 것이 좋아. "내가 너의 의견을 반대했다고 해서 너를 미워하거나 인정하지 않는 건 아니야. 우린 변함없이 좋은 친구잖아?"라는 식의 말을 해 주는 것이 좋아. 어때? 친구들하고 이런 이야기를 나누면 좋지 않겠어? 그럼 이제 자신의 의견을 효과적으로 주장할 수 있는 방법을 정리해볼까?

효과적인 주장을 하기 위한 대화의 기술

▶자신의 의견을 내기 전에 먼저 다른 사람의 의견을 충분히 들어 본다.

▶의견을 말할 때에는 감정적이 되지 않도록 논리적이고 차분한 태도를 취한다.

▶상대의 의견을 존중하고 장점을 인정해 주는 말을 한다. 반대의 말을 할 때에도 장점을 인정하는 말을 먼저 하는 것이 좋다.

▶상대의 의견에 반대할 때에도 감정을 앞세우기보다는 논리적인 설명을 하도록 한다.

▶의견을 주고받은 뒤에도 대화를 즐겁게 마무리하도록 한다.

❶ 미숙 일 따위에 익숙하지 못하여 서투름.

4주 16회

해설편 08쪽

1

주제찾기

글을 통해 전하고자 한 중심 내용은 무엇입니까? ( )

① 억지와 주장의 차이
② 대화의 단절과 지속
③ 상대를 이해하는 태도
④ 즐겁게 듣기 위한 조건
⑤ 효과적인 주장을 위한 기술

2

글감찾기

글감으로 삼은 낱말 둘을 찾아 쓰세요.

( )

3

사실이해

억지와 주장의 공통점은 무엇입니까? ( )

① 그것을 표현하는 말
② 말을 하는 사람의 태도
③ 의견에 따르도록 설득함
④ 실패와 성공의 확률이 같음
⑤ 까닭을 말하면서 문제에 접근함

4

미루어알기

효과적인 주장을 하기 위한 대화의 기술을 실천한 경우는 어느 것입니까? ······ (   )

① 똑같은 자신의 주장을, 까닭을 들어 거듭 말한다.

② 상대의 의견이 칭찬받을 이유를 길게 나열하여 말한다.

③ 상대의 말을 가로채어 더 큰 목소리로 자신의 주장을 말한다.

④ 다른 사람의 의견을 잘 듣고 논리적이고 차분한 태도로 주장을 말한다.

⑤ 자신의 마음을 솔직하게 말한 다음 상대가 공감할 만한 이야기를 들려준다.

5

세부내용

'-하다'를 붙여 새로운 낱말을 이룰 수 없는 것을 고르세요. ······························ (   )

① 미숙　　② 설득　　③ 강요

④ 고집　　⑤ 의견

6

적용하기

다음 대화의 장면에서 빈칸에 알맞은 낱말을 글에서 찾아 쓰세요.

"자기주장을 하는 건 좋지만, 계속 밀어붙이면서 고집을 부리면 그건 ① □□이 아니라 ② □□야."

7

요약하기

효과적인 주장을 하기 위한 대화의 기술을 두 항목으로 나누어 간추렸습니다. 빈칸에 알맞은 낱말을 쓰세요.

말하는 태도	다른 사람의 의견을 충분히 ① □□□. 차분한 태도를 취한다.
말하는 방법	상대의 ② □□을 인정해 먼저 말한다. ③ □□을 앞세우지 말고 ④ □□□으로 설명한다.

어휘 넓히기

뜻

낱말의 뜻풀이로 알맞은 것을 보기에서 골라 괄호 안에 기호를 쓰세요.

(1) 반드시 (　　　)
(2) 반듯이 (　　　)

보기
㉠ 반듯하게. 비뚤어지거나 기울거나 굽지 아니하고 바르게. 생김새가 아담하고 말끔하게.
㉡ 틀림없이. 꼭. (비슷한 말: 기어이, 기어코, 기필코, 끝내, 어김없이)

다지기

아래 문장의 빈칸에 알맞은 낱말을 보기에서 찾아 쓰세요.

보기
반드시　　반듯이

(1) 비가 오는 날이면 ☐☐☐ 우산 장수가 나타난다.
(2) 민욱이는 ☐☐☐ 생긴 얼굴처럼 성격도 분명하고 바르다.

넓히기

다음 한자어의 구성과 뜻을 알아보고, 빈칸에 알맞은 한자어를 쓰세요.

- **설득(說** 말씀 설. **得** 얻을 득.) 상대편이 이쪽 편의 이야기를 따르도록 여러 가지로 깨우쳐 말함.
- **납득(納** 받아들일 납. **得** 얻을 득.) 다른 사람의 말이나 행동, 형편 따위를 잘 알아서 긍정하고 이해함.
- **강요(強** 강할 강. **要** 요구할 요.) 억지로 또는 강제로 요구함.
- **굴복(屈** 굽힐 굴. **伏** 엎드릴 복.) 머리를 숙이고 꿇어 엎드림. 힘이 모자라서 복종함.

(1) 아무리 무서운 힘으로 ☐☐하더라도 잘못된 일이면 ☐☐할 수 없다.
(2) 청소년들에게 일찍 귀가하라고 ☐☐하였지만 다수가 ☐☐하지 않았다.

시간
공부 날짜 ☐ 월 ☐ 일
푸는데 걸린 시간 ☐ 분

확인
맞은 개수 써보기

독해	개/7개	어휘	개/6개

4주 16회
해설편 08쪽

17

새로운 지식을 전하는 글을 읽게 되었을 때 어려워하고 싫증을 내면 어리석어요. 태어날 때부터 모든 지식을 가진 사람이 어디 있겠어요. 새로운 지식은 말 그대로 마주하는 사람이 자신의 것으로 챙기라고 있는 거예요.

1. 15점 2. 15점 3. 15점 4. 15점 5. 10점 6. 15점 7. 15점

조선 후기에 이르러 정치가 어지러워지자 가난한 백성들의 생활은 더욱 어려워졌어. 그럼에도 불구하고 당시의 유학자들은 실생활과 아무런 상관이 없는 이론과 예법을 둘러싸고 논쟁하며 대립했지. 이때 어떤 학자들은 당시의 학문이 백성들의 삶에서 멀어진 것을 비판하면서 실제로 백성들이 잘 살 수 있고, 나라의 힘을 기르기 위해 필요한 것을 생각하고 연구했어. 그 결과 실생활에서 잘 쓰이고, 생활을 풍족하게 하는 이용후생의 학문인 실학이 등장하게 되었어. 실학은 18세기에 들어서 농업을 중시하는 중농학파와 상공업을 중시하는 중상학파로 발전했어. 먼저 중농학파를 알아볼까?

중농학파는 18세기 전반에 농업 중심의 개혁론을 제시한 실학자들로, "토지는 천하의 큰 근본입니다. 큰 근본이 확립되면 온갖 법도가 따라서 잘 되어 하나라도 잘못되는 것이 없을 것입니다."라고 말하면서 농촌 문제에 관심을 갖고 토지 제도를 개혁하자고 주장했어. 대표적인 학자는 유형원, 이익, 정약용 등이야. 유형원은 《반계수록》에서 토지 제도의 문제점을 지적하고, 토지 제도를 바꿔 실제로 농사짓는 사람에게만 토지를 나누어 주자고 주장했어. 농업 중심 개혁론을 더욱 발전시킨 이익은 《성호사설》에서 "백성들을 잘살게 하려면 농사지을 수 있는 땅을 주고, 아무도 그 땅을 함부로 팔거나 사지도 못하게 하여야 합니다."라고 주장했어. 이걸 어려운 말로 '한전론'이라고 해. 마지막으로 《목민심서》, 《경세유표》를 비롯하여 5백여 권에 이르는 저서를 남긴 정약용도 토지 제도와 세금 제도를 바꿀 것을 주장했어. 특히 농사짓는 땅을 농민들이 공동으로 소유하여, 함께 경작하고 수확물도 똑같이 나눌 것을 주장했지.

18세기 후반에는 농업뿐 아니라 상업과 공업도 발전했어. 이런 분위기 속에서 상업을 발전시키기 위한 정책을 펴야 한다는 실학자도 등장하고, 공업 기술의 혁신을 주장하는 실학자도 나타났지. 상공업 중심 개혁론을 가장 먼저 말한 사람은 유수원

이야. 그는 《우서》에서 상공업을 발전시킬 것과 기술 혁신을 강조했어. 또 모든 직업을 평등하게 대할 것을 주장했지. 한편 박지원은 양반이면서도 《양반전》, 《허생전》, 《호질》 등의 소설을 써서 당시 양반 제도의 문제점을 비판했어. 또한 《열하일기》를 통해 청의 여러 가지 제도와 생활 풍습을 소개하면서, 적극적으로 청의 문물을 받아들일 것을 주장했어.(생략) 박지원의 실학사상은 그의 제자 박제가에 의해 더욱 발전했어. 박제가는 《북학의》에서 청의 문물을 더욱 적극적으로 받아들이고, 청과 무역을 더 많이 하여 상공업을 발달시켜야 한다고 말했어.

4주 17회

해설편 09쪽

1

주제찾기

글의 주요 내용은 무엇입니까? ( )

① 실학을 대표하는 학자들
② 실학과 조선의 정치 · 경제 상황
③ 실학에서 농사가 중요시되었던 원인
④ 실학에서 이용후생이 갖는 중요한 의미
⑤ 실학의 등장 배경과 유파별 전개의 과정

2

글감찾기

글감을 찾아서 한 낱말로 답하세요.

( )

3

사실이해

글에서 설명한 내용과 일치하는 것을 고르세요. ( )

① 조선 후기의 정치인들은 백성들의 삶에 큰 관심을 기울였다.
② 중농학파의 이론을 비판하면서 중상학파가 나타나게 되었다.
③ 중농학파는 농업기술의 개선에 의해 농촌의 혁신을 도모하였다.
④ 중상학파는 교통의 요지를 중심으로 학자들이 모여 이론을 다투었다.
⑤ 실학자들이 등장하여 실생활에 도움이되는 이론을 펼쳤다.

4 미루어알기

글을 읽고 미루어 알 수 있는 내용은 어느 것입니까? ( )

① 예법은 지켜야 할 예의와 법도이다.
② 조선 전기의 농사법이 조선 후기로 이어졌다.
③ 백성의 삶이 어려워지면 개혁의 움직임이 일어난다.
④ 조선 후기에 상업의 발달로 전국 팔도에 시장이 생겨났다.
⑤ 중상학파는 우리나라에 봉건 질서 대신 자본주의가 들어서게 했다.

5 세부내용

실학자의 저서를 잘못 연결한 것은 어느 것입니까? ( )

① 유형원–반계수록
② 이익–성호사설
③ 정약용–목민심서
④ 유수원–우서
⑤ 박제가–열하일기

6 적용하기

실학의 이념을 현대적으로 가장 잘 계승한 주장은 어느 것입니까? ( )

① 사상적인 논쟁을 그만두어야 한다.
② 생활에서 허례허식을 멀리하여야 한다.
③ 자신의 생각을 자유롭게 표현할 수 있어야 한다.
④ 백성과 나라를 부강하게 하는 학문을 추구해야 한다.
⑤ 정치인은 농업과 상업의 발달을 위해 온힘을 다하여야 한다.

7 요약하기

중농학파의 세 학자 유형원, 이익, 정약용의 공통된 주장을 빈칸을 채워 완성하세요.

⇨ 실제로 [ ][ ]를 짓는 사람이 [ ][ ]를 소유하여야 한다.

어휘 넓히기

뜻

낱말의 뜻풀이로 알맞은 것을 보기 에서 골라 괄호 안에 기호를 쓰세요.

(1) 갈라지다 (　　　)

(2) 달라지다 (　　　)

보기
㉠ 변하여 전과는 다르게 되다. 반대말은 '같아지다'.
㉡ 둘 이상으로 나누어지다. 반대말은 '합쳐지다'.

다지기

아래 문장의 빈칸에 알맞은 낱말을 보기 에서 찾아 쓰세요.

보기
달랐던　　갈라진

(1) 선거를 통해 □□□ 민심이 다시 합쳐지도록 노력하다.

(2) 300여 년 이상 □□□ 양반과 서민의 삶이 같아질 수는 없었다.

넓히기

다음 한자어의 구성과 뜻을 알아보고, 빈칸에 알맞은 한자어를 쓰세요.

- **실사구시(實** 열매 실. **事** 일 사. **求** 구할 구. **是** 이 시.) 사실에 토대를 두어 진리를 탐구하는 일.
- **이용후생(利** 이로울 이. **用** 쓸 용. **厚** 두터울 후. **生** 날 생.) 기구를 편리하게 쓰고 먹을 것과 입을 것을 넉넉하게 하여, 백성들의 삶을 나아지게 함.

(1) □□□□은 조선 영조 · 정조 때에, 상공업의 진흥과 기술의 혁신에 힘썼던 박지원, 박제가 등이 따랐던 이념이다.

(2) □□□□는 공리공론을 떠나서 정확한 고증을 바탕으로 하는 과학적 · 객관적 학문 태도를 말한다. 조선시대 실학파의 학문에 큰 영향을 주었다.

시간

공부 날짜 □ 월 □ 일

푸는데 걸린 시간 □ 분

확인

맞은 개수 써보기

독해	□ 개/7개	어휘	□ 개/6개

4주 17회

해설편 09쪽

18

글의 첫머리에 어떤 인물의 사상이, 같은 시대를 살았던 다른 인물들과 구별되는 특징이 있다고 강조한다면, 그렇게 강조하는 내용이 중심 내용이 될 수밖에 없어요. 그야말로 강조했으니까요. 조선 시대 유명한 실학자 홍대용은 한 시대를 앞서간 철학자요, 과학자였습니다.

1. 15점 2. 15점 3. 10점 4. 15점 5. 15점 6. 15점 7. 15점

"큰 의심이 없는 자는 깨달음도 없다!"

18세기 조선의 대표적인 실학자[1] 홍대용[2]의 말입니다. 그는 의심을 통해 진리를 탐구하는 과학적인 사고의 선구자였습니다. 실용적인 학문으로 그릇된 세상을 바로잡으려 했다는 점에서는 다른 실학자와 같지만, 당시 학자들이 그다지 관심을 두지 않았던 과학 사상을 배우고 전파하기 위해 애썼다는 점에서 다른 실학자와 구별됩니다.

그가 처음 관심을 가진 분야는 수학입니다. 이는 서양 과학이 우수한 이유가 수학에 있다고 봤기 때문입니다. 홍대용은 구장산술 외에도 수학계몽, 수학통종, 수법전서 등 많은 책을 정리하고 연구해 당시 수학을 집대성했습니다. 주해수용에서 그는 당시 수학의 거의 모든 부문을 망라해 잘못을 지적하고 분석했으며, 비율법, 약분법, 면적과 체적 등 근대적인 표현을 썼습니다.

나이 29세에 호남 출신의 학자 나경적을 만난 뒤로 홍대용의 관심은 천문학으로 옮겨갑니다. 나경적과 함께 혼천의를 제작하고 자명종, 혼상의도 만들었습니다. 홍대용이 만든 혼천의는 물을 사용해 움직이던 이전 혼천의와는 달리 기계시계를 톱니바퀴로 연결해 움직이게 한 것입니다. 홍대용은 더 나아가 사비를 털어 사설 관측소인 '농수각(籠水閣)'을 짓고 천체 관측 기구인 측관의, 구고의 등을 제작해 설치했습니다. 홍대용이 천체 관측 기구 제작에 열심을 낸 이유는 과학에서 가장 중요한 요소가 (㉠)이라고 생각했기 때문입니다.

홍대용의 나이 35세에 떠난 청나라 북경 여행은 그의 사상에 획기적인 변화를 주게 됩니다. 이곳에서 그는 천주교 성당인 '남천주당'에 자주 방문하면서 서양 선교사를 통해 서양의 진보한 과학을 접할 수 있었습니다.

북경 여행을 마치고 돌아와 저술한 『의산문답』(醫山問答)에는 홍대용이 품었던 과학 사상이 고스란히 배어있습니다. 이 책은 '허자'(虛子)와 '실옹'(實翁)이라는 가상의 인물이 대화를 주고받으며 과학에 대해 토론하는 형식으로 돼 있어요. 여기서 허자는 유교 사상을 대변하며 실옹은 근대 서양 과학을 대변합니다.(생략) 이 책에는 지구가 회전하고 있다는 내용이 나옵니다. 홍대용은 "지구가 번개나 포탄만큼이나 빠르다"고 했어요. (생략)

『의산문답』에는 떨어지는 현상, 즉 중력에 대한 고찰도 있습니다. 홍대용은 그 이유가 "기운이 땅으로 모이고 있기 때문"으로 봤으며 "땅에서 멀어질수록 이 힘은 자연스럽게 없어진다."고 했습니다.

낱말풀이 ❶ 실학자 조선 중기에 실학사상을 주장한 사람. ❷ 홍대용 조선 영조 때의 실학자(1731~1783). 북학파의 대표적 인물로, 천문과 율력에 뛰어나 혼천의를 만들고 지구의 자전설을 제창하였다.

1 주제찾기

홍대용이 관심을 가졌던 학문의 두 분야는 무엇과 무엇입니까? ( )

① 수학과 천문학
② 수학과 물리학
③ 수학과 고증학
④ 화학과 천문학
⑤ 화학과 물리학

2 제목찾기

글에 나온 인물의 이름을 넣어서 알맞은 제목을 붙이세요.

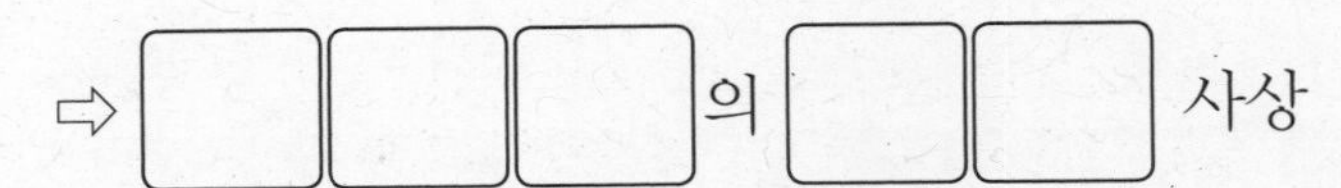

3 사실이해

홍대용의 태도와 거리가 먼 것은 어느 것입니까? ( )

① 실용적
② 합리적
③ 과학적
④ 논리적
⑤ 감성적

4

미루어알기

홍대용의 생각으로 볼 수 있는 것을 고르세요. ( )

① 의심하면 의혹이 풀린다.

② 실학자는 과학 사상가이다.

③ 지구는 매우 빠르게 회전한다.

④ 수학이 과학의 바탕이 되는 것은 아니다.

⑤ 땅에서 멀리 있을수록 당기는 힘이 강해진다.

5

세부내용

㉠에 들어갈 알맞은 말은 무엇인가요? ( )

① 선택과 집중

② 관찰과 실험

③ 연역과 귀납

④ 기억과 추리

⑤ 경험과 판단

6

적용하기

중력과 관련한 바닷물의 운동은 어느것입니까? ( )

① 간조와 만조

② 밀물과 썰물

③ 보름과 그믐

④ 사리와 조금

⑤ 상승과 하강

7

요약하기

글에 나온 홍대용의 업적을 아래의 표로 간추렸습니다. 빈칸에 알맞은 말을 넣어 완성하세요.

관심 분야	주요 업적
① ☐☐	당시까지의 수학 연구를 정리하고 집대성. 근대적 표현 사용.
천문학	기계시계인 ② ☐☐☐를 제작. 천체 관측 기구 제작과 관측소를 지음.
과학 사상	지구가 ③ ☐☐한다고 생각. 중력에 대한 초보적 고찰.

어휘 넓히기

뜻 낱말의 뜻풀이로 알맞은 것을 보기 에서 골라 괄호 안에 기호를 쓰세요.

(1) 배다 (　　　)
(2) 품다 (　　　)

보기
㉠ 품속에 넣거나 가슴에 대어 안다. (생각을) 마음 속에 가지다.
㉡ 버릇이 되어 익숙해지다. 배 속에 아이나 새끼를 가지다.

다지기 아래 문장의 빈칸에 알맞은 낱말을 보기 에서 찾아 알맞게 고쳐 쓰세요.

보기
배다　　품다

(1) 암탉은 알을 □□고 암소는 새끼를 □□다.
(2) 방안은 차가운 기운을 □□ 있었다.

넓히기 다음 한자어의 구성과 뜻을 알아보고, 빈칸에 알맞은 한자어를 쓰세요.

- **실용적(實** 열매 실. **用** 쓸 용. **的** 과녁 적.) 실제로 쓰기에 알맞은 것.
- **합리적(合** 합할 합. **理** 다스릴 리. **的** 과녁 적.) 이론이나 이치에 맞아떨어지는 것.

(1) 학급에서 일어난 일의 해결을 위해 □□□인 방안을 의논했다.
(2) 단지 어둠을 밝히기 위해서라면 촛불이나 횃불보다 전등이 더 □□□이다.

시간
공부 날짜 □월 □일
푸는데 걸린 시간 □분

확인
맞은 개수 써보기

독해	□개/7개	어휘	□개/6개

4주 18회

해설편 09쪽

19

영웅 이야기는 동양에도 서양에도 있었죠. 동양에서는 특히 우리나라의 영웅 이야기가 가장 유명해요. 영웅이 태어나서 버려지는 등 몇 차례의 어려움을 겪고, 그런 어려움을 이겨낸 뒤 성공과 성취에 이르게 된다는 짜임으로 되어 있어요. 행복한 결말이죠.

1. 15점 2. 10점 3. 15점 4. 15점 5. 15점 6. 15점 7. 15점

[앞의 줄거리] 바리데기는 오구대왕을 살릴 약수를 구하기 위해 서천 서역으로 떠났다.

바리데기가 몇 날 며칠, 몇 달을 걸어서 한 곳에 다다르니 어떤 머리가 하얀 노인이 소와 함께 넓디넓은 밭을 갈고 있었다.

"할아버지, 할아버지, 서천 서역으로 가려면 어느 길로 가야 합니까?"

"네가 이 밭을 다 갈아 주면 길을 가르쳐 주마." 하고 말했다.

바리데기가 평소에 안 하던 밭을 갈겠다고 쟁기 끄는 소를 밭고랑으로 데려가는데, 바리데기 힘은 약하고 소의 힘은 세니 앞으로 마구 끌려갔다. 바리데기가 기가 차서 울음을 터뜨리자, 하늘에서 두더지를 내려 보내서 땅을 뒤집게 하였다. 밭을 다 갈고 나니 머리 하얀 노인이, / "저 건너 산을 넘고 너른 들을 지나 높은 산을 넘어가면, 서천 서역 가는 길이 나오니 그리로 찾아가거라."

바리데기는 그 말을 듣고 산을 넘었는데, 또 길이 갈라지고 산이 막혀 있었다. 그때 머리가 하얀 할머니가 냇가에서 우당퉁탕 빨래를 하는 게 아닌가.

"할머니, 할머니, 서천 서역으로 가려면 어디로 가야 합니까?"

"네가 이 빨래를 다 해 주면 네게 길을 가르쳐 주마."

빨래가 많기는 많고, 때는 잘 안 지워지고, 거기다 한겨울 추운 날이라 바리데기는 얼음을 깨 가며 빨래를 빨고 또 빨았다. 바리데기가 빨래해 놓은 것을 보고 할머니가,

"야, 야, 기특하다. 저 높은 산을 지나 열두 고개를 넘어서 유수강을 건너면 세 갈래 길이 나타나는데, 오른쪽 길은 극락으로 가는 길이고, 왼쪽은 지옥으로 가는 길, 가운데 길은 서천 서역으로 가는 길이다." 하였다.

바리데기가 가운데 길로 접어들어 서천 서역을 찾아갈 적에 어디선가 낯선 말소리가 들렸다. 바리데기가 놀라서 돌아보니 큰 바위 꼭대기에서 백발노인이 자기를 불렀다.

"오구대왕 막내딸 바리데기야, 네가 서천 서역 약수를 구하러 가는 길이로구나. 그러면 동대산의 동대청에 사는 동수자를 찾아가거라."

바리데기가 이 말을 듣고 동대청을 찾아가는데, 어찌나 고생스럽던지 몇 날 며칠을 헤매면서 동대산으로 향했다. 동대산의 동수자는 본래 하늘나라 사람이었다. 그런데 죄를 짓고 삼십 년 동안 서천 서역의 약수를 맡아서 지키게 되었다.

바리데기가 길을 가다가 해가 서산에 기우는데 갑자기 인기척이 들리더니만 총각 하나가 찾아들었다. / "여보시오, 동대청은 어디이며 어디로 가야 동수자를 만납니까?"

"예, 여기가 동대산이고 동대청은 내가 사는 집이며, 내가 바로 동수자입니다. 어찌 찾습니까?" / "아버지가 병으로 십오 년이나 고생하고 계십니다. 서천 서역 약수를 구할 수 있겠습니까?"

"그렇다면 나하고 결혼하여 아이 셋을 낳아 주시오. 나는 아이 셋을 낳아야 삼십 년 죄를 씻어 하늘나라로 돌아갈 수 있소."

[결말 요약] 바리데기가 아이 셋을 낳자 동수자는 약수를 구할 수 있는 곳을 알려주고 하늘나라로 올라갔다. 구해온 약수로 죽은 오구대왕을 살렸고, 가족은 신선이 되었으며, 바리데기는 오구 풀이를 해 주는 무당의 신이 되었다.

1 주제찾기

이야기를 읽고 배울 점이라고 할 수 있는 것은 무엇입니까? ( )

① 가족끼리는 화목하게 지내야 한다.
② 지극한 효심은 하늘을 감동하게 한다.
③ 아들만 귀하게 여기는 관습을 버려야 한다.
④ 남에게 해를 끼친 만큼 당하고, 남을 위해 베푼 만큼 받는다.
⑤ 어버이는 자식을 사랑하여야 하고, 임금은 백성을 아껴야 한다.

2 제목찾기

주인공의 이름을 찾아, 그것으로 이야기의 제목을 붙이세요.

⇨ □□□□

3 사실이해

주인공이 문제 해결의 결정적인 실마리를 마련하게 되는 사건을 다음과 같이 정리했습니다. 빈칸에 알맞은 말을 글에서 찾아 쓰세요.

동대산의 동대청에 사는 ① □□□를 만나 ② □□를 구할 수 있게 되었다.

4
미루어알기

이야기의 짜임새를 옳게 파악한 것은 어느 것입니까? ( )

① 하늘나라 사람이 벌을 받으러 쫓겨 왔다.
② 어려움에 처할 때마다 도와주는 사람을 만났다.
③ 뛰어난 능력을 발휘하여 어려움을 스스로 극복해갔다.
④ 이야기를 주고받으면서 서로의 처지와 마음을 이해하게 되었다.
⑤ 아버지와 딸 사이의 오해를 풀게 되어 행복한 결말을 맞이하게 되었다.

5
세부내용

이야기의 배경이 된 종교, 사상, 신앙과 거리가 먼 말은 무엇입니까? ( )

① 약수 ② 동대산 ③ 삼태성
④ 서천 서역 ⑤ 오구 풀이

6
적용하기

다음 글을 읽고 '바리데기'의 뜻을 10자 안팎으로 쓰세요.

> 다음 날 아침, 길대 부인과 시녀들은 아이를 안고 첩첩산중에 찾아들어 갔다. 길대 부인은 아이를 안고
> "너와 내가 죽지 않고 만날 날이 있으려나. 버리기 전에 이름이나 지어 보자. 낳자마자 버리는 자식이니, 네가 '바리데기'로구나."라고 말하였다.

( )

7
요약하기

이야기의 짜임새에 따라, 줄거리는 아래와 같이 요약했습니다. 빈칸에 알맞은 낱말을 넣으세요.

> 오구 대왕이 병에 걸리고, ① □□ □□에서 구해온 약수라야 나을 수 있다함. → 바리데기가 약수를 구해와 ② □□□를 살리겠다면서 길을 떠남. → 여러 어려움에 놓이지만, 할아버지, ③ □□□, □□□ 등을 만나 도움을 받고 마침내 약수를 구함.

어휘 넓히기

뜻 낱말의 뜻풀이로 알맞은 것을 보기 에서 골라 괄호 안에 기호를 쓰세요.

(1) 찾아가다 (　　)
(2) 찾아내다 (　　)
(3) 찾아오다 (　　)

보기
㉠ 볼일을 보거나 특정한 사람을 만나기 위하여 그와 관련된 곳에 오다.
㉡ 볼일을 보거나 특정한 사람을 만나기 위하여 그와 관련된 곳으로 가다.
㉢ 찾기 어려운 사람이나 사물을 찾아서 드러내다.

다지기 아래 문장의 빈칸에 알맞은 낱말을 보기 에서 찾아 쓰세요.

보기
찾아오너라　　찾아가거라　　찾아내어라

(1) 잃어버린 보물을 다시 ☐☐☐☐☐.
(2) 나를 살릴 약수가 있는 곳으로 ☐☐☐☐☐.
(3) 어려움을 당해 힘들면 나를 ☐☐☐☐☐.

넓히기 다음 한자어의 구성과 뜻을 알아보고, 빈칸에 알맞은 한자어를 쓰세요.

- **여정(旅** 나그네 여, **程** 길 정.) 여행의 과정이나 일정.
- **역경(逆** 거스를 역, **境** 지경 경.) 일이 순조롭지 않아 매우 어렵게 된 처지나 환경.
- **성취(成** 이룰 성, **就** 나아갈 취.) 목적한 바를 이룸.

(1) 삶은 순조로울 수도 있지만 ☐☐에 부딪혀 어려울 수도 있다.
(2) 역경을 이겨내고 ☐☐에 이르렀을 때 삶은 더욱 보람이 있다.
(3) 사람이 일생을 살아가는 과정은 ☐☐으로 비유될 수 있다.

시간 공부 날짜 ☐월 ☐일
푸는데 걸린 시간 ☐분

확인 맞은 개수 써보기

독해	개/7개	어휘	개/9개

4주 19회
해설편 10쪽

20

다음 시의 시작은 궁금증만 불러일으켜요. '하늘에서 무엇인가 내린다.'라는 정도만 알려줘요. 좀 더 읽어보면, 여러 가지 소리를 내도록 한다는 내용까지 가요. 시의 끝에 가서야 봄의 소리를 떠올리게 해요. 이렇게 다 새겨보아야 '봄비'를 읊은 시라는 것을 알 수 있어요.

1. 15점 2. 10점 3. 15점 4. 15점 5. 15점 6. 15점 7. 15점

해님만큼이나
큰 은혜로
내리는 교향악

이 세상
모든 것이 다
악기가 된다.

달빛 내리던 지붕은
두둑 두드둑
큰북이 되고

아기 손 씻던
세숫대야 바닥은

도당도당 도당당
작은북이 된다.

앞마을 냇가에선
퐁퐁 포옹 퐁
뒷마을 연못에선
풍풍 푸웅 풍

외양간 엄마소도 함께
댕그랑댕그랑

엄마 치마 주름처럼
산들 나부끼며
왈츠
봄의 왈츠
하루 종일 연주한다.

1
주제찾기

시의 중심 내용은 무엇입니까? ( )

① 아름다운 봄비의 소리
② 자연의 섭리에 대한 감사
③ 해와 달이 내려주는 큰 은혜
④ 시골 마을에 비가 내리는 풍경
⑤ 소리의 아름다움에 젖어있는 사람들

2
글감찾기

비유적 표현의 대상을 파악하여 시의 제목을 붙이세요.

( )

3
사실이해

시에서 그리고 있지 않은 것은 어느 것입니까? ( )

① 비 내리는 소리
② 세상의 모든 악기
③ 지붕에서 나는 소리
④ 세숫대야 바닥의 소리
⑤ 연못에 비가 내리는 소리

4
미루어알기

'어울림에서 비롯된 아름다움'을 표현하기 위해 선택한 시어는 무엇입니까? ( )

① 해님 ② 교향악 ③ 달빛
④ 외양간 ⑤ 왈츠

5
세부내용

시에서 가장 자주 나타난 감각의 종류는 무엇입니까? ( )

① 시각 ② 미각 ③ 청각
④ 촉각 ⑤ 후각

6
적용하기

8연의 '봄의 왈츠 / 하루 종일 연주한다.'가 표현하고자 한 실제의 장면을 한 문장으로 쓰세요.

( )

7
요약하기

시의 표현에 나타난 특징과 중심 내용을 다음과 같이 정리했습니다. 빈칸에 알맞은 낱말을 써넣으세요.

⇨ ① [ ][ ]의 감각을 중심으로, 세상을 부드럽게 감싸며 내리는 ② [ ][ ]를 노래하고 있다.

어휘 넓히기

뜻

낱말의 뜻풀이로 알맞은 것을 보기 에서 골라 괄호 안에 기호를 쓰세요.

(1) 안개비 (　　　)
(2) 이슬비 (　　　)
(3) 가랑비 (　　　)

보기
㉠ 가늘게 내리는 비. 이슬비보다는 좀 굵다.
㉡ 내리는 빗줄기가 매우 가늘어서 안개처럼 부옇게 보이는 비.
㉢ 아주 가늘게 내리는 비. 안개비보다 굵고 가랑비보다는 가늘다.

다지기

아래 문장의 빈칸에 알맞은 낱말을 보기 에서 찾아 쓰세요.

보기
가랑비　　이슬비

(1) □□□에 옷 젖는 줄 모른다; 아무리 사소한 것이라도 그것이 거듭되면 무시하지 못할 정도로 크게 됨을 비유적으로 이르는 말.

(2) 소금 팔러 가니 □□□ 온다; 세상일이란 뜻대로 되지 않고 빗나가기 쉬움을 비유적으로 이르는 말.

넓히기

다음 한자어의 구성과 뜻을 알아보고, 빈칸에 알맞은 한자어를 쓰세요.

- **교향악(交** 사귈 교. **響** 울릴 향. **樂** 음악 악.**)** 대규모의 관현악(관악기, 타악기, 현악기 따위로 함께 연주하는 음악.) 조직에 의하여 이루어지는 음악을 통틀어 이르는 말.
- **타악기(打** 칠 타. **樂** 음악 악. **器** 그릇 기.**)** 두드려서 소리를 내는 악기를 통틀어 이르는 말.

(1) 큰북, 작은북 등 타악기만으로는 □□□이 이루어질 수 없다.

(2) 꽹가리, 북, 징, 장구 등의 전통 악기는 □□□에 속한다.

시간
공부 날짜 (　　)월 (　　)일
푸는데 걸린 시간 (　　)분

확인
맞은 개수 써보기

독해	(　　)개/7개	어휘	(　　)개/7개

4주 20회

해설편 10쪽

어휘·어법 총정리 4주차

어휘 보기의 낱말을 보고, 뜻과 어울리는 것을 골라 아래의 빈칸에 써보세요.

보기			
똑같다	함부로	부리다	갈라지다
개혁론(改革論)	선입견(先入見)	불구(不拘)하다	

1. 마소나 다른 사람을 시켜 일을 하게 하다. 기계나 기구 따위를 마음대로 조종하다.
2. 모양, 성질, 분량 따위가 조금도 다른 데가 없다.
3. 쪼개지거나 금이 가다. 둘 이상으로 나누어지다. 몹시 거칠게 되거나 날카롭게 되다.
4. 조심하거나 깊이 생각하지 아니하고 마음 내키는 대로 마구.
5. 얽매여 거리끼지 아니하다.
6. 시대에 뒤떨어져 못 쓰게 된 제도나 기구 따위를 새롭게 뜯어고치자는 의견이나 주장.
7. 어떤 대상에 대하여 이미 마음속에 가지고 있는 고정적인 관념이나 관점. 자유롭고 창의적인 생각을 방해한다.

어법 다음 중 맞춤법에 맞는 것을 골라 동그라미 하세요.

1. 사달라고 [때 / 떼]를 썼다.
2. 농사 [짖는 / 짓는] 사람.
3. 소를 [밭꼬랑 / 밭고랑]으로 데려갔다.
4. [두더쥐 / 두더지]를 잡아라.
5. 바람에 깃발이 [나북기다 / 나부끼다].
6. [낟선 / 낯선 / 낫선] 목소리.
7. 물에 [흥건이 / 흥건히] 젖다.
8. 둘이 [나란이 / 나란히] 걷다.

나의 점수 확인하기

어휘	개 / 7개	어법	개 / 8개

5주차

회차 / 영역	제목	계획 및 점검
21 인문|논설문	꽉 막힌 생각, 뻥 뚫린 생각 • 나는 ☐ 월 ☐ 일 ☐ 시에 공부할 것입니다.	• 독해력에서 나의 점수는 ☐ 점입니다. • 어휘력에서 맞은 문제수는 ☐ 개 / 9개 입니다. • 어려웠던 문제는 ______ 번입니다.
22 사회|설명문	조선 시대 여성의 삶 • 나는 ☐ 월 ☐ 일 ☐ 시에 공부할 것입니다.	• 독해력에서 나의 점수는 ☐ 점입니다. • 어휘력에서 맞은 문제수는 ☐ 개 / 6개 입니다. • 어려웠던 문제는 ______ 번입니다.
23 과학|설명문	가마솥에 숨겨진 과학 • 나는 ☐ 월 ☐ 일 ☐ 시에 공부할 것입니다.	• 독해력에서 나의 점수는 ☐ 점입니다. • 어휘력에서 맞은 문제수는 ☐ 개 / 9개 입니다. • 어려웠던 문제는 ______ 번입니다.
24 산문문학|이야기	양초 도깨비 • 나는 ☐ 월 ☐ 일 ☐ 시에 공부할 것입니다.	• 독해력에서 나의 점수는 ☐ 점입니다. • 어휘력에서 맞은 문제수는 ☐ 개 / 8개 입니다. • 어려웠던 문제는 ______ 번입니다.
25 운문문학|시	물새알 산새알 • 나는 ☐ 월 ☐ 일 ☐ 시에 공부할 것입니다.	• 독해력에서 나의 점수는 ☐ 점입니다. • 어휘력에서 맞은 문제수는 ☐ 개 / 6개 입니다. • 어려웠던 문제는 ______ 번입니다.

• 이번 주 독해력 문제에서 나의 점수는 평균 ☐ 점입니다.

• 이번 주 어휘력에서 맞은 문제수는 모두 ☐ 개입니다.

21

설득하는 글에서 글쓴이의 생각을 담고 있는 문장은 보통 문단의 끝부분에 나타나죠. 글 전체의 분량과 비교한다면 1/10 안팎에 불과하지요. 다음 글을 읽으면서 글쓴이의 생각을 담고 있는 문장을 정확히 찾아 보세요.

1. 15점 2. 10점 3. 15점 4. 15점 5. 15점 6. 15점 7. 15점

자신도 모르는 사이에 머릿속에 박혀 버린 생각을 '고정 관념'이라고 해. 국어사전에 따르면, 고정 관념이란 '마음속에 굳어 있어 쉽게 변하지 않는 생각'을 뜻해. 고정 관념은 나이를 먹고 이런저런 경험을 쌓아 갈수록 더 심해진단다. 네 친구 가운데 "계집애가 뭘 안다고 그래."라든가, "무슨 계집애들이 남자아이들처럼 공을 찬다고 야단이야."라고 말하는 친구가 있다면 그 친구는 벌써 여자에 대한 고정 관념이 생겼다는 증거야. 반대로 "남자가 되어 가지고 왜 씩씩하지 못해!"라고 몰아붙이는 여자아이들이 있다면 이 또한 남자에 대한 고정 관념이 뿌리를 내리고 있다는 증거이지.

고정 관념이 좋지 않은 까닭은 사실과 다르게 머릿속에 박혀 있는 생각을 아무런 의심 없이 행동으로 옮기게 하거나, 자신도 모르게 진실을 외면하여 버리기 때문이야. 실제로, 사람들이 고정 관념에 얼마나 많이 휩싸여 있는지 알아보기 위하여 미국에서 재미있는 조사를 한 적이 있단다. 아기에게 젖꼭지를 물리고 있는 할아버지의 사진을 학생들에게 보여 주면서 선생님이 이렇게 물었다는구나. "이것이 무슨 사진이지?" 그런데 놀랍게도 거의 모든 학생이 흘끔 쳐다보고는 이렇게 대답하더라는 거야. "엄마가 아기에게 우유 먹이는 사진이에요." 선생님이 다시 한 번 사진을 내밀고 물었대. "자, 자세히 보렴. 엄마가 확실하니?" 그제야 학생들은 "어, 할아버지네. 난 엄마인 줄 알았지." 하더라는 거야. 처음부터 할아버지를 찍은 사진이었는데도 학생들은 아기에게 젖을 먹이는 사람은 어머니라는 생각만 가지고 있었기 때문에 자세히 들여다볼 생각조차 하지 않았던 거지. 너도 그와 비슷한 고정 관념을 가지고 있지 않은지 한 번 확인하여 볼까?

자, 뱀과 그 뱀의 혀를 그린 다음 색칠하여 보자. 너는 뱀의 혓바닥에 무슨 색깔을 칠하였니? 붉은색이라고? 그래, 너뿐만 아니라 많은 아이, 심지어는 어른들까지 너처럼 붉은색을 칠하고는 해. 하지만 뱀의 혀는 붉은색이 아니라 대개 검은색이야. 그런데도 만화나 그림에 나오는 뱀의 혀는 붉게 칠하여 있기 일쑤이지.

짐승들을 보렴. 산짐승과 집에서 기르는 가축은 다르잖아? 개와 늑대, 그리고 집돼지와 멧돼지를 비교하여 보면 알 거야. 집에서 기르는 개 중에는 조금만 추워도 감기에 걸리는 녀석이 많지. 집돼지는 주는 것만 받아먹을 줄 알지 스스로 먹이를 찾을 능력은 없어. 그러나 산속이나 들판에서 홀로 먹이를 찾아다니는 늑대나 멧돼지는 개나 집돼지보다 훨씬 냄새도 잘 맡고 빨리 달려. 길들여지지 않고 거친 자연환경에 잘 적응하며 살아간단다.

우리 인간의 마음이나 생각도 길들여지고 때 묻고 습관화되면 가축처럼 나약해지기 마련이야. 흔히 '누구누구는 얌전하다.'라는 말을 칭찬으로 쓰지 않니? 하지만 얌전하다는 것은 때로는 틀 속에 갇혀 있다는 뜻도 된단다. 틀에 박힌 생각은 그저 정하여진 철도를 따라 달리는 기차와 다를 것이 없지. 그러나 길들여지지 않은 야생마는 푸른 벌판을 동서남북 가리지 않고 어디로든 달려갈 수 있잖아? 누가 등에 올라타고 채찍을 휘두르지 않아도 야생마는 혼자서 마음대로 벌판을 달리지. 바람처럼 자유롭게 말이야. 그러므로 생각도 그렇게 자유로워야 새로운 것을 창조하여 낼 수 있지 않겠니?

1 주제찾기

글에 나타난 필자의 주장은 무엇입니까? ( )

① 어른들은 쉽게 고정 관념에 빠진다.
② 자신도 모르게 진실을 외면해서는 안 된다.
③ 생각이 자유로워야 새로운 것을 창조해 낼 수 있다.
④ 머릿속에 한번 깊게 박힌 생각은 오래오래 고쳐지지 않는다.
⑤ 늑대는 길들여지지 않고 거친 자연환경에 잘 적응하며 살아간다.

2 글감찾기

글쓴이가 물리치고자 한 것이 무엇인지 글에서 찾아 쓰세요.

( )

3 사실이해

글에 대한 설명으로 잘못된 것을 고르세요. ( )

① 논설문의 완성된 형식을 보이고 있다.
② 주장의 근거를 구체적인 예를 들었다.
③ 이야기를 해 주는 말투로 설득력을 높이고 있다.
④ 읽는 사람이 스스로 결론을 이끌어 내도록 하고 있다.
⑤ 일상생활에서 흔히 겪을 수 있는 일들로 주장을 확인하게 하였다.

해설편 11쪽

4
미루어알기

글의 내용에 따를 때, '뻥 뚫린 생각'을 보여주는 것은 어느 것입니까? .... (   )

① 뱀의 혀가 붉은 색인 줄 알고 있다.
② 외과 의사는 다 남자라고 생각하고 있다.
③ 여자들은 울기만 잘하고 순종하는 약한 존재이다.
④ 남자들만 할 수 있는 일과 여자들만 할 수 있는 일을 구별한다.
⑤ 기계처럼 문제풀이에만 익숙해지기보다 스스로 학습 방법을 터득한다.

5
세부내용

주장을 뒷받침하는 방법 중, 가장 많이 사용한 것은 무엇입니까? .... (   )

① 인용하기
② 예를 들기
③ 까닭 말하기
④ 자세히 설명하기
⑤ 예의 의미를 해석하기

6
적용하기

이 글에서 알맞은 말을 찾아 편견과 관련된 아래 글의 빈칸에 공통으로 들어갈 말을 쓰세요.

> 성 역할 □□ □□은 어린시절부터 형성되어 성인기까지 유지되는 편입니다. 그래서 □□ □□에서 벗어난 교육자료와 학습 환경을 유아들에게 제공하여 개인의 능력과 재능을 키워주도록 해야 합니다.

7
요약하기

주장을 뒷받침하는 까닭 두 가지를 표로 정리했습니다. 빈칸을 채워 완성하세요.

고정 관념이 좋지 않은 까닭	사실과 다르게 머릿속에 박힌 생각을 아무 의심 없이 ① □□으로 옮기게 하거나, 자신도 모르게 ② □□을 외면하여 버리기 때문이다.
틀에 박히지 않은 생각이 좋은 까닭	생각이 자유로워야 새로운 것을 ③ □□하여 낼 수 있기 때문이다.

어휘 넓히기

뜻 낱말의 뜻풀이로 알맞은 것을 보기 에서 골라 괄호 안에 기호를 쓰세요.

(1) 박이다 (　　　)
(2) 박히다 (　　　)
(3) 갇히다 (　　　)

보기
㉠ 버릇, 생각, 태도 따위가 깊이 배다. 손바닥, 발바닥 따위에 굳은살이 생기다.
㉡ 두들겨 치이거나 틀려서 꽂히다. 붙여지거나 끼워 넣어지다. '박다'의 동작을 당하다는 뜻.
㉢ '가두다'의 피동사. 어디에 넣어져 마음대로 나들지 못하게 되다.

다지기 문장의 빈칸에 알맞은 단어를 보기 에서 찾아 활용해 써보세요.

보기
박이다　　박히다　　갇히다

(1) 승강기에 □□ 오도가도 못 하고 있다.
(2) 원통하여 가슴에 못이 □□는 것 같다.
(3) 굳은살이 □□ 아버지의 손바닥.

넓히기 다음 한자어의 구성과 뜻을 알아보고, 빈칸에 알맞은 한자어를 쓰세요.

- **관념(觀** 볼 관, **念** 생각 념(염).**)** 어떤 일에 대한 견해나 생각.
- **체념(諦** 살필 체, **念** 생각 념(염).**)** 품었던 생각이나 기대, 희망 등을 아주 버리고 더이상 기대하지 않음.
- **염원(念** 생각 염(념), **願** 원할 원.**)** 마음속 깊이 생각하고 간절히 바람.

(1) 아빠의 건강이 하루빨리 회복되기를 □□했다.
(2) 위생 □□이 철저하지 못한 식당은 가기 싫다.
(3) 이겨낼 수 있다는 말과는 다르게 눈빛엔 □□의 뜻이 담겨 있었다.

시간 공부 날짜 □월 □일
푸는데 걸린 시간 □분

확인 맞은 개수 써보기

독해	개/7개	어휘	개/9개

5주 21회
해설편 11쪽

22

동양, 서양 모두에서 여성이 남성과 동등하게 대우받게 된 것은 100년 정도밖에 안 되어요. 남성이 힘으로 여성의 활동을 철저히 막았던 것이죠. 우리나라에서도 조선시대까지 여성은 자유롭게 밖에 나갈 수도 없을 정도였어요. 그런 가운데도 뛰어난 삶을 살았던 여성들이 있었어요.

1. 15점 2. 15점 3. 15점 4. 15점 5. 10점 6. 15점 7. 15점

조선 시대에 여성들은 사회 진출이 허용되지 않아 능력을 발휘할 수 없었습니다. 재능 있는 여성들에게 더욱 가혹해 조선 시대는 여성들에게 최고의 암흑기였지요. 그러나 자신의 능력을 갈고닦아 이름을 떨친 여성들이 있습니다.

조선 중기의 예술가였던 신사임당(1504~1551)은 시, 글씨, 그림에 모두 뛰어났습니다. 사임당은 당호[1]인데, 7세 때부터 스승 없이 그림 그리기를 시작했다고 전합니다. 세종 때 이름난 화가인 안견의 '몽유도원도', '적벽도', '청산백운도' 등의 산수화를 보면서 모방해 그렸고 특히 풀벌레와 포도를 그리는 데 남다른 재주가 있었죠. 사임당의 그림은 40폭 정도가 전하는데, 산수, 포도, 대나무, 매화, 나비, 벌, 메뚜기와 같은 풀벌레 등 다양한 소재를 즐겨 그렸지요. 단순한 주제에 간결하면서도 안정된 구도, 여성적인 섬세한 표현 등은 천재 화가로 손꼽히는 데에 부족함이 없습니다. 사임당이 지은 시로는 '유대관령망친정'과 '사친' 등이 유명합니다. 오늘날에는 대학자인 율곡 이이의 어머니로 현모양처의 모범으로 알려져 있지만 당시에는 '몽유도원도'로 유명한 안견 다음가는 화가로도 명성이 자자했답니다.

조선 중기 때의 여류 시인 허난설헌(1563~1589)은 '홍길동전'을 지은 허균의 누나입니다. 어려서부터 시로 천재성을 드러냈던 난설헌은 8살 때 자신을 신선 세계의 주인공으로 묘사한 '광한전백옥루상량문'이라는 시를 지어 어른들을 놀라게 했습니다. 결혼을 한 난설헌은 시를 쓰는 며느리를 달가워하지 않는 시어머니와 무능한 남편 때문에 심한 정신적 고통을 겪었다고 합니다. 거기다 아이들까지 모두 잃고, 친정은 역적의 집안으로 몰려 몰락했습니다. 결국 허난설헌은 27살의 젊은 나이에 세상을 떠나고 맙니다.

임윤지당(1721~1793)은 가난한 양반 가문에서 태어나 아버지를 일찍 여의고, 결혼 후 남편과 어린 자식까지 잃는 불행을 겪었습니다. 윤지당은 불운한 삶 속에서도 학문을 닦는 데 게을리하지 않았습니다. '남성과 여성은 현실에 처한 입장만 다를 뿐 타고난 본성은 다르지 않다.'고 생각한 윤지당은 남성만의 영역이었던 성리학에 과감히 도전해 조선 시대 최고의 여성 성리학자[2]로 우뚝 서지요. 윤지당은 《대학》이나 《중용》 등 어려운 유교 경전을 새롭게 해석하고, 역대의 정치가나 학자를 호되게 비판해 한국 역사상 가장 위대한 여류학자로 손꼽히고 있습니다.

조선 후기 명문가에서 태어난 이빙허각(1759~1824)은 여성의 학문적 자질을 존중해 주는 실학자 집안으로 시집을 갑니다. 이에 영향을 받은 빙허각은 여성 생활 백과인 《규합총서》를 한글로 펴냈습니다. 총 5권으로 이뤄진 《규합총서》는 요리를 비롯해 밭농사법, 가축 기르는 법까지 여성의 가사 활동 영역을 집 밖 경제 활동으로까지 확장한 것으로 의의가 깊습니다. 전해지는 총서 중 유일하게 여성에 의해 쓰인 《규합총서》는 방대한 문헌을 철저하게 비교 검토하거나 자신이 직접 실험해 얻은 결과만을 실어, 여성의 가사 생활을 학문화한 책으로도 유명합니다. 빙허각은 천문지리 등에 대해 쓴 《청규박물지》와 시와 산문을 담은 《빙허각고략》도 지었다고 전합니다.

❶ 당호 집의 이름에서 따온 그 주인의 호. ❷ 성리학자 중국 송나라 때에 주희가 집대성한 유학의 한 파에 속하는 학자들.

5주 22회

해설편 11쪽

1 주제찾기

글 전체의 내용을 아우를 수 있는 문장은 어느 것입니까? ( )

① 조선시대의 여성들은 개인적 재능이 있었다.
② 조선시대의 여성들은 재능을 떨칠 기회가 없었다.
③ 조선시대의 여성들은 대부분 양반 가문 출신이었다.
④ 조선시대에 예술과 학문 분야에 뛰어난 여성들이 있었다.
⑤ 조선시대에는 남성들이 여성들의 사회 진출을 가로막으려했다.

2 제목찾기

빈칸을 채워 글의 내용에 알맞은 제목을 쓰세요.

⇨ □□□□ □□□의 삶

3 사실이해

글의 내용과 일치하는 것은 어느 것입니까? ( )

① 조선시대 여성의 삶은 알 수 없다.
② 신사임당은 시와 그림을 후세에 남겼다.
③ 허난설헌은 소설을 짓는 재능이 뛰어났다.
④ 임윤지당은 성리학의 정통 학설을 이어받았다.
⑤ 이빙허각은 처음으로 집 밖에서 경제활동을 하였다.

4 미루어알기

글을 읽고 알 수 있는 것은 무엇입니까? ( )

① 조선시대는 여성 중심이었다.
② 조선시대의 남성은 여성을 존중했다.
③ 조선시대의 여성은 문화생활을 이끌었다.
④ 조선시대의 여성은 자식 교육에 적극적이었다.
⑤ 조선시대의 여성은 공식적 이름을 가지지 못하였다.

5 세부내용

≪규합총서≫는 어떤 책입니까? ( )

① 여성의 어진 덕을 가르친 책
② 여성에게 윤리의식을 심어준 책
③ 여성의 말과 행동의 모범이 된 책
④ 여성의 가사생활을 총망라한 백과사전
⑤ 여성이 집 밖에서 활동할 때 참고가 된 사전

6 적용하기

글에 소개한 이방허각이 현대 사회라면 어떤 일을 했을지 고르세요. ( )

① 화가 ② 시인 ③ 학자
④ 요리연구가 ⑤ 배우

7 요약하기

글의 내용을 조선 전기와 후기로 나누어 요약하였습니다. 빈칸에 알맞은 말을 넣으세요.

	인물	업적
조선전기	신사임당	① □와 □□을 남김.
	허난설헌	② □를 남김.
조선후기	임윤지당	조선시대 최고의 여성 ③ □□□자, 문집을 남김.
	이빙허각	④ □□자 집안의 영향으로 □□로 규합총서를 펴냄. 천문지리와 시와 산문에 관한 책을 남김.

어휘 넓히기

뜻

낱말의 뜻풀이로 알맞은 것을 보기 에서 골라 괄호 안에 기호를 쓰세요.

(1) 드러내다 (　　　)
(2) 들어내다 (　　　)

보기
㉠ 물건을 들어서 밖으로 옮기다. 사람을 있는 자리에서 쫓아내다.
㉡ 가려 있거나 보이지 않던 것을 보이게 하다.

다지기

아래 문장의 빈칸에 알맞은 낱말을 보기 에서 찾아 쓰세요.

보기
들어내어　　드러내고

(1) 매란국죽으로 선비의 올곧은 정신을 마음껏 □□□□ 있다.
(2) 이사를 하기 위해 방에서 이삿짐을 □□□□ 차에 싣고 있다.

넓히기

다음 한자어의 구성과 뜻을 알아보고, 빈칸에 알맞은 한자어를 쓰세요.

- **규방(閨** 안방 규. **房** 방 방.) 부녀자가 거처하는 방. 부부의 침실.
- **규수(閨** 안방 규. **秀** 빼어날 수.) 남의 집 처녀를 정중하게 이르는 말. 학문과 재주가 뛰어난 여자.

(1) 운 좋게 좋은 집안의 □□와 혼인하게 되었다고 자랑이다.
(2) 조선시대의 □□은 남자들이 쉽게 들어갈 수 없는 곳이었다.

시간
공부 날짜 □ 월 □ 일
푸는데 걸린 시간 □ 분

확인
맞은 개수 써보기

독해	개/7개	어휘	개/6개

5주 22회

해설편 11쪽

23

글의 첫머리를 읽고 앞으로 어떤 내용이 펼쳐질지 미리 떠올려본 뒤에 계속 읽어가는 연습을 해야 해요. 물음의 문장이 나오면, 그에 답하는 내용이 펼쳐질 것이라고 예측해 볼 수 있어요. 무엇인가를 살펴보자고 했다면, 그 '무엇'이 펼쳐질 내용이 되겠죠.

1. 15점 2. 15점 3. 15점 4. 15점 5. 10점 6. 15점 7. 15점

"밥이 보약", "상차림이 부실해도 맛깔나는 밥 한 그릇이면 족하다."라는 표현이 있다. 밥 한 사발에도 이토록 민감한 미감을 가진 민족의 입맛을 오늘날까지 지켜 온 비결에는 어떤 것이 있을까? 반찬 맛이 손맛이라면 밥맛을 좌우하는 것은 무엇일까? 비밀의 열쇠는 바로 밥솥에 있다. 가마솥 밥맛이 좋은 이유는 솥뚜껑 무게와 바닥 두께와 밀접히 관련된다.

가마솥 뚜껑은 무게가 무거워 온도 변화가 서서히 일어나며, 내부 압력이 높고, 또 높은 온도가 유지되어 맛있는 밥이 된다. 가마솥 뚜껑은 다른 재질로 만든 솥의 뚜껑에 비해 훨씬 무겁다. 요즈음 사용되는 압력 밥솥은 잠그는 기능까지 있을 정도이다. 솥을 불로 가열하면 솥 안의 공기가 팽창됨과 아울러 물이 수증기로 변하게 된다. 뚜껑이 가벼우면 수증기가 쉽게 빠져나가지만 무거우면 덜 빠져나가게 되어 내부 압력이 올라간다. 압력이 높아지면 물의 끓는점이 올라가 밥이 100도 이상에서 지어져 낮은 온도에서보다 더 잘 익게 되고, 따라서 밥맛이 좋게 되는 것이다.

쌀이 잘 익으려면 대기압 이상의 압력이 필요하다. 밥을 지을 때 솥 안의 공기와 수증기가 빠져나가 '김이 새면' 설익게[1] 되기 때문이다. 전통 가마솥 뚜껑의 무게는 솥 전체의 3분의 1에 달하는데, 이러한 원리를 전기 압력 밥솥에 그대로 적용하였다. 하지만 전기 압력 밥솥에 이런 무거운 장치를 얹을 수 없기 때문에 내솥과 뚜껑에 톱니바퀴 모양의 돌출부가 만들어져 있다. 뚜껑을 닫고 손잡이를 돌리면 톱니바퀴들이 서로 맞물리게 되어 공기와 수증기가 빠져나갈 수 없다. 여기에 압력 조절 장치를 달아 일정 압력 이상이 되면 기체 배출구를 통해 내부 기체가 빠져나오도록 설계되어 있다.

또, 가마솥은 밑바닥이 둥그렇기 때문에 열이 입체적으로 전해진다. 바닥의 두께가 부위별로 다른 점도 한몫을 한다. 대부분의 가마솥에서 불에 먼저 닿는 부분을 두껍게 하고 가장자리 부분을 얇게 만들어 열을 고르게 전달시킨다. 열전도율을 훌륭하게 적용한 것이다. 최근에 생산되는 '전기 압력 밥솥'으로 가마솥처럼 입체적으로 열을 가하기 위해 전자 유도 가열 방법을 적용한 통가열식 전기밥솥이 등장했다. 이 방식에서는 사방에서 열이 골고루 전달되어 쌀이 구석구석 잘 익는다. 통가열식 압력 밥솥은 쌀의 원형을 유지하면서 밥의 영양분 파괴를 줄인다. 취사 속도가 빠를수록 영양분 파괴가 적기 때문에 취사 시간을 9분대로 줄인 제품도 출시되었다.

기존의 전기밥솥은 보온과 취사만 가능했다면, 이제는 밥맛을 자유자재로 구현할 수 있게 되었다. 백미, 잡곡, 된밥, 진밥 등을 가족의 식성에 따라 지을 수 있고, 빵이나 갖가지 요리도 가능하게끔 기술이 발전한 것이다. 그뿐만 아니라 뚜껑과 기체 배출구 등에 끼어 있는 이물질을 제거해 주는 기능을 포함해 여러 가지 부가 기능을 갖추어 편의성을 강화하였다.

첨단 과학으로 만들었다는 이들 밥솥 역시 가마솥의 원리를 고스란히 담아냈다는 사실은 시사하는 바가 크다. 아울러 온고지신❷이라는 말처럼 겨레의 과학적 슬기는 첨단 과학을 뒷받침하는 버팀목으로 응용되고 있을 뿐만 아니라 미래를 여는 열쇠라는 점을 결코 간과❸해서는 안 될 것이다.

낱말 풀이

❶ 설익다 충분하지 아니하게 익다. 완성되지 못하다. ❷ 온고지신(溫故知新) 옛것을 익히고 그것을 미루어서 새것을 앎.
❸ 간과 큰 관심 없이 대강 보아 넘김.

5주 23회 해설편 12쪽

1 주제찾기

글쓴이가 가장 강조하고자 한 내용은 무엇입니까? ( )

① 우리 겨레는 과학적 슬기를 지녔다.
② 전통 과학과 현대 과학은 어울릴 수 있다.
③ 맛있는 밥을 만드는 데는 좋은 솥이 있어야 한다.
④ 전통적 기술이 새로운 기술의 창조에 버팀목 구실을 한다.
⑤ 발명은 기술의 혁신에 의존하며 기술 혁신은 과학이 뒷받침한다.

2 글감찾기

글감을 글에서 찾아 한 낱말로 쓰세요.

( )

3 사실이해

글에 나타나지 않은 내용은 어느 것입니까? ( )

① 우리 민족은 맛감각이 매우 예민하다.
② 솥의 내부 압력을 높여야 밥맛이 좋아진다.
③ 쌀이 잘 익으려면 대기압 이상의 압력이 필요하다.
④ 전기 압력 밥솥은 수증기가 빠져나갈 수 없는 구조로 되어 있다.
⑤ 통가열식 밥솥의 바닥에는 전기를 열에너지로 바꾸는 장치가 되어 있다.

4
미루어알기

'통가열식 밥솥'은 가마솥의 어떤 점을 응용한 것입니까? ( )

① 가마솥의 뚜껑이 무겁다.
② 가마솥의 재료는 무쇠이다.
③ 가마솥은 밑바닥이 둥그렇다.
④ 가마솥은 쌀의 원형을 유지한다.
⑤ 가마솥은 취사와 보온의 기능이 있다.

5
세부내용

글에 가장 자주 사용한 설명의 방법은 무엇입니까? ( )

① 분석과 묘사
② 비교와 대조
③ 정의와 예시
④ 지정과 분류
⑤ 서사와 인과

6
적용하기

아래의 변화를 설명할 수 있는 한자 숙어를 글에서 찾아 쓰세요.

가마솥(무쇠솥) → 통가열식 밥솥

( )

7
요약하기

글의 주요 내용을 아래와 같이 요약했습니다. 빈칸에 알맞은 낱말을 넣으세요.

가마솥과 통가열식 밥솥		
비슷한 점	① □□이 좋다.	
다른 점	• ② □□□	뚜껑이 무겁고 ③ □□□이 둥글다.
	• 통가열식 밥솥	취사 속도가 □□수록 영양분 파괴가 적어 9분대인 제품도 있다.

어휘 넓히기

뜻 낱말의 뜻풀이로 알맞은 것을 보기 에서 골라 괄호 안에 기호를 쓰세요.

(1) 겨레 (　　　)
(2) 손맛 (　　　)
(3) 슬기 (　　　)

보기
㉠ 사리를 바르게 판단하고 일을 잘 처리해 내는 재능.
㉡ 같은 핏줄을 이어받은 사람(민족). 겨레붙이.
㉢ 음식을 만들 때 손으로 이루는 솜씨에서 우러나오는 맛.

다지기 아래 문장의 빈칸에 알맞은 낱말을 보기 에서 찾아 쓰세요.

보기
슬기　　손맛　　겨레

(1) 온돌은 우리 조상들의 □□가 담긴 소중한 유산이다.
(2) 우리는 단군의 피를 이어받은 한 □□이다.
(3) 반찬 맛이 □□이라고 하지만 정성이 들어가야지.

넓히기 다음 한자어의 구성과 뜻을 알아보고, 빈칸에 알맞은 한자어를 쓰세요.

- **간과(看** 볼 간. **過** 지날 과.) 큰 관심 없이 대강 보아 넘김.
- **개과천선(改** 고칠 개. **過** 지날 과. **遷** 옮길 천. **善** 착할 선.) 지난날의 잘못이나 허물을 고쳐 올바르고 착하게 됨.
- **과대평가(過** 지날 과. **大** 클 대. **評** 평할 평. **價** 값 가.) 실제보다 지나치게 높이 평가함. 또는 그런 평가.

(1) 그는 과거의 잘못을 반성하고 완전히 딴사람처럼 □□□□했다.
(2) 그는 자신을 항상 □□□□하고 있다.
(3) 그 일의 심각성을 □□해서는 안 된다.

시간 공부 날짜 □월 □일
푸는데 걸린 시간 □분

확인 맞은 개수 써보기

독해	□ 개/7개	어휘	□ 개/9개

5주 23회

해설편 12쪽

24

한 바탕 웃어보자고 지어낸 이야기도 있어요. 우리나라에서 19세기 말 새로운 문물이 외국에서 들어올 무렵, 세상의 변화를 잘 모르고 지냈던 시골사람들에게는 새로 보는 물건이 무엇에 쓰는지 모르는 경우가 많았어요. 그 때문에 뜻하지 않은 소동이 일어나기도 했지요.

1. 

2. 10점 3. 15점 4. 15점 5. 15점 6. 15점 7. 15점

[앞의 이야기] 한 시골 양반이 서울 구경을 갔다가 양초를 사서 동네 사람들에게 나누어 주었는데, 양초가 무엇에 사용하는 물건인지 아는 사람이 없었습니다. 상투쟁이들이 마을의 훈장에게 양초에 대해 물어보러 갔더니, 훈장은 양초가 말린 뱅어라고 하며 함께 국을 끓어 먹자고 하였습니다. 양초를 끓여 만든 국을 먹은 훈장과 다섯 상투쟁이는 목구멍이 아팠습니다.

마침 그때, 서울 가서 양초를 사 온 송 서방이 훈장 집에 왔습니다. 다섯 상투쟁이는 하도 반가워서 송 서방에게 물어보았습니다.

"아이고, 마침 잘 왔네, 자네가 그때 가져다 준 뱅어로 오늘 국을 끓여 먹었더니 목이 아파서 죽겠네. 그걸 먹으면 원래 이렇게 아픈가?"

송 서방이 깜짝 놀라 눈이 휘둥그레져서 걱정스러운 듯이 말하였습니다.

"그것을 먹다니? 그건 먹는 것이 아닌데……."

다섯 상투쟁이는 그것이 먹는 것이 아니라는 말을 듣고

"아이고머니, 큰일 났네, 못 먹는 것을 서울 음식이라는 바람에 먹었네그려."

하고 야단들이었습니다. / "누가 그런 어리석을 소리를 하였단 말인가?"

"누구는 누구야, 저 훈장님이 이래라저래라 하면서 그걸로 국을 끓이게 하였지."

훈장은 얼굴이 (　　　　㉠　　　　) 방바닥만 내려다보고 앉아 있었습니다.

"그것은 뱅어가 아니라 불을 켜는 양초라오. 자, 불을 켤 테니 잘 보시오."

송 서방이 생선 주둥이라던 심지에 불을 붙이자, 온 방안이 환해졌습니다. 이것을 보고 사람들은 '불을 먹었구나.' 하는 생각에 어쩔 줄 몰라 하였습니다. 우리 배 속에도 저렇게 불이 켜질 테니 어떻게 하면 좋으냐고 배 속에 금방 불이라도 일어나는 것처럼 모두 펄펄 뛰었습니다.

"아이고머니, 불이야!" / "아이고머니, 배가 타면 어쩌나!"

그 가운데에서도 얼굴이 새빨개져서 고개를 푹 수그리고 앉아 있던 훈장은 다른 사람들보다도 더 겁이 났습니다. 생각하면 생각할수록 자기 배 속에 불씨가 들어가 있는 것 같았습니다. 마음이 조급해진 훈장은 자기도 모르게 고함을 질렀습니다.

"배 속에서 불이 일어나기 전에 물속으로 뛰어들어 가세."

그러고는 제일 앞장서서 뛰어나가 마을 뒤 냇물에 뛰어들었습니다. 그러자 모두 물속으로 들어가서 머리만 내놓고 불이 안 나도록 몸을 물속에 잠그고 있었습니다.

달이 환하게 밝은 밤, 마침 지나가는 나그네 한 사람이 있었습니다. 그렇지 않아도 냇가를 혼자 지나가기가 겁이 나는데, 냇물 위에서 왁자지껄하는 소리가 났습니다. 깜짝 놀라 자세히 보니까 냇물에 사람의 머리만 수박같이 둥둥 떠 있었습니다.

"옳지, 저놈들이 도깨비로구나. 도깨비는 담뱃불을 무서워한다더라."

하고 부리나케 담배를 담아 물고 불을 붙였습니다. 훈장과 상투쟁이들은 배 속에 있는 양초에 불이 일어나지 않도록 물속에 있는 판인데, 나그네가 불을 붙이니까 겁이 나서 소리쳤습니다. / "여보게, 저놈이 우리 배 속에 있는 양초에다 불을 붙이려고 하니 모두 머리까지 물속에 잠그세, 그렇지 않으면 큰일 나겠네."

그러고는 모두 얼굴과 머리까지 물속으로 잠가 버리고 말았습니다. 나그네는 그런 줄도 모르고 냇물 위의 수박 같은 도깨비 머리가 사라진 것을 보고

"정말 도깨비란 놈들은 담뱃불을 어지간히 무서워하는군."

하고 중얼거리고는 지나가 버렸습니다.

5주 24회

해설편 12쪽

1 주제찾기

글을 읽고 떠올린 생각으로 알맞은 것은 어느 것입니까? ( )

① 아는 것이 없으면 피해를 입기 십상이다.
② 모르는 것을 아는 체하다가 큰 낭패를 당한다.
③ 서울 양반은 시골 사람들에게 자랑을 해서는 안 된다.
④ 배가 고프면 무엇인지 모르는 것을 따지지도 않고 먹어댄다.
⑤ 겉으로 드러난 것만으로 섣불리 판단하면 오해가 생길 수 있다.

2 글감찾기

글감을 찾아 한 낱말로 쓰세요.

( )

3 사실이해

사건이 엉뚱한 방향으로 흘러가도록한 인물은 누구입니까? ( )

① 훈장 ② 나그네 ③ 송 서방
④ 상투쟁이들 ⑤ 동네사람들

4
미루어알기

이야기가 어떤 방법으로 웃음을 자아낸다고 볼 수 있습니까? ( )

① 모양을 비틀어놓기
② 실상보다 크게 부풀리기
③ 예상하지 못한 행동의 반복
④ 소리가 같지만 뜻이 다른 낱말 쓰기
⑤ 대상을 아주 엉뚱한 다른 것으로 바꾸어 놓기

5
세부내용

㉠에 들어갈 적절한 관용 어구는 무엇입니까? ( )

① 목석으로 굳어서
② 홍당무같이 빨개져서
③ 풍선처럼 크게 부풀어서
④ 칠흑 같은 어둠으로 덮이면서
⑤ 무거운 돌을 이고 있는 형상으로

6
적용하기

이 이야기가 자아내는 웃음은 어떤 효과가 있나요? ( )

① 불만을 없애는 효과
② 재미있게 어울리게 하는 효과
③ 타이르는 효과
④ 바로 잡아주는 효과
⑤ 비웃는 효과

7
요약하기

이야기의 내용을 요약했습니다. 빈칸에 알맞은 말을 쓰세요.

송 서방이 서울 갔다 오는 길에 선물로 ① ☐☐를 사와서 동네 사람들에게 주었는데, 다들 무엇에 사용하는지 몰라 ② ☐☐에게 물어보러 갔다. 훈장이 ③ ☐☐ 말린 것이라고 하며 국을 끓여 먹자고 했다. 송 서방이 그것은 사실 불을 켜는 데 쓰는 물건이라고 했더니, 사람들은 배 속에 ④ ☐이 안 나도록 ⑤ ☐☐으로 뛰어들었다.

어휘 넓히기

뜻 낱말의 뜻풀이로 알맞은 것을 보기 에서 골라 괄호 안에 기호를 쓰세요.

(1) 휘늘어지다 (　　)
(2) 휘둥그렇다 (　　)
(3) 휘황찬란하다 (　　)

보기
㉠ 놀라거나 두려워서 크게 뜬 눈이 둥그렇다.
㉡ 광채가 나서 눈부시게 번쩍이다.
㉢ 풀기가 없이 아래로 축 휘어져 늘어지다. 지치거나 충격을 받아 몸이 움직이기 힘들어지다. 가락 따위가 몹시 느려지거나 가라앉다.

다지기 아래 문장의 빈칸에 알맞은 낱말을 보기 에서 찾아 꼴바꿈하여 쓰세요.

보기
휘늘어지다　　휘둥그렇다　　휘황찬란하다

(1) 서울의 고층 빌딩에서 본 야경은 □□□□했다.
(2) 그 사고 소식에 옆집 아주머니의 눈은 □□□□졌다.
(3) 노곤한 봄날 □□□□ 있던 버드나무 가지들이 바람에 흔들거렸다.

넓히기 다음 한자어의 구성과 뜻을 알아보고, 빈칸에 알맞은 한자어를 쓰세요.

- **양초(洋** 서양 양. -초.) 서양식의 초. 동물의 지방이나 석유의 찌꺼기를 정제하여 심지를 속에 넣고 만든다.
- **양궁(洋** 서양 양. 弓 활 궁.) 서양식으로 만든 활. 또는 그 활로 겨루는 경기.

(1) □□에서는 화살이 과녁의 경계선에 꽂혔을 때에 높은 점수 쪽으로 판정한다.
(2) 유치원 다닐 때 촛농이 손등에 닿지 않도록 □□를 종이컵에 꽂고 노래 불렀던 기억이 난다.

시간 공부 날짜 □월 □일
푸는데 걸린 시간 □분

확인 맞은 개수 써보기

독해	개/7개	어휘	개/8개

5주 24회
해설편 12쪽

25

시에서 사람의 다섯 가지 감각과 연결되는 말을 '심상'이라고 해요. 다섯 가지 감각은 시각, 청각, 미각, 후각, 촉각이에요. 각각 눈, 귀, 혀, 코, 피부를 통해 느껴요. 다섯 가지 감각 중, 시각, 청각, 촉각이 시에 많이 나타나요. 시를 이해하고 감상할 때는 어떤 종류의 감각이 나타나는지 알아내어야 해요. 감각의 종류를 알아야 어떤 느낌을 표현하려고 했는지 알 수 있으니까요.

1. 15점 2. 10점 3. 15점 4. 15점 5. 15점 6. 15점 7. 15점

물새는
물새라서 바닷가 모래밭에
알을 낳는다.
보얗게[1] 하얀 물새알.

산새는
산새라서 수풀 둥지 안에
알을 낳는다.
알락알락[2] 얼룩진 산새알.

물새알은
간간하고[3] 짭조름한
미역 냄새
바람 냄새.

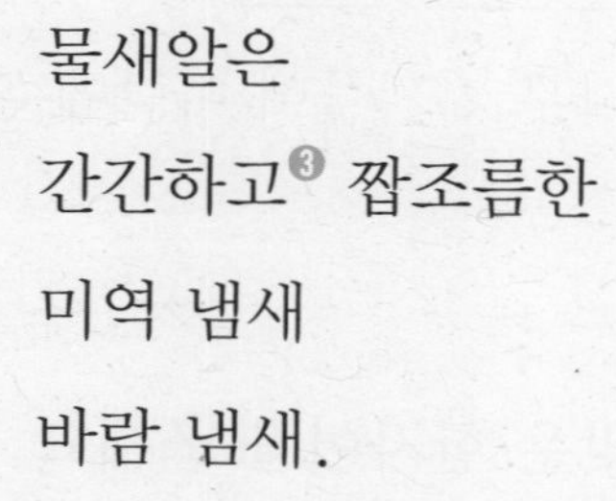

산새알은
달콤하고 향긋한
풀꽃 냄새
이슬 냄새.

물새알은
물새알이라서
아아, 날갯죽지 하얀
물새가 된다.

산새알은

산새알이라서

머리꼭지에 빨간 댕기를 드린

산새가 된다.

❶ 보얗다 투명하지 않고 흐린 듯하게 하얗다. 빛깔이 보기 좋게 하얗다. ❷ 알락알락 여러 가지 밝은 빛깔의 점이나 줄 따위 무늬가 고르게 촘촘함 모양. ❸ 간간하다 입맛 당기게 약간 짠 듯하다.

1 주제찾기

중심 내용으로 알맞은 것은 어느 것입니까? ( )

① 생명의 신비로움

② 새들에 대한 관찰

③ 바다와 산의 풍경

④ 알에서 태어나는 생명

⑤ 바다와 산에서 얻은 느낌

5주 25회

해설편 13쪽

2 제목찾기

시에 나타난 두 가지 소재로 제목을 붙이세요.

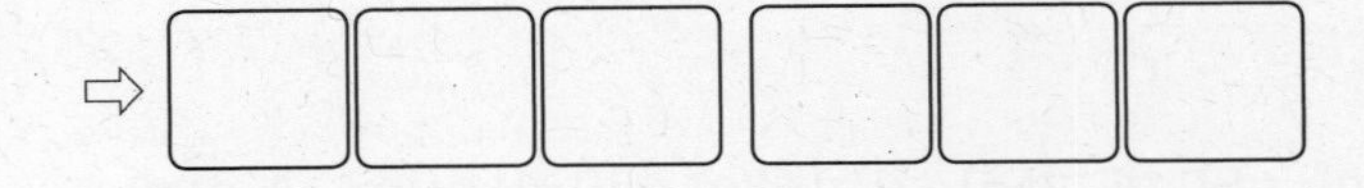

3 사실이해

대상의 변화를 표현한 연은 어느 것입니까? ( )

① 1연

② 2연

③ 3연

④ 4연

⑤ 5연

4
미루어알기

4연에서는 무엇을 느낄 수 있나요? ( )

① 숲속의 색깔
② 숲속의 소리
③ 숲속의 냄새
④ 숲속의 바람
⑤ 숲속의 쓸쓸함

5
세부내용

시에서 가장 자주 나타난 느낌의 요소는 무엇입니까? ( )

① 냄새
② 색깔
③ 소리
④ 움직임
⑤ 생김새

6
적용하기

같거나 비슷한 짜임새를 지닌 구절이나 문장을 보이고 있는 연들끼리 짝을 지어 묶어 보세요.

( )

7
요약하기

시의 내용을 단계에 따라 다음과 같이 정리하였습니다. 빈칸에 알맞은 낱말을 쓰세요.

물새알과 산새알의 서로 다른 ① □□과 무늬
⇩
물새알과 산새알의 서로 다른 맛과 ② □□
⇩
물새알은 물새가 되고, 산새알은 ③ □□가 됨

어휘 넓히기

뜻

낱말의 뜻풀이로 알맞은 것을 보기에서 골라 괄호 안에 기호를 쓰세요.

(1) 날갯죽지 (　　　)
(2) 머리꼭지 (　　　)

보기
㉠ 머리의 맨 위의 가운데. 정수리.
㉡ 날개가 몸에 붙어 있는 부분. '날개'를 속되게 이르는 말.

다지기

아래 문장의 빈칸에 알맞은 낱말을 보기에서 찾아 쓰세요.

보기
머리꼭지　　날갯죽지

(1) 수탉의 ☐☐☐☐에는 짙은 빨간 색의 볏이 달려있다.
(2) 솔개 한 마리가 공중에서 ☐☐☐☐를 펴고 빙 돌고 있었다.

넓히기

다음 한자어의 구성과 뜻을 알아보고, 빈칸에 알맞은 한자어를 쓰세요.

- **자연 친화(自** 스스로 자. **然** 그럴 연. **親** 친할 친. **和** 화할 화.**)** 자연을 멀리하거나 싫어하지 않고 자연과 잘 어울림.
- **요산요수(樂** 즐길 요. **山** 뫼 산. **樂** 즐길 요. **水** 물 수.**)** 산수(山水)의 자연을 즐기고 좋아함.

(1) 산을 좋아하고 물을 좋아한다는 뜻으로 ☐☐☐☐라는 말을 썼다.
(2) '물새알 산새알'은 ☐☐ ☐☐의 내용을 담고 있다.

공부 날짜 ☐ 월 ☐ 일
푸는데 걸린 시간 ☐ 분

맞은 개수 써보기

독해	개/7개	어휘	개/6개

5주 25회
해설편 13쪽

어휘·어법 총정리

보기 의 낱말을 보고, 뜻과 어울리는 것을 골라 아래의 빈칸에 써보세요.

보기			
낯설다	담그다	보얗다	간간하다
자자(藉藉)하다	차별(差別)하다	부실(不實)하다	

1. 액체 속에 넣다. 김치 · 술 · 장 · 젓갈 따위를 만드는 재료를 버무리거나 물을 부어서, 익거나 삭도록 그릇에 넣어 두다. [ ]
2. 빛깔이 보기 좋게 하얗다. [ ]
3. 전에 본 기억이 없어 익숙하지 아니하다. 사물이 눈에 익지 아니하다. [ ]
4. 마음이 간질간질하게 재미있다. 아슬아슬하게 위태롭다. 입맛 당기게 약간 짠 듯하다. [ ]
5. 몸, 마음, 행동 따위가 튼튼하지 못하고 약하다. 내용이 실속이 없고 충분하지 못하다. [ ]
6. 여러 사람의 입에 오르내려 떠들썩하다. [ ]
7. 둘 이상의 대상을 각각 등급이나 수준 따위의 차이를 두어서 구별하다. [ ]

어법 다음 중 맞춤법에 맞는 것을 골라 동그라미 하세요.

1. [이래라저래라 / 일해라절해라] 했다.
2. [불이낳게 / 부리나케] 달려갔다.
3. [곰곰히 / 곰곰이] 생각해 봐.
4. [온고지신 / 온고지심]
5. [주마간산 / 주마관산]
6. [짭조름 / 짭조롬 / 짭찌름]하다.
7. 고정관념에 [휩싸여 / 휩쌓여]
8. 이빨을 [들어내고 / 드러내고] 있다.

나의 점수 확인하기

어휘	개 / 7개	어법	개 / 8개

6주차

회차 / 영역	제목	계획 및 점검
26 인문|논설문	자연 보호와 자연 개발 • 나는 [ ]월 [ ]일 [ ]시에 공부할 것입니다.	• 독해력에서 나의 점수는 [ ]점입니다. • 어휘력에서 맞은 문제수는 [ ]개/7개 입니다. • 어려웠던 문제는 ______ 번입니다.
27 사회|설명문	서민 문화의 발달 • 나는 [ ]월 [ ]일 [ ]시에 공부할 것입니다.	• 독해력에서 나의 점수는 [ ]점입니다. • 어휘력에서 맞은 문제수는 [ ]개/8개 입니다. • 어려웠던 문제는 ______ 번입니다.
28 과학|논설문	농사일을 알려주는 절기 • 나는 [ ]월 [ ]일 [ ]시에 공부할 것입니다.	• 독해력에서 나의 점수는 [ ]점입니다. • 어휘력에서 맞은 문제수는 [ ]개/9개 입니다. • 어려웠던 문제는 ______ 번입니다.
29 산문문학|전기	세상을 밝힌 꿈 • 나는 [ ]월 [ ]일 [ ]시에 공부할 것입니다.	• 독해력에서 나의 점수는 [ ]점입니다. • 어휘력에서 맞은 문제수는 [ ]개/8개 입니다. • 어려웠던 문제는 ______ 번입니다.
30 운문문학|시	웃는 기와 • 나는 [ ]월 [ ]일 [ ]시에 공부할 것입니다.	• 독해력에서 나의 점수는 [ ]점입니다. • 어휘력에서 맞은 문제수는 [ ]개/9개 입니다. • 어려웠던 문제는 ______ 번입니다.

• 이번 주 독해력 문제에서 나의 점수는 평균 [ ]점입니다.

• 이번 주 어휘력에서 맞은 문제수는 모두 [ ]개입니다.

26

'자연 개발'에 대해서는 오랜 동안 찬성과 반대의 입장이 날카롭게 맞서 있을 뿐만 아니라, 그런 대립이 쉽게 해소될 수 있는 문제가 아니에요. 이렇게 어려운 문제에 대해 입장을 드러내어 상대를 납득시키려고 할 때는 주장보다는 그 주장을 뒷받침해줄 근거를 알맞은 것으로 충분히 들어야 해요.

1. 15점 2. 15점 3. 15점 4. 10점 5. 15점 6. 15점 7. 15점

(가) 자연을 보호하여야 하는 까닭은 무엇인가?

첫째, 자연은 한 번 파괴되면 복원되기가 어렵다. 한 그루의 어린나무가 아름드리나무[1]로 성장하는 데 약 30년에서 50년이 걸린다고 한다. 우유 한 컵으로 오염된 물을, 물고기가 살 수 있는 깨끗한 물로 만들려면 우유 한 컵의 약 2만 배의 물이 필요하다. 이처럼 환경을 오염시키는 것은 순식간이지만 오염된 환경을 되살리는 데는 수십, 수백 배의 시간과 노력이 든다.

둘째, 무리한 자연 개발은 생태계를 파괴한다. ㉠생물은 서로 유기적[2]인 생태계로 얽혀 있으며 주변 환경과 영향을 주고받으면서 살아간다. 자연 개발로 생태계를 파괴하면 결국 사람의 생활환경을 악화시키는 결과를 초래한다. 예를 들어, 사람의 편의를 위한 시설을 만들면서 무분별하게 산을 파헤치면 동식물은 삶의 터전을 잃기도 한다.

셋째, 자연은 우리 후손이 살아갈 삶의 터전이다. 당장의 편리와 이익만을 추구하다 보면 우리 후손에게 훼손된 자연을 물려주게 된다. 환경을 고려하지 않은 개발로 물, 공기, 토양, 해양 등의 자연환경이 돌이키기 힘들 정도로 훼손되면 우리 후손은 그 훼손된 자연 속에서 살아가야 한다. 조상으로부터 금수강산을 물려받은 우리는 후손에게 아름다운 자연을 물려주어야 할 의무가 있다.

자연은 어머니의 따뜻한 품이자 우리의 영원한 안식처이다. 더 이상 무분별한 개발로 금수강산을 훼손해서는 안 된다. 자연 개발로 사라져 가는 동식물을 다시 이 땅으로 돌아오게 하여 더불어 살아가도록 해야 한다. 지나친 개발로 인한 지구 온난화와 이상 기후 현상이 더 이상 심해지지 않도록 노력하는 일도 우리 모두에게 남겨진 과제이다. 이제 우리 모두 자연 보호를 실천에 옮겨야 한다.

(나) 자연을 개발하여야 하는 까닭은 무엇일까?

첫째, 자연재해를 막기 위하여 자연 개발이 필요하다. 우리나라는 여름이면 태풍과 홍수로 큰 피해를 당하고, 봄과 겨울이면 가뭄으로 어려움을 겪는다. 그렇지만 미리 계획을 세워 대비하면 이러한 자연재해를 막을 수 있다. 대표적인 예로 댐 건설을 들 수 있다. 지난 1995년과 1997년 홍수 때, 소양강 댐과 대청 댐 등이 있어 물을 가두었기 때문에 수도권이나 중부권이 물난리를 피할 수 있었다. 그리고 인명 피해와 이재민을 크게 줄일 수 있었다. 또, 가뭄에는 하천이나 지하수가 마르기 때문에 댐에 가두어 둔 물이 유용하게 활용된다.

둘째, 자연 개발로 편리한 삶을 누릴 수 있다. 과학자나 전문가들은 자연을 유용하게 활용하여 경제를 성장시키고, 건강과 안전을 보장할 장치를 개발하였다. 그 결과, 인류는 편리하고 안락한 생활을 즐기고 있다. 자연을 개발하여 만든 거대한 놀이공원이나 운동장 등에는 휴일이면 여가를 즐기는 사람들로 붐빈다. 산과 바다에서는 편리하고 안전하게 만들어진 케이블카나 해상공원 놀이기구 등을 이용하여 여가를 즐기고 있다. 또, 길을 넓게 만들고 터널을 뚫음으로써 쉽고 빠르게 목적지를 오갈 수 있다.

셋째, 인구 증가에 대비하기 위하여 자연 개발을 해야 한다. 세계의 인구는 매우 빠른 속도로 증가하고 있다. 특히, 우리나라는 세계적으로 인구 밀도가 높은 나라이다. 이렇게 많은 인구가 좁은 땅에서 살아가려면 더 많은 땅이 필요하다.

우리는 종종 자연을 개발하는 일이 곧 자연을 파괴하는 일과 같다고 비난한다. 그러나 사람들은 자연을 개발하여 찬란한 문명의 꽃을 피워왔지 결코 자연을 파괴한 것은 아니었다. 사람은 인류의 미래를 지금보다 더 낫게 만들려는 선한 의지를 가지고 있기 때문에 지구를 온전하게 지키면서 개발하려고 노력한다.

❶ 아름드리나무 둘레가 한 아름(두 팔을 둥글게 모아서 만든 둘레)이 넘는 큰 나무. ❷ 유기적 생물체처럼 전체를 구성하고 있는 각 부분이 서로 밀접하게 관련을 가지고 있어서 떼어낼 수 없는 것.

1 주제찾기

빈칸에 알맞은 낱말을 넣어 (가), (나)의 주장을 완성하세요.

(가) □□을 □□해야 한다. (나) □□을 □□해야 한다.

2 글감찾기

(가)와 (나)의 공통적인 글감을 글에 나온 낱말을 사용하여 쓰세요.

⇨ □□ □□

3 사실이해

(가), (나)의 내용을 잘못 파악한 것은 어느 것입니까? .... (   )

① (가)-자연은 한 번 파괴되면 되돌리기 어렵다.
② (나)-인류의 발전을 위해 자연을 개발해야 한다.
③ (가)-개발의 이익을 위해 약간의 피해는 감수해야 한다.
④ (나)-자연 재해를 막기 위해서 자연을 개발해야 한다.
⑤ (나)-인구 증가에 대비하기 위하여 자연 개발을 해야 한다.

4 미루어알기

(가)와 (나)가 주장의 근거로 삼은 것들의 공통적인 내용은 무엇입니까? ⋯⋯ (　　)

① 지구 온난화와 이상 기후 현상
② 자연 개발이 인간의 삶에 미치는 영향
③ 자연 개발과 생태계의 관계
④ 자연 개발에 의한 풍요롭고 편리한 삶
⑤ 자연 개발의 결과 인류가 도달한 위험한 상황

5 세부내용

㉠의 속뜻으로 가장 알맞은 것은 어느 것입니까? ⋯⋯ (　　)

① 사람도 자연의 일부
② 자연의 성스러움
③ 자연은 영혼의 안식처
④ 생명체의 신비로움
⑤ 인간은 자연의 개발자

6 적용하기

(가), (나)의 글쓴이들이 토론을 한다고 했을 때 알맞은 주제를 의문문으로 쓰세요.

(　　　　　　　　　　　　　　　　　　　　　　　　　)

7 요약하기

(가)와 (나)의 주장과 근거를 표로 정리하였습니다. 빈칸을 채워 완성하세요.

	(가)	(나)
주장	자연을 보호하여야 한다.	자연을 개발하여야 한다.
근거	• 자연은 한 번 ① □□ 되면 복원되기 어렵다. • 무리한 자연 개발은 ② □□□를 파괴한다. • 자연은 후손이 살아갈 삶의 터전이다.	• ③ □□□□를 막기 위하여 자연 개발이 필요하다. • 자연 개발로 ④ □□한 삶을 누릴 수 있다. • 인구 증가에 대비하기 위하여 자연 개발이 필요하다.

어휘 넓히기

뜻

낱말의 뜻풀이로 알맞은 것을 보기에서 골라 괄호 안에 기호를 쓰세요.

(1) 벌어지다 (　　　)
(2) 되돌리다 (　　　)

보기
㉠ 어떤 일이 일어나거나 진행되다. 주로 큰 사건에 대해 쓴다.
㉡ 어떤 대상이나 현상을 본디의 상태가 되게 하다. 움직이던 쪽과 반대되게 방향을 바꾸어 가게 하거나 돌아가게 하다.

다지기

보기에서 알맞은 낱말을 골라 빈칸에 알맞게 고쳐 쓰세요.

보기
되돌리다　　벌어지다

(1) 자연을 □□□□ 힘들 만큼 훼손하면 안 된다.

(2) 세계 곳곳에서 □□□□ 있는 지나친 개발로 이상 기후 현상이 생기고 있다.

넓히기

다음 한자어의 구성과 뜻을 알아보고, 빈칸에 알맞은 한자어를 쓰세요.

- **개발(開** 열 개. **發** 필 발.) 토지나 천연자원 따위를 쓸모 있게 만듦. 산업 · 경제를 발전하게 함. 지식이나 재능 따위를 발달하게 함.
- **계발(啓** 열 계. **發** 필 발.) 슬기나 재능, 사상 따위를 일깨워 줌.
- **발휘(發** 필 발. **揮** 휘두를 휘.) 재능, 능력 따위를 떨치어 나타냄.

(1) 오래 갈고 닦은 실력을 유감없이 □□ 했다.

(2) 민아는 늘 외국어능력 □□에 노력한다.

(3) 이곳은 아직 □□이 안 되어 옛날 모습을 그대로 지니고 있다.

6주 26회

해설편 13쪽

시간
공부 날짜 　　월 　　일
푸는데 걸린 시간 　　분

확인
맞은 개수 써보기

독해	개/7개	어휘	개/7개

27

문학, 음악, 미술, 연극, 무용 등은 예술에 속해요. 예술, 학문, 종교 등은 문화에 속해요. 그런데 설명문에서는 상위 갈래인 문화와 하위 갈래인 예술, 또 상위 갈래인 예술과 하위 갈래인 문학, 음악, 미술, 연극, 무용 등을 함께 다루기도 해요. 등위를 구별하지 않고 한꺼번에 다룬다는 거죠.

1. 15점 2. 15점 3. 10점 4. 15점 5. 15점 6. 15점 7. 15점

조선 후기 농업 생산량의 증가와 상업의 발달로 서민들 중에도 재산을 많이 가진 이가 늘어났으며 자신의 재산을 바탕으로 양반의 신분을 사는 사람도 있었습니다. 사는 것에 여유가 생긴 백성들은 단순히 먹고 자는 것에서 벗어나 즐길 거리에 눈을 돌리게 되었고, 양반과는 다른 자신만의 문화를 만들어내기 시작했습니다.

조선 후기 서민들에게 많은 사랑을 받았던 소설작품에는 보다 나은 삶을 꿈꿨던 서민의 바람이 드러나 있습니다. 신분 차별이 없는 나라에 사는 것, 양반이 되거나 왕비, 큰 부자가 되는 것은, 많은 노동력 제공과 세금을 내면서도 양반의 무시를 당하던 서민들의 꿈이었습니다. 이러한 소설은 재미와 감동을 주는 서민의 즐길 거리였을 뿐 아니라, 처음 나올 때부터 한자가 아닌 한글로 써진 소설이었답니다.

시조에서도 새로운 경향이 나타났습니다. 종래의 시조는 사대부[1]들이 자신들의 기상[2]이나 절의[3]를 나타내고자 한 것이었습니다. 하지만 조선 후기의 시조는 서민들이 중심이 되어 그들의 생활과 사랑, 현실 비판 등의 내용을 읊었습니다. 시조의 형식도 서민들의 소박한 정서를 사실적으로 묘사하면서 격식에 구애 받지 않는 ㉠사설시조로 바뀌었습니다. 뭐니 뭐니 해도 조선 후기 사회에서 크게 환영을 받은 예술의 갈래는 ㉡판소리였습니다. 한 편의 이야기를 창(노래)과 아니리(이야기)로 엮어 나가는 판소리는 광대들이 가창과 연극으로 연출했습니다. 당연히 읽는 소설보다 훨씬 흥미를 돋우었고, 조선 후기 서민들의 문화생활을 풍요롭게 하는 데 크게 이바지 했습니다.

우리 조상들은 옛날부터 탈을 쓰고 놀기를 즐겨하였습니다. 도깨비의 탈을 쓰고 놀기도 하고 처용[3]의 탈을 쓰고 춤을 추기도 하였습니다. 귀신을 쫓거나 나라의 안녕 등을 빌던 탈놀이는 조선 후기에 들어서 그 내용이 조정을 풍자하거나 양반을 비웃는 것으로 변하였습니다. 춤과 흥겨운 가락, 거기에 자신들의 막힌 속을 뚫는 이야기까지 탈춤은 서민이 사랑할 수밖에 없던 놀이였습니다.

조선 후기에는 서민의 삶을 잘 표현한 풍속화도 널리 유행했습니다. 김홍도와 신윤복이 대표적인 풍속화가입니다. 특히 최고의 풍속화가인 김홍도는 주로 농촌의 서민들이 자신의 일에 몰두하는 모습을 소탈하고 익살스럽게 표현한 그림을 많이 그렸습니다. 대표적인 그림으로 〈서당도〉, 〈대장간도〉, 〈씨름도〉, 〈무동도〉 등이 있습니다.

❶ 사대부 벼슬이나 문벌이 높은 집안의 사람. ❷ 기상 사람이 타고난 기개나 마음씨. ❸ 절의 절개와 의리를 아울러 이르는 말. ❹ 처용 설화에 나오는, 신라 제49대 헌강왕 때의 기인(奇人). 어느 날 아내가 역신과 동침하는 것을 보고 향가 <처용가>를 지어 불러 역신을 물리쳤다는 이야기가 ≪삼국유사≫에 실려 전한다.

1 주제찾기

조선 후기의 서민 문화를 정리한 다음 빈칸에 알맞은 낱말을 글에서 찾아 쓰세요.

⇨ 보다 나은 삶을 향한 서민들의 꿈을 담아내고 조정과 양반을 ☐☐했다.

2 글감찾기

시대를 뜻하는 말을 넣어서 글에 어울리는 제목을 붙이세요.

☐☐ ☐☐의 ☐☐ ☐☐

3 사실이해

글에서 다루어지지 않은 갈래는 무엇인가요? .... (　　)

① 한글 소설
② 판소리
③ 사설시조
④ 풍속화
⑤ 꼭두각시놀음

6주 27회 해설편 14쪽

4 미루어알기

글에서 떠올릴 수 있는 서민 문화의 특징은 무엇입니까? ( )

① 많은 사람이 보고, 듣고, 즐길 수 있다.
② 신분의 구별 없이 작품의 창작에 참여한다.
③ 양반 집안의 여성 작가가 이름을 걸고 활동한다.
④ 부자가 된 자부심을 드러내기 위해 자기 자랑을 한다.
⑤ 가난에 빠진 양반이 생계를 위해 부자가 좋아할 작품을 짓는다.

5 세부내용

㉠과 ㉡의 공통점은 무엇입니까? ( )

① 등장인물이 여럿이다.
② 노래로 내용을 전달한다.
③ 사람들 사이의 갈등을 다룬다.
④ 시조가 지닌 기본 형식을 유지한다.
⑤ 슬픔과 한을 표현하는 데 적합했다.

6 적용하기

다음은 윗글에서 다룬 갈래 중 하나를 설명한 것입니다. 빈칸에 알맞은 낱말을 넣으세요.

18세기 후반, 김홍도와 같은 ☐☐☐ 화가들은 ☐☐들이 생업에 종사하는 모습을 주로 그렸다.

7 요약하기

빈칸에 알맞은 낱말을 써넣으세요.

조선 후기에 서민들의 사랑을 받아 크게 발달한 서민 문화는 소설, ☐ ☐☐☐, ☐☐☐, ☐☐, 풍속화이다.

어휘 넓히기

뜻 **낱말의 뜻풀이로 알맞은 것을 보기 에서 골라 괄호 안에 기호를 쓰세요.**

(1) 소탈하다 (　　　)
(2) 익살맞다 (　　　)
(3) 풍자하다 (　　　)

보기
㉠ 남을 웃기려고 일부러 우스운 말이나 행동을 하는 태도가 있다.
㉡ 문학 작품 따위에서, 현실의 부정적 현상이나 모순 따위를 빗대어 비웃으면서 쓰다.
㉢ (사람이나 그 성격, 차림새 따위가) 형식에 얽매이지 않고 수수하고 털털하다.

다지기 **보기 에서 알맞은 낱말을 골라 활용하여 문장의 빈칸을 채우세요.**

보기
소탈하다　　익살맞다　　풍자하다

(1) 양반을 조롱하고 □□□□ 가면극이 매우 재밌었다.
(2) 많은 재산에도 그녀의 옷차림은 언제나 □□□□.
(3) □□□□ 연기는 역시 그 배우가 최고다.

넓히기 **다음 한자어의 구성과 뜻을 알아보고, 빈칸에 알맞은 한자어를 쓰세요.**

- **양반(兩** 두 양/량. **班** 나눌 반.) 지체나 신분이 높거나 문벌이 좋은, 상류 계급에 속한 사람. 점잖은 사람을 비유적으로 이르는 말. 이전과 비교해 볼 때, 나은 형편.
- **월반(越** 넘을 월. **班** 나눌 반.) 학생의 성적이 뛰어나 상급 학년으로 건너뛰어 진급하는 일. 학습 능력이 뛰어난 학생은 교과 과정을 단축할 수 있게 만든 제도이다.

(1) 내 친구는 성적이 좋아서 2학년에서 3학년으로 □□했다.
(2) 그때 고생한 걸 생각하면, 지금 이렇게 사는 건 □□이다.

시간 **공부 날짜** 　월 　일
푸는데 걸린 시간 　분

확인 **맞은 개수 써보기**

독해	개/7개	어휘	개/8개

6주 27회

해설편 14쪽

28

이해하기 어려운 글을 읽을 때는 배경지식이 그 어려움을 덜어줘요. 배경지식은 살면서 우리가 겪은 일이기도 하고, 책에서 읽은 일이기도 해요. 학생들은 세상일을 두루 겪을 시간이 부족해서 책을 읽어서 배경지식을 얻어야 해요. 다음과 같은 글을 통해서요.

1. 15점 2. 15점 3. 15점 4. 15점 5. 10점 6. 15점 7. 15점

우리 조상은 계절의 변화를 보다 정확하게 알기 위하여 절기를 만들어 사용하였다. 절기는 태양의 위치에 따라 한 해를 스물넷으로 나눈 것이다. 예부터 우리나라가 음력을 이용하여 날짜를 세었다는 것은 잘 알려져 있다. 그래서 24절기도 음력일 것이라고 생각하는 사람이 많다. 하지만 음력을 쓰는 농경 사회의 필요성에 의해 절기가 만들어졌지만 절기는 태양의 운동과 일치한다. 실제로 달력을 보면 24절기는 양력으로 매월 4~8일 사이와 19~23일 사이에 생긴다. 절기를 통하여 계절의 변화나 농사일, 날씨의 변화와 같은 생활에 필요한 정보를 알 수 있기 때문에 우리 조상은 절기를 기준으로 하여 농사를 지었고, 그 절기에 맞는 놀이와 먹거리를 즐겼다.

24절기의 이름은 중국 주(周)나라 때 화북 지방의 기상 상태에 맞춰 붙인 이름이다. 그러므로 천문학적으로는 태양의 황경[2]이 0°인 날을 춘분으로 하여 15° 이동했을 때를 청명 등으로 구분해 15° 간격으로 24절기를 나눈 것이다. 따라서 90°인 날이 하지, 180°인 날이 추분, 270°인 날이 동지이다. 그리고 입춘(立春)에서 곡우(穀雨) 사이를 봄, 입하(立夏)에서 대서(大暑) 사이를 여름, 입추(立秋)에서 상강(霜降) 사이를 가을, 입동(立冬)에서 대한(大寒) 사이를 겨울이라 하여 4계절의 기본으로 삼았다.

24절기의 배치는 봄, 여름, 가을, 겨울로 나누고 각 계절을 다시 6등분하여 양력 기준으로 한 달에 두 개의 절기를 배치하도록 구성되어 있다. 즉, 태양의 움직임에 따른 일조량, 강수량, 기온 등을 보고 농사를 짓는데, 순태음력은 앞서 말한 대로 불편함이 있었다. 그래서 태양의 운행, 즉 지구가 태양의 둘레를 도는 길인 황도(黃道)를 따라 15°씩 돌 때마다 황하 유역의 기상과 동식물의 변화 등을 나타내어 이름을 붙인 것이다. 그 이름은 다음과 같다.

봄 : 입춘(立春), 우수(雨水), 경칩(驚蟄), 춘분(春分), 청명(淸明), 곡우(穀雨)
여름 : 입하(立夏), 소만(小滿), 망종(芒種), 하지(夏至), 소서(小暑), 대서(大暑)
가을 : 입추(立秋), 처서(處暑), 백로(白露), 추분(秋分), 한로(寒露), 상강(霜降)
겨울 : 입동(立冬), 소설(小雪), 대설(大雪), 동지(冬至), 소한(小寒), 대한(大寒)

〈태양을 중심으로 돌아가는 지구의 24절기〉

한식, 단오, 삼복(초 · 중 · 말복), 칠석은 24절기가 아니다. 한식은 동지로부터 105일째 되는 날이고, 단오는 음력 5월 5일이며, 초복은 대략 7월 11일부터 7월 19일 사이가 된다. 하지로부터 세 번째로 돌아오는 경일[60개의 간지 중 경(庚)자가 들어가는 날]이 초복이 되고, 네 번째 돌아오는 경일이 중복이다. 그리고 말복은 입추로부터 첫 번째 경일이 되므로 초복과 중복은 열흘 간격이 되고, 중복에서 말복까지의 기간은 해마다 일정하지가 않다. 초복과 중복은 하지를 기준점으로 하고 말복은 입추를 기준점으로 한다.

❶ 황경 황도 좌표의 경도(經度). 춘분점을 기점으로 하여 황도를 따라서 동쪽으로 돌아 0도에서 360도까지 잰다.

6주 28회

해설편 14쪽

1 주제찾기

글의 주요 내용을 가장 잘 표현한 문장을 찾으세요. ( )

① 우리 조상은 절기에 맞추어 놀이와 먹거리를 즐겼다.
② 농사일을 할 때의 필요에 따라 절기가 만들어지게 되었다.
③ 한 해를 스물넷으로 나눈 절기는 계절의 변화를 정확히 알려준다.
④ 태양의 움직임에 따른 일조량, 강수량, 기온 등을 보고 농사를 짓는다.
⑤ 한 달에는 두 개씩, 계절마다 일정 간격으로 여섯 개씩의 절기가 배치된다.

2 글감찾기

이 글의 글감을 글에서 찾아 숫자를 넣어 쓰세요.

( )

3
사실이해

글의 내용과 어긋나는 것은 어느 것입니까? ( )

① 음력을 기준으로 24절기를 정하였다.
② 절기를 통해 날씨의 변화를 알 수 있다.
③ 절기는 지구가 태양의 둘레를 도는 길과 관련이 있다.
④ 절기의 이름은 중국 특정지방의 기상 상태에 맞춰 붙였다.
⑤ 중복과 말복 사이의 간격은 해마다 일정하지 않다.

4
미루어알기

글에서 떠올린 생각으로 적절한 것은 어느 것입니까? ( )

① 절기가 없으면 농사를 지을 수 없다.
② 중국 고대 사회는 태양력을 사용했다.
③ 황하 유역의 기상은 절기에 따라 다양하게 변한다.
④ 지구가 지나가는 길과 달이 지나는 길은 서로 다르다.
⑤ 계절의 시작을 알리는 절기의 이름이 계절의 처음에 놓인다.

5
세부내용

다음 중, 절기에 속하지 않는 것은 어느 것입니까? ( )

① 우수 ② 망종 ③ 백로 ④ 대설 ⑤ 한식

6
적용하기

동식물의 변화에 따라 붙인 절기의 이름 3개를 글에서 찾아 쓰세요.

( )

7
요약하기

다음 문장의 빈칸에 알맞은 낱말을 써넣으세요.

(1) 절기의 이름을 붙인 근거 두 가지는 기상 상태와 □□□의 변화입니다.

(2) 각 계절의 처음과 끝에 놓이는 절기의 이름을 모두 쓰면 □□, 곡우, 입하, 대서, □□, 상강, □□, 대한입니다.

어휘 넓히기

뜻

낱말의 뜻풀이로 알맞은 것을 보기 에서 골라 괄호 안에 기호를 쓰세요.

(1) 갈다 (　　　)
(2) 매다 (　　　)
(3) 짓다 (　　　)

보기
㉠ 논밭을 다루어 농사를 하다.
㉡ 쟁기나 트랙터 따위의 농기구나 농기계로 땅을 파서 뒤집다. 주로 밭작물의 씨앗을 심어 가꾸다.
㉢ 논밭에 난 잡풀을 뽑다.

다지기

보기 에서 알맞은 낱말을 골라 문장의 빈칸에 알맞게 고쳐 써넣으세요.

보기
짓다　　갈다　　매다

(1) 할머니를 도와 감자밭을 [　][　] 위해 호미로 풀을 뽑았다.
(2) 아버지는 시골에 가서 농사를 [　][　] 싶다고 하셨다.
(3) 옛날이야기를 보면 소를 부려서 밭을 [　][　] 농부가 많이 등장하는 것 같다.

넓히기

다음 한자어의 구성과 뜻을 알아보고, 빈칸에 알맞은 한자어를 쓰세요.

- **절기(節** 마디 절. **氣** 기운 기.) 한 해를 스물넷으로 나눈, 계절의 표준이 되는 것.
- **계절(季** 계절 계. **節** 마디 절.) 일 년을 기후 현상의 차이에 따라 나눈 한 철.
- **절약(節** 마디 절. **約** 맺을 약.) 함부로 쓰지 아니하고 꼭 필요한 데에만 써서 아낌.

(1) [　][　]은 눈곱만큼도 하지 않는지 양치할 때마다 물을 콸콸 틀어놓는다.
(2) 이상 기후 때문인지 [　][　] 보다 일찍 꽃이 피었다.
(3) 흔히, 두릅 같은 [　][　] 음식이 몸에 좋다고 한다.

시간
공부 날짜 [　　] 월 [　　] 일
푸는데 걸린 시간 [　　] 분

확인
맞은 개수 써보기

독해	[　　] 개/7개	어휘	[　　] 개/9개

6주 28회

해설편 14쪽

29

나를 희생하여 남을 돕고 봉사하는 삶은 아름다워요. 아무나 할 수 있는 일이 아니잖아요. 그래서 이런 삶의 모습은 우리에게 큰 감동을 주어요. 더욱이 그 사람이 장애를 지니고 있으면서 어려운 일을 마지않았다면 감동이 더 커지죠. 다음 글에서 그런 삶의 깊이를 느껴보세요.

1. 15점 2. 15점 3. 15점 4. 15점 5. 10점 6. 15점 7. 15점

[지난 줄거리] 영우는 축구공에 얼굴을 세게 맞아 시력을 잃게 되었고, 영우 어머니는 그 충격으로 돌아가셨습니다. 몇해전 병으로 돌아가신 아버지에 대한 슬픔이 채 가시기도 전에 어머니마져 돌아가신 것입니다.

영우에게 어머니의 죽음은 세상을 볼 수 있는 마지막 불빛까지 꺼진 일과 같았습니다. 영우는 눈앞이 캄캄해져 오는 것을 느꼈습니다. 그 뒤로 몇 년 뒤, 동생들을 돌보아 주던 누나마저 병이 나서 목숨을 잃고 말았습니다.

동생들과 뿔뿔이 흩어져 살게 된 영우는 맹인부흥원에 가게 되었습니다. 영우는 공부를 하여 대학교에 가고 싶었습니다. (㉠) 지금과 달리 그 당시 사람들은 앞을 보지 못하면 아무런 일도 할 수 없을 것이라는 잘못된 생각을 많이 하였습니다. 시각 장애인이 대학에 가는 일은 몹시 드물었기 때문에 시각 장애인 친구들은 영우의 말을 쉽게 믿지 못했습니다. 영우는 다른 사람들이 하지 못한 일이라고 자신까지 해내지 못하리라고는 생각하지 않았습니다. 그리고 눈이 보이지 않는다고 해서 꿈까지 못 보는 것은 아니라고 생각했습니다. 오히려 캄캄하게만 느껴지는 세상을 꿈으로 밝혀 나가야 한다고 생각했습니다. 그렇게 꿈을 되찾은 순간부터 영우는 마음의 눈으로 환한 미래를 바라보고 있었습니다.

어려움을 딛고 마침내 대학에 입학한 영우는 대학 생활 내내 공부를 열심히 했습니다. 사실 영우와 같은 시각 장애인이 대학에서 공부하기는 결코 쉽지 않았습니다. 왜냐하면 그 당시 대학교에는 시각 장애인이 사용할 수 있는 점자 교재가 한 권도 없었기 때문입니다. 이런 영우를 돕기 위해 친구들은 강의 녹음 테이프를 영우에게 주기도 하였습니다. (㉡) 영우는 오히려 교과서 내용을 정리한 노트를 만들어 친구들에게 도움을 주었습니다. 그렇게 열심히 공부한 영우는 우수한 성적으로 졸업하였습니다.

더 큰 꿈을 이룰 수 있는 힘을 가지게 된 영우는, 미국으로 유학을 가기로 결심하였습니다. 미국의 대학교에서 장학금과 입학 허가서까지 받은 영우는 뜻밖의 어려움에 처하게 되었습니다. / "강영우 씨는 유학 시험을 볼 수 없습니다."

그 당시에는 유학 시험을 치러야 외국으로 갈 수 있었는데, 관련법에는 장애인은 유학 시험에 응시조차 할 수 없다는 내용이 들어 있었습니다. 그러나 이번에도 영우는 포기하지 않았습니다. 영우는 불평등한 법을 고쳐 달라는 서류를 제출하여 장애인을 차별하는 법을 없애고, 계획대로 미국 유학을 떠날 수 있었습니다.

영우는 유학 생활의 어려움을 하나둘 극복해 나갔습니다. 눈이 보이지 않아 강의실을 찾아가기도 어려웠던 영우는 3개월 동안 보행 훈련을 열심히 받아서 혼자 힘으로 대학원에 다닐 수 있게 되었습니다. 그리고 하루에 절반 이상 공부에 매달려 우수한 성적을 받기도 했습니다. 마침내 영우는 서른두 살에 우리나라 최초의 시각 장애인 박사가 되었습니다. 장애인이라는 이유로 식당에서 쫓겨나던 시각 장애인 소년이 사회의 존경을 한 몸에 받는 박사님이 된 것입니다.

강영우 박사가 여러 사람에게서 존경받는 이유는 장애를 극복하고 세상과 더불어 살아가는 삶을 꿈꾸었기 때문일 것입니다. 장애인의 권익을 높이는 세계적인 지도자로 활동한 강영우 박사의 노력은 더불어 사는 미래, 그리고 밝은 세상을 앞당기는 데 큰 역할을 했습니다.

1

주제찾기

글을 읽고 얻을 수 있는 가르침으로 가장 알맞은 것은 무엇입니까? ( )

① 노력하면 능력의 한계를 넘어설 수 있다.
② 가난하고 힘없는 사람들을 나서서 도와주어야 한다.
③ 사람이 할 수 있는 일을 한껏 하고 나면 하늘까지 돕는다.
④ 세상의 편견과 불신을 극복하고 열심히 노력하면 꿈을 이룰 수 있다.
⑤ 몸이나 마음이 어려움에 처해서 쉽게 포기해 버리는 사람을 보면 안타깝다.

2

제목찾기

글의 마지막 문단에 나온 낱말을 활용하여 알맞은 제목을 붙이세요.

[ ][ ]을 밝힌 [ ]

3

사실이해

글에 나타난 사실과 어긋나는 것은 어느 것입니까? ( )

① 강영우의 입원 중, 어머니가 돌아가셨다.
② 강영우는 동생들과 헤어지고 맹인부흥원에 갔다.
③ 강영우는 미국 대학의 입학 허가서를 받지 못하였다.
④ 강영우는 도와준 친구들에게 오히려 도움을 되돌려주었다.
⑤ 강영우는 보행 훈련을 받아 혼자 힘으로 대학원에 다닐 수 있었다.

6주 29회

해설편 15쪽

4
미루어알기

꿈을 이룰 수 있게 한 밑바탕이 된 힘은 무엇입니까? ( )

① 친구들과 봉사자들의 도움 ② 종교단체의 지속적인 도움
③ 어머니와 누나의 뒷바라지 ④ 어려움을 이겨내려고 한 노력
⑤ 대학교에서 주는 장학금

5
세부내용

㉠과 ㉡에 들어갈 말을 순서대로 늘어놓은 것은 어느 것입니까? ( )

① 그러나, 그러면 ② 그러나, 그래서 ③ 그런데, 그러자
④ 그런데, 그래서 ⑤ 그러자, 그래서

6
적용하기

다음 두 문장을 이어 한 문장으로 고쳐 쓰세요.

강영우 박사는 장애인을 무시하고 차별하는 어려움을 극복하였다.
강영우 박사는 많은 사람의 존경을 받았다.

( )

7
요약하기

글의 주요 내용을 순서에 따라 정리했습니다. 빈칸에 알맞은 말을 넣으세요.

사고로 시각을 잃은 강영우는 사람들의 편견에 맞서면서 열심히 공부하여 대학을 우수한 성적으로 졸업했다. → 더 큰 꿈을 이루기 위해 미국의 대학에서 ① □□□과 입학 허가를 받은 그는 법을 고쳐가며 유학을 떠났다. → 어려움을 극복하고 우리나라 최초의 ② □□ □□□ □□가 되었고, 장애인 ③ □□을 높이기 위해 앞장섰다.

어휘 넓히기

뜻

낱말의 뜻풀이로 알맞은 것을 보기 에서 골라 괄호 안에 기호를 쓰세요.

(1) 가시다 (   )
(2) 부시다 (   )

보기
㉠ 그릇 따위를 씻어 깨끗하게 하다. 빛이나 색채가 강렬하여 마주 보기가 어려운 상태에 있다.
㉡ 어떤 상태가 없어지거나 달라지다. 물 따위로 깨끗이 씻다.

다지기

아래 문장의 빈칸에 알맞은 낱말을 보기 에서 찾아 쓰세요.

보기
부셨다　　가셨다

(1) 그릇을 물로 ☐☐☐.
(2) 방금까지 치밀었던 시장기가 그 말을 듣고 싹 ☐☐☐.
(3) 어두운 곳에 있다가 밖으로 나오니 눈이 ☐☐☐.

넓히기

다음 한자어의 구성과 뜻을 알아보고, 빈칸에 알맞은 한자어를 쓰세요.

- **뇌졸중(腦** 골 뇌. **卒** 마칠 졸. **中** 가운데 중.) 뇌에 혈액 공급이 제대로 되지 않아 손발의 마비, 언어 장애, 호흡 곤란 따위를 일으키는 증상.
- **졸업식(卒** 마칠 졸. **業** 업 업. **式** 법 식.) 졸업장을 수여하는 의식.
- **대졸자(大** 클 대. **卒** 마칠 졸. **者** 놈 자.) 대학교를 졸업한 사람.

(1) 나는 ☐☐☐을 마치고, 엄마와 맛있는 걸 먹기로 했다.
(2) 해마다 ☐☐☐의 취업난 소식이 들리니 졸업을 앞두고 걱정이다.
(3) 어제 아랫집 아저씨가 갑자기 ☐☐☐으로 쓰러지셨다.

시간 공부 날짜 ☐ 월 ☐ 일
푸는데 걸린 시간 ☐ 분

확인 맞은 개수 써보기

독해	개/7개	어휘	개/8개

6주 29회

해설편 15쪽

30

생각 열기

고궁이나 박물관을 관람한 뒤에 느끼고 생각한 점을 시로 옮길 수 있어요. 대개 이런 시는 옛 사람들이 살았던 자취를 바탕으로 삼아 내용이 이루어져요. 시에서 말하는 사람을 떠올리면서 자신도 그런 느낌과 생각을 가질 수 있는지 견주어 봐요.

점수 계산 1. 15점 2. 10점 3. 15점 4. 15점 5. 15점 6. 15점 7. 15점

옛 신라 사람들은
웃는 기와로 집을 짓고
웃는 집에서 살았나 봅니다.

기와 하나가
처마 밑으로 떨어져
얼굴 한쪽이
금 가고 깨졌지만
웃음은 깨지지 않고

나뭇잎 뒤에 숨은
초승달처럼 웃고 있습니다.

나도 누군가에게
한 번 웃어 주면
천년을 가는
그런 웃음을 남기고 싶어
웃는 기와 흉내를 내 봅니다.

〈얼굴무늬 수막새
-출처 : 국립경주박물관〉

1
주제찾기

시에서 말하는 사람의 생각은 무엇입니까? ( )

① 웃음이 삼국 통일의 토대를 마련했다.
② 공예 미술품이 신라 예술을 대표한다.
③ 기와에는 신라 사람들의 정성이 깃들었다.
④ 신라 사람들은 기와집에 살 만큼 부자였다.
⑤ 웃는 기와처럼 천 년을 가는 웃음을 남기고 싶다.

2
글감찾기

무엇에 대하여 쓴 시인지 시에 나온 구절로 답하세요.

( )

3
사실이해

시의 내용과 거리가 먼 것을 고르세요. ( )

① 웃는 표정이 새겨진 기와
② 웃는 기와로 즐비한 거리
③ 처마 밑에 떨어져 있는 기와
④ 얼굴 한 쪽이 깨어져 있는 기와
⑤ 나뭇잎 뒤에 숨어 미소 짓는 듯한 초승달 같은 기와

4
미루어알기

시에서 떠올린 말하는 사람의 모습으로 알맞은 것은 어느 것입니까? ( )

① 처마 밑으로 떨어진 기와를 줍고 있다.
② 기와를 가리키며 친구에게 설명해주고 있다.
③ 깨진 기와를 유심히 살펴보면서 씩 웃고 있다.
④ 옛 신라 사람들이 살았던 집을 떠올려보고 있다.
⑤ 웃는 기와를 닮은 작품을 만들기 위해 애쓰고 있다.

6주 30회
해설편 15쪽

5

세부내용

2연에서는 어떤 일을 겪은 사람의 모습을 떠올릴 수 있습니까? (   )

① 침략과 전쟁
② 통일과 분열
③ 창조와 파괴
④ 시련과 상처
⑤ 노동과 휴식

6

적용하기

다음 글의 빈칸에 들어갈 알맞은 말을 쓰세요.

> 신라의 미소
>
> 지난가을에 우리 반은 국립경주박물관으로 현장 체험 학습을 다녀왔다. 여러 가지 유물 가운데에서 웃고 있는 모습의 얼굴 무늬 기와가 눈에 띄었다.
>
> "선생님, 이 기와는 꼭 사람이 웃고 있는 것 같아요."
>
> "그래, 그래서 사람들은 이 기와를 '신라의 미소'라고 부른단다."
>
> 비록 금이 가고 얼굴 한쪽이 깨졌지만 환하게 웃고 있는 기와를 보니 마음이 따뜻해지는 것 같았다. 나와 함께 웃는 기와를 보며 미소 짓던 인혜에게 말하였다.
>
> "신라 사람들은 웃는 기와로 집을 지었나 봐. 그렇지? 그럼 신라 사람들은 웃는 집에 살았던 거네! 그런 집에 살던 사람들은 늘 웃음이 끊이지 않았을 거야."
>
> 인혜도 고개를 끄덕이며 함께 웃었다. 오랜 세월이 지났지만 보는 사람을 미소 짓게 하는 저 웃는 기와처럼 나도 다른 사람에게 ☐☐ ☐☐을 줄 수 있는 사람이 되어야겠다고 생각하며 남몰래 웃는 기와 흉내를 내어보았다.

7

요약하기

시의 중심 내용을 간추린 다음 문장에 알맞은 낱말을 쓰세요.

⇨ 웃는 ① ☐☐를 보고, 신라 사람들의 삶을 떠올리며 천 년을 가는 ② ☐☐을 남기고 싶음을 표현하고 있다.

어휘 넓히기

뜻 낱말의 뜻풀이로 알맞은 것을 보기 에서 골라 괄호 안에 기호를 쓰세요.

(1) 기둥 ( )
(2) 도리 ( )
(3) 처마 ( )

보기
㉠ 서까래를 받치기 위하여 기둥 위에 건너지르는 나무.
㉡ 지붕이 도리 밖으로 내민 부분.
㉢ 주춧돌 위에 세워 보 · 도리 따위를 받치는 나무. 또는 돌 · 쇠 · 벽돌 · 콘크리트 따위로 모나거나 둥글게 만들어 곧추 높이 세운 것.

다지기 아래 문장의 빈칸에 알맞은 낱말을 보기 에서 찾아 쓰세요.

보기
기둥 처마 도리

(1) 기둥 위에 [ ][ ]를 건너질러 놓았으니 서까래를 얹으면 된다.
(2) 대궐 같은 집을 짓기 위해 주춧돌을 깔고 그 위에 [ ][ ]을 세웠다.
(3) 한옥에서 [ ][ ]는 계절에 따라 알맞은 양의 햇빛을 받아들이도록 하였다.

넓히기 다음 한자어의 구성과 뜻을 알아보고, 빈칸에 알맞은 한자어를 쓰세요.

- **여유(餘** 남을 여. **裕** 넉넉할 유. 너그러울 유.) 넉넉하여 남음이 있는 상태. 느긋하고 차분하게 생각하거나 행동하는 마음의 상태.
- **겸손(謙** 겸손힐 겸. **遜** 겸손할 손.) 남을 존중하고 자기를 내세우지 않는 태도가 있음.
- **미소(微** 작을 미. 꼼꼼할 미. **笑** 웃음 소.) 소리 없이 빙긋이 웃음. 또는 그런 웃음.

(1) 마음의 [ ][ ]가 있어야 남을 너그럽게 받아들일 수 있다.
(2) 뺨에 보조개를 지으며 [ ][ ] 짓는 모습이 곱고 품위가 있다.
(3) 상훈이는 다른 사람들과 마주칠 때마다 [ ][ ]을 차려 인사를 했다.

시간 공부 날짜 [ ]월 [ ]일
푸는데 걸린 시간 [ ]분

확인 맞은 개수 써보기

독해	[ ]개/7개	어휘	[ ]개/9개

6주 30회

해설편 15쪽

어휘·어법 총정리

6주차

어휘 **보기 의 낱말을 보고, 뜻과 어울리는 것을 골라 아래의 빈칸에 써보세요.**

보기
돌리다 벌어지다 새하얗다 신분(身分)
순식간(瞬息間) 일치(一致)하다 배치(配置)하다

1. 화를 풀게 하다. 병의 위험한 고비나 상황을 면하게 하다.
2. 매우 하얗다.
3. 갈라져서 사이가 뜨다. 가슴이나 어깨, 등 따위가 옆으로 퍼지다. 식물의 잎이나 가지 따위가 넓게 퍼져서 활짝 열리다.
4. 눈을 한 번 깜짝하거나 숨을 한 번 쉴 만한 아주 짧은 동안. 삽시간. 순간.
5. 개인의 사회적인 위치나 계급.
6. 사람이나 물자 따위를 일정한 자리에 알맞게 나누어 두다.
7. 비교되는 대상들이 서로 어긋나지 아니하고 같거나 들어맞다. 말과 행동이 서로 어긋나지 않고 서로 잘 들어맞다.

어법 **다음 중 맞춤법에 맞는 것을 골라 동그라미 하세요.**

1. [회손된 / 훼손된] 자연.
2. [찬란한 / 찰난한] 문명.
3. [즐길 거리 / 즐길 꺼리]가 많다.
4. 흥미를 [돋우었고 / 돋구었고].
5. [뇌졸증 / 뇌졸중] 수술.
6. 공부에 [매달렸다 / 메달렸다].

확인

나의 점수 확인하기

어휘	개 / 7개	어법	개 / 6개

7주차

회차 / 영역	제목	계획 및 점검
31 인문|논설문	시애틀 추장 • 나는 [ ]월 [ ]일 [ ]시에 공부할 것입니다.	• 독해력에서 나의 점수는 [ ]점입니다. • 어휘력에서 맞은 문제수는 [ ]개/9개 입니다. • 어려웠던 문제는 ______ 번입니다.
32 예술|논설문	풍요로운 가을날, 세 여인의 고된~ • 나는 [ ]월 [ ]일 [ ]시에 공부할 것입니다.	• 독해력에서 나의 점수는 [ ]점입니다. • 어휘력에서 맞은 문제수는 [ ]개/8개 입니다. • 어려웠던 문제는 ______ 번입니다.
33 과학|설명문	발효와 부패 • 나는 [ ]월 [ ]일 [ ]시에 공부할 것입니다.	• 독해력에서 나의 점수는 [ ]점입니다. • 어휘력에서 맞은 문제수는 [ ]개/8개 입니다. • 어려웠던 문제는 ______ 번입니다.
34 산문문학|이야기	장끼전 • 나는 [ ]월 [ ]일 [ ]시에 공부할 것입니다.	• 독해력에서 나의 점수는 [ ]점입니다. • 어휘력에서 맞은 문제수는 [ ]개/8개 입니다. • 어려웠던 문제는 ______ 번입니다.
35 운문문학|시	자전거 찾기 • 나는 [ ]월 [ ]일 [ ]시에 공부할 것입니다.	• 독해력에서 나의 점수는 [ ]점입니다. • 어휘력에서 맞은 문제수는 [ ]개/8개 입니다. • 어려웠던 문제는 ______ 번입니다.

• 이번 주 독해력 문제에서 나의 점수는 평균 [ ]점입니다.

• 이번 주 어휘력에서 맞은 문제수는 모두 [ ]개입니다.

31

여러분은 자연의 개발과 보존에 대해 어떤 생각을 가지고 있나요? 아래 글은 대대로 살던 땅을 백인에게 내어 주는 원주민 추장의 입장에서 백인들의 자연에 대한 개발을 우려하고 경고하는 내용의 글입니다. 읽으면서 글쓴이의 주장과 근거들을 함께 살펴봐요.

1. 15점 2. 15점 3. 15점 4. 15점 5. 10점 6. 15점 7. 15점

당신들은 돈으로 하늘을 살 수 있다고 생각하는가? 당신들은 비를, 바람을 소유할 수 있다는 말인가? 내 어머니가 옛날 내게 이렇게 말씀하신 적이 있다. 이 땅의 한 자락 한 자락 그 모든 곳이 우리 종족에게는 성스럽다고. 전나무 잎사귀 하나, 물가의 모래알 하나, 검푸른 숲 속에 가득 피어오르는 안개의 물방울 하나하나, 초원의 풀 하나하나, 웅웅거리는 곤충 한 마리 한 마리마다 우리 종족의 가슴속에 그 모두가 성스럽게 살아 있는 것들이라고.

대지 위에 피어나는 꽃들은 우리의 누이들이라고. 곰과 사슴과 독수리는 우리의 형제라고. 바위산 꼭대기, 널따란 들판, 그 위를 달리는 말들, 그 모두가 ㉠한가족이라고. 내 조상의 목소리가 내게 말하였다. 반짝이며 흐르는 시냇물은 내 조상의 조상들, 그들의 피가 살아 흐르는 것이라고. 맑디맑은 호수에 어리어 살아 있는 영혼의 모습은 우리 종족의 삶에 대한 기억이라고. 속삭이는 물결은 할머니의 할머니의 목소리. 강들은 너의 형제들, 목마를 때 너의 목을 적셔 주고 우리가 탄 카누를 옮겨 주고 우리 자식들을 먹여 키우니, 너는 형제를 대하듯이 똑같은 사랑으로 강들을 대하여야 한다고.

내 할아버지의 목소리가 내게 말하였다. 대기는 헤아릴 수 없을 만큼 값진 것이라고. 대기가 키워 가는 모든 생명마다 대기의 정령이 깃들어 있으니, 내게 첫 숨을 쉴 수 있게 해 준 대기에 내 마지막 숨을 돌려주었다고. 들꽃 향기 가득한 바람을 느끼고 맛볼 수 있는 저 땅과 대기를 너는 성스럽게 지켜 가야 한다고.

마지막 인디언 남자와 마지막 인디언 여자가 사라지고 난 뒤, 인디언에 대한 기억이 오직 초원에 드리워진 뭉게구름 위 그림자뿐일 때, 그때도 해안과 숲과 내 종족의 영혼은 아직 남아 있을 것인가? 내 조상은 내게 말하였다. 우리는 알고 있지. 이 땅은 우리의 소유가 아니라 우리가 이 땅의 일부라는 것을.

내 목소리를 잘 들으라! 내 조상의 목소리를 잘 들으라! 당신들 백인의 운명이 어찌될지 우리는 모른다. 모든 들소들이 도살되고 나면 그다음 무슨 일이 벌어질 것인가? 모든 야생마가 길들여지고 나면 그다음 무슨 일이 벌어질 것인가? 우리가 저 쏜살같이 달리는 말들과 작별을 하고 사냥을 할 수 없게 되면? 그것은 삶의 끝, 그저 살아남기 위한 투쟁이 시작되겠지.

우리는 알지, 세상 만물은 우리를 하나로 엮는 핏줄처럼 서로 연결되어 있다는 것을. 우리 사람이 이 생명의 그물을 엮은 것이 아니라, 우리는 단지 그 그물 속에 들어 있는 하나의 그물코일 뿐. 우리가 이 그물을 향하여 무슨 일을 하든 그것은 곧 바로 우리가 우리 자신에게 하는 일.

어린아이가 엄마의 뛰는 가슴을 사랑하듯이, 우리는 땅을 사랑한다. 이제 우리가 당신들에게 우리 땅을 주니, 우리가 보살폈듯이 애써 보살피라. 이제 당신들이 이 땅을 가진다고 하니 지금 이대로 이 땅의 모습을 지켜가라. 당신의 아이들을 위하여 땅과 대기와 강물을 보살피고 간직하라. 우리가 사랑하였듯이 똑같은 마음으로 그것들을 사랑하라.

1 주제찾기

글 속의 '나'가 품고 있는 중심 생각은 무엇입니까? ( )

① 인간은 모든 자연물을 소유할 수 있다.
② 인간을 둘러싸고 있는 자연은 인간을 살찌운다.
③ 자연이 인간을 이롭게 하듯 인간도 자연을 이롭게 한다.
④ 세상 만물은 서로 연결되어 있으며 인간도 그중 하나이다.
⑤ 야생마를 길들이듯이 백인들은 스스로 자연을 개척해 나가야 한다.

2 글감찾기

글에 나오는 '나'는 무엇에 대해 말하고 있습니까? 답을 완성하세요.

⇨ □□과 □□의 관계

3 사실이해

글 속의 '나'는 어떤 상황에 놓여 있습니까? ( )

① 심각한 자연재해를 마주하고 있다.
② 다른 원주민 부족과 다툼에 직면했다.
③ 같은 부족 사람들로부터 버림을 받았다.
④ 부족이 위기에 처하여 신에게 빌고 있다.
⑤ 대대로 살던 땅을 백인에게 내어주게 되었다.

7주 31회

해설편 16쪽

4
미루어알기

글 속의 '나'가 떠올린 미래 세계의 모습은 어떠합니까? ( )

① 백인들이 부족 사람들을 보살필 것이다.
② 부족 사람들이 땅을 빼앗기고 떠돌 것이다.
③ 인간이 자연을 지배하고 생존 경쟁을 할 것이다.
④ 부족 사람들이 땅을 되찾고 신을 모시게 될 것이다.
⑤ 백인들과 부족 사람들이 화합하여 풍요롭게 될 것이다.

5
세부내용

㉠의 '한'과 뜻이 비슷한 '한'을 가진 낱말은 어느 것인가요? ( )

① 한여름 ② 한마음 ③ 한가위
④ 한가을 ⑤ 한가운데

6
적용하기

글쓴이의 생각과 다른 주장을 한 사람은 누구인가요? ( )

① 민호 : 자연은 후손이 살아갈 삶의 터전이다.
② 창균 : 자연은 어머니의 품이고 우리 영혼의 안식처이다.
③ 지예 : 생물은 서로 영향을 주고 받으며 유기적으로 얽혀있다.
④ 도희 : 자연을 개발하는 것은 생태계를 파괴하는 것이다.
⑤ 민주 : 자연을 개발하여 인류문명을 꽃피워야 한다.

7
요약하기

글의 주요 내용을 전개된 순서에 따라 항목을 나누어 간추렸습니다. 빈칸에 알맞은 말을 글에서 찾아 넣으세요.

이 땅의 모든 것들은 우리 종족에게 ① [ ][ ][ ][ ] 살아 있다. → 형제를 대하듯이 똑같은 ② [ ][ ]으로 자연을 대하여야 한다. → ③ [ ][ ]는 헤아릴 수 없을 만큼 값진 것이니 성스럽게 지켜가야 한다. → 이 땅은 우리의 ④ [ ][ ]가 아니라 우리가 이 땅의 일부이다. → 백인에 의해 자연이 질식되고, 생존경쟁이 시작될 것이다. → 만물은 서로 연결되어 세상이라는 ⑤ [ ][ ]에 하는 일은 자신에게 하는 일과 같다.

어휘 넓히기

뜻 **낱말의 뜻풀이로 알맞은 것을 보기 에서 골라 괄호 안에 기호를 쓰세요.**

(1) 빌리다 (　　)
(2) 억누르다 (　　)
(3) 차지하다 (　　)

보기
㉠ 자유롭게 행동하지 못하도록 압력을 가하다.
㉡ 남의 물건이나 돈 따위를 나중에 도로 돌려주거나 대가를 갚기로 하고 얼마 동안 쓰다.
㉢ 사물이나 공간, 지위 따위를 자기 몫으로 가지다.

다지기 **아래 문장의 빈칸에 알맞은 낱말을 보기 에서 찾아 알맞게 고쳐 쓰세요.**

보기
빌리다　　억누르다　　차지하다

(1) 살아있는 동안에 세상을 □□□ 쓴다고 생각하라는 학자들이 있다.
(2) 개척민들은 인디언의 땅을 □□□ 채 자기네 땅이라고 주장하였다.
(3) 힘으로 원주민들을 □□□ 놓고 땅, 물, 공기를 마구 더럽혀 놓았다.

넓히기 **다음 한자어의 구성과 뜻을 알아보고, 빈칸에 알맞은 한자어를 쓰세요.**

- **공존(共** 함께 공. **存** 존재할 존.**)하다.** 두 가지 이상의 사물이나 현상이 함께 존재하다.
- **소유(所** 바 소. **有** 있을 유.**)하다.** 가지고 있다.
- **정복(征** 칠 정. **服** 옷 복.**)하다.** 남의 나라나 이민족을 정벌하여 복종시키다. 다루기 어렵거나 힘든 대상 따위를 뜻대로 다룰 수 있게 되다.

(1) 그는 좋은 책들을 많이 □□하고 있다.
(2) 백인들은 원주민들을 무력으로 □□했다.
(3) 인간은 자연과 조화롭게 □□하여야 한다.

7주 31회

해설편 16쪽

시간 공부 날짜 □월 □일
푸는데 걸린 시간 □분

확인 맞은 개수 써보기

독해	개/7개	어휘	개/9개

32

생각 열기

예술 작품에 대한 감상문도 설득하는 글로 볼 수 있는 경우가 있어요. 글쓴이의 느낌이나 생각을 근거를 들어가면서 펼쳐 보인다면 그렇다고 보아야죠. 감상문에서 중요시해야 할 것은 근거보다는 생각이나 느낌을 드러낸 부분이에요.

점수 계산 1. 15점 2. 15점 3. 15점 4. 15점 5. 10점 6. 15점 7. 15점

이삭 줍는 사람들 장 프랑수아 밀레
(프랑스국립박물관연합(RMN), 지엔씨미디어)

(가) 수확이 한창인 어느 가을날의 들녘입니다. 그림에 전체적으로 쏟아지는 밝은 빛이 수확의 즐거움과 기쁨을 표현하고 있습니다. 뒤쪽의 볏짚 더미 역시 가을의 풍요로움을 더하여 줍니다.

수확이 끝난 밭에서는 세 명의 여인이 떨어진 이삭을 줍고 있습니다. 이삭을 줍는 세 여인의 모습이 무척이나 힘차 보입니다. 그것은 이삭을 줍는 일이 쉽지 않은 노동이지만 세 여인 역시 수확의 기쁨을 느끼고 있기 때문이겠지요. 세 여인의 표정은 잘 드러나지 않지만 이삭을 줍는 손길에서 생동감이 느껴집니다.

그림에 칠해진 따뜻한 느낌의 색깔이 전체적으로 온화한 분위기를 풍기고, 아름다운 전원[1]의 모습이 잘 표현되어 더욱 깊은 감동을 줍니다. 이 그림은 이처럼 가을날의 풍요로운 시골 풍경을 생동감 있게 잘 표현한 그림입니다.

(나) 드넓은 들판에 세 명의 여인이 허리를 숙여 이삭을 줍고 있습니다. 거두어들인 곡식을 쌓느라 흥겨운 저 뒤의 사람들에 비하면 이 여인들은 동네에서 가장 가난한 사람들임에 틀림없습니다. 떨어진 이삭을 줍는 일은 가진 것이 없는 사람들의 몫이니까요.

이렇게 이삭을 줍는 것도 자기 마음대로 할 수 있는 일은 아니에요. 관청이나 이웃의 허락을 받은 사람만이 추수가 끝난 들판에 나가 이삭을 주울 수 있습니다. 이 여인들은 이나마도 감지덕지하며 이삭을 줍고 있는 거지요.

여인들이 얼마나 가난한지는 옷차림을 보아도 금세 알 수 있습니다. 게다가 무척 고되고 지쳐 보이기까지 하는군요. 세 여인의 표정은 굳어 있고, 허리에 올린 여인

의 손에서 노동의 고됨이 느껴집니다.

그럼에도 이 여인들은 인간으로서의 존귀함을 결코 잃지 않고 있습니다. 그것은 이들이 가난하나마 열심히 일하여 자신들의 삶을 지켜가고 있기 때문입니다. 이 그림은 이렇게 가난한 세 여인의 고된 땀방울을 잘 표현한 그림입니다.

❶ 전원 논과 밭이라는 뜻. 도시에서 떨어진 시골이나 교외를 이르는 말.

1 주제찾기

(가), (나)의 글이 초점을 맞춘 내용은 무엇입니까? ( )

① (가), (나) 모두 풍경에 초점을 맞추었다.
② (가), (나) 모두 사람에 초점을 맞추었다.
③ (가)는 풍경에, (나)는 사람에 초점을 맞추었다.
④ (가)는 사람에, (나)는 풍경에 초점을 맞추었다.
⑤ (가)는 분위기에, (나)는 움직임에 초점을 맞추었다.

2 제목찾기

그림에 대해 스스로 떠올린 제목을 붙여보세요.

( )

3 사실이해

그림의 여인들로부터 떠올린 인상을 잘못 연결한 것은 어느 것입니까? ( )

① (가)-무척이나 힘차 보인다.
② (가)-손길에서 생동감이 느껴진다.
③ (가)-고된 땀방울이 비치는 것 같다.
④ (나)-여인들의 표정이 굳어 있다.
⑤ (나)-무척 고되고 지쳐 보인다.

7주 32회

해설편 16쪽

4 미루어알기

(가), (나)를 읽고 떠올린 생각으로 적절한 것을 고르세요. ( )

① 보이고 들리는 대로 말이나 행동을 하게 돼.
② 같은 사물이나 현상에 대해서는 생각도 같이 해.
③ 보는 대로 그림을 그리고 들리는 대로 말을 하는 거야.
④ 같은 사물이나 일에 대해서도 느낌이나 생각이 달라질 수 있어.
⑤ 어떤 분위기에서 그림을 감상하는지에 따라서 느낌과 생각이 달라져.

5 세부내용

(가), (나)에서 앞에 나온 내용을 요약하는 구실을 하는 낱말을 모두 모아놓은 것은 어느 것입니까? ( )

① 수확이-드넓은
② 그림에-여인들
③ 그것은-여인들
④ 표정은-게다가
⑤ 이처럼-이렇게

6 적용하기

다음 문장을 부정적인 관점으로 바꾸어 표현해 보세요.

벌써 숙제를 반이나 했어.

( )

7 요약하기

(가), (나)의 주장을 확인하려고 합니다. 빈칸에 알맞은 낱말을 쓰세요.

(가) 이 그림은 가을날의 ① □□□□ 시골 풍경을
② □□□ 있게 잘 표현했습니다.
(나) 이 그림은 ③ □□□ 세 여인의 고된 ④ □□□
을 잘 표현했습니다.

어휘 넓히기

뜻

낱말의 뜻풀이로 알맞은 것을 보기 에서 골라 괄호 안에 기호를 쓰세요.

(1) 한참 (　　　)
(2) 한창 (　　　)

보기
㉠ ① 명사; 어떤 일이 가장 활기 있고 왕성하게 일어나거나 무르익은 때.
② 부사; 어떤 일이 가장 활기 있고 왕성하게 일어나거나 무르익은 모양.
㉡ ① 명사; 시간이 상당히 지나는 동안.
② 부사; 어떤 일이 상당히 오래 일어나는 모양.

다지기

아래 문장의 빈칸에 알맞은 낱말을 보기 에서 찾아 쓰세요.

보기
한창　　한참

(1) 요즘 앞산에는 진달래가 ☐☐이어서 사람들이 많이 오르내린다.

(2) 담장을 따라 저녁이 되도록 ☐☐을 걸어가니 기와집이 나왔다.

(3) 붉은 노을빛이 아직 ☐☐ 남아 있어 책을 읽을 수 있었다.

(4) 비가 오지 않고 볕이 좋으니 벼가 ☐☐ 잘 자란다.

넓히기

다음 한자어의 구성과 뜻을 알아보고, 빈칸에 알맞은 한자어를 쓰세요.

- **생동감(生** 날 생. **動** 움직일 동. **感** 느낌 감.) 생기 있게 살아 움직이는 듯한 느낌.
- **존귀성(尊** 높을 존. **貴** 귀할 귀. **性** 성품 성.) 높고 귀한 성질이나 성품.

(1) 가난하고 고단한 삶에서도 인간으로서 ☐☐☐을 잃지 않고 있다.

(2) 이삭을 줍는 모습이 힘차 보인다는 점에서 ☐☐☐이 느껴집니다.

시간
공부 날짜 ☐ 월 ☐ 일
푸는데 걸린 시간 ☐ 분

확인
맞은 개수 써보기

독해	☐ 개/7개	어휘	☐ 개/8개

7주 32회

해설편 16쪽

33

여러분은 부패와 발효에 대해 얼마나 알고 있나요? 부패와 발효 모두 곰팡이나 세균의 분해 작용이라는 것은 알고 있나요? 이 글에서 부패와 발효의 공통점과 차이점을 함께 알아보아요.

1. 15점 2. 15점 3. 10점 4. 15점 5. 15점 6. 15점 7. 15점

식빵에 곰팡이가 생긴 걸 본 적 있나요? 곰팡이가 생기면 그 빵은 어떻게 하나요? 당연히 먹을 수 없으니 버리겠죠. 하지만 콩을 삶아 으깨어 만든 메주에 곰팡이가 생기면 된장이나 고추장, 간장을 만드는 재료가 돼요. 이 둘의 차이가 바로 '부패[1]'와 '발효[2]'랍니다. 부패와 발효는 모두 미생물에 의해 분해가 일어나는 과정이에요. 하지만 분해 결과 우리 생활에 유용한 물질이 만들어지면 발효, 사용할 수 없게 되거나 몸에 나쁜 물질이 만들어지면 부패라고 하지요. 우리가 즐겨 먹는 김치나 된장, 고추장, 요구르트, 치즈 등은 모두 발효로 만든 음식이에요.

자주 이용되는 발효로는 알코올 발효와 젖산 발효가 있어요. 알코올 발효는 효모가 포도당을 분해해서 알코올을 만드는 반응이에요. 대표적인 알코올 발효 음식으로는 막걸리와 맥주 등이 있지요. 젖산 발효는 김치나 된장은 물론 요구르트나 치즈를 만드는 발효예요. 젖산균이 포도당을 분해해서 젖산을 만들어 내 새콤한 맛이 난답니다.

김치를 발효시키는 균은 젖산균인데, 유산균이라고도 해요. 젖산균을 따로 넣지 않았는데도 젖산균이 김치를 발효시킬 수 있는 건 채소를 소금에 절이는 과정 덕분이에요. 소금에 절일 때 대부분의 미생물은 죽지만 염분에 잘 견디는 젖산균은 살아남거든요. 김치를 양념한 후에 무거운 김칫돌로 꾹꾹 눌러 공기를 빼는데 그 이유는 김치에 사는 젖산균이 산소를 싫어하기 때문이에요. 젖산은 몸 안에서 소화 효소가 잘 나오게 돕고, 유해한 세균의 번식을 억제하며, 소화된 음식물이 잘 배설될 수 있도록 도와줘요. 또 발암 물질이 만들어지는 것도 막고, 발효되는 과정에서 비타민을 2배 가까이 높이기도 하지요.

젖산 발효는 우리 몸속에서도 일어나요. 빠르게 달리기를 할 때 많은 에너지가 필요하거든요. 그런데 달리는 동안 사용하는 에너지의 양이 '산소 호흡'으로 만든 에너지의 양보다 크면 우리 몸은 모자라는 만큼을 산소 없이 에너지를 만드는 '무산소 호흡'을 통해 만들어 내요. 이때 우리 몸에서 일어나는 무산소 호흡이 바로 젖산 발효와 같답니다. 무산소 호흡으로 생긴 젖산은 피로를 느끼게 하는 물질로, 젖산이 근육에 너무 많이 쌓이면 근육통을 느낄 수도 있어요.

발효라고 하면 아주 오랜 시간이 걸리는 것으로 생각하기 쉽지만 효모로 식빵이나 호빵을 만들 때처럼 짧은 시간에 발효하는 경우도 있어요. 또, 부패가 쓸모 있는 발효로 바뀌거나, ㉠발효가 너무 많이 되면 부패가 될 수도 있지요. 음식물 쓰레기에 미생물을 넣어 에너지로 사용할 수 있는 메탄가스를 만드는 일도 쓸모없던 부패가 쓸모 있는 발효로 바뀐 좋은 예입니다.

하루 종일 화장실에 들락날락 설사는 물론 괴로운 구토에 복통, 발열까지, 무서운 식중독에 걸려 본 적 있나요? 식중독은 부패된 음식이나 독성 물질이 있는 음식을 먹으면 걸리지요. 식중독은 세균 자체에 의한 감염이나 세균에서 만들어진 독소가 증상을 일으켜요. 대부분의 식중독은 구토나 설사로 부족해진 수분을 보충하는 정도의 치료만으로도 저절로 회복이 돼요. 구토나 설사를 억지로 멎게 하기보다는 몸에 나쁜 균이 구토나 설사로 충분히 빠져나올 수 있게 하는 것이 좋지요.

❶ 부패 단백질이나 지방 따위의 유기물이 미생물의 작용에 의하여 분해되는 과정. 또는 그런 현상. 독특한 냄새가 나거나 유독성 물질이 발생한다. ❷ 발효 효모나 세균 따위의 미생물이 유기 화합물을 분해하여 알코올류, 유기산류, 이산화 탄소 따위를 생기게 하는 작용. 술, 된장, 간장, 치즈 따위를 만드는 데에 쓴다.

1 주제찾기

글의 바탕에 놓아 설명의 출발점으로 삼은 내용은 무엇입니까? ( )

① 부패와 발효는 모두 분해의 과정이다.
② 부패는 사람에게 해롭고 발효는 이롭다.
③ 부패를 거쳐 다시 발효가 이루어질 수 있다.
④ 부패에 의해 유기체가 분해되어 생태계가 유지된다.
⑤ 부패는 해로운 물질이, 발효는 유용한 물질이 되는 분해 과정이다.

2 글감찾기

글에 나온 낱말을 활용하여 제목을 붙이세요.

( )

3 사실이해

글의 내용과 일치하지 않는 것을 고르세요. ( )

① 콩을 으깨어 만든 메주에 곰팡이가 생긴다.
② 포도당에 효모를 넣어두면 알코올이 생긴다.
③ 소금에 절여도 배추에 붙은 젖산균은 살아남는다.
④ 빨리 달릴수록 우리 몸속의 젖산이 더 많이 소모된다.
⑤ 음식물 쓰레기를 세균을 넣어 썩혀서 메탄가스를 만들 수 있다.

7주 33회

해설편 17쪽

4

미루어알기

㉠을 뒷받침할 수 있는 사례로 적절한 것은 어느 것입니까? ( )

① 김치를 오래 두면 군내가 난다.
② 우유에 요구르트를 넣어 발효시킨다.
③ 산나물을 데쳐서 소금으로 간을 맞춘다.
④ 오미자에 설탕을 넣고 저장하여 효소를 만든다.
⑤ 오염된 물에 세균을 넣어 배양한 후 오염물질을 걸러낸다.

5

세부내용

빵을 만들 때 재료를 분해하는 역할을 하는 것은 무엇입니까? ( )

① 물 ② 공기 ③ 소금
④ 효모 ⑤ 밀가루

6

적용하기

곰팡이와 세균을 이용한 다음 문장의 빈칸을 채우세요.

(1) 곰팡이 → □□곰팡이로 술을 띄운다.

(2) 세균 → □□□ 음료로 속을 편하게 한다.

7

요약하기

글의 내용을 요약한 아래의 빈칸을 채우세요.

발효와 부패는 ① □□□나 ② □□ 등의 미생물이 음식을 분해하여 다른 물질을 만들어내는 점은 같습니다. 하지만 ③ □□로 만들어진 물질은 향이 좋고 사람이 먹을 수 있는 맛과 영양을 지니는 데 비하여, ④ □□로 생긴 물질은 악취가 나고 ⑤ □□□을 일으켜 사람이 먹을 수 없다는 점이 다릅니다.

어휘 넓히기

뜻

낱말의 뜻풀이로 알맞은 것을 보기 에서 골라 괄호 안에 기호를 쓰세요.

(1) 만들다 (   )
(2) 생기다 (   )
(3) 버리다 (   )

보기
㉠ 없던 것이 새로 있게 되다.
㉡ 가지거나 지니고 있을 필요가 없는 물건을 내던지거나 쏟거나 하다.
㉢ 노력이나 기술 따위를 들여 목적하는 사물을 이루다.

다지기

아래 문장의 빈칸에 알맞은 낱말을 보기 에서 찾아 알맞게 고쳐 쓰세요.

보기
버리다　　생기다　　만들다

(1) 젖산 발효를 통해 김치나 된장, 요구르트 등이 ☐☐☐진다.

(2) 심하게 운동하면 산소 없이 에너지를 만드는 과정에서 젖산이 ☐☐☐.

(3) 식중독은 부패한 음식을 ☐☐☐ 않고 먹어서 생긴다.

넓히기

다음 한자어의 구성과 뜻을 알아보고, 빈칸에 알맞은 한자어를 쓰세요.

- **발효(醱** 술 괼 발. **酵** 삭힐 효.) 효모나 세균 따위의 미생물이 유기 화합물을 분해하여 알코올류, 유기산류, 이산화 탄소 따위를 생기게 하는 작용.
- **부패(腐** 썩을 부. **敗** 무너질 패.) 단백질이나 지방 따위의 유기물이 미생물의 작용에 의하여 분해되는 과정.

(1) 효모가 포도당을 분해해서 ☐☐ 음식인 막걸리를 만든다.

(2) 단백질이나 지방 따위가 많이 들어있는 식품일수록 ☐☐가 쉽게 일어날 수 있으며, 그런 과정에서 냄새도 역하다.

시간
공부 날짜 ☐월 ☐일
푸는데 걸린 시간 ☐분

확인
맞은 개수 써보기

독해	☐개/7개	어휘	☐개/8개

7주 33회

해설편 17쪽

34

옛이야기 중에 사람 아닌 것에 빗대어 사람의 일을 전하려는 것이 많아요. 수꿩은 남자, 암꿩은 여자를 대신하도록 하여 못난 남자를 비꼬아서 비판하도록 한 이야기가 '장끼전'이에요. 이런 이야기는 깨우침과 가르침을 전하려고 해요.

1. 15점 2. 10점 3. 15점 4. 15점 5. 15점 6. 15점 7. 15점

[앞의 줄거리] 늘 까투리에게 거들먹거리는 장끼는 콩 한 알을 발견하고 덥석 먹으려 하였고, 까투리는 간밤에 꾼 꿈이 불길하다며 먹지 말라고 하였다.

까투리에게 고래고래 소리를 지르고도 화가 풀리지 않는지 장끼는 몸을 부들부들 떨었다. 까투리는 마음이 아팠지만 남편이 콩을 먹고 죽어서 험한 세상에 혼자 남겨지는 것보다는 나을 것 같아 참았다. 까투리는 남편을 달래듯 나긋나긋 말했다.

"여보, 뭔가 오해하신 것 같은데 화내지 말고 제 말 좀 들어 보세요. 예부터 봉황은 배가 고파도 좁쌀 같은 건 쪼아 먹지 않는다고 했어요. 그 말은 군자는 염치를 알아야 하고 가벼이 행동하면 안 된다는 뜻이지요. 당신은 제 눈에는 의젓한 군자, 사내대장부이십니다. 백이숙제는 주나라의 곡식을 먹지 않았고, 장자방은 벼슬을 거절하고 곡식을 끊었습니다. 이게 군자의 염치이고 지혜 아니겠어요? 그러니 당신도 염치와 체면을 생각해서 제발 그 콩은 먹지 마세요."

장끼는 자신을 군자라고 불러 주는 아내의 말에 우쭐한 마음이 들었다. 하지만 눈앞에 놓인 먹음직스러운 콩을 포기하라니 아까웠다.

"부인은 어떻게 하나만 알고 둘을 모르시오. 이렇게 배가 고픈데 염치와 체면이 무슨 소용이오. 그게 밥을 먹여 줍니까? 굶어 죽을 지경인데 충절과 예절은 어떻게 지킨단 말이오. 훌륭한 군자도 먹지 않으면 죽고 말아요. 잘 먹고 힘을 내야 예절도 지키고 체면도 차릴 수 있소. 한나라의 장군 한신도 배고프고 불우한 시절에 동냥밥을 먹고 큰 인물이 되지 않았소, 그만큼 먹는 게 중요한단 얘기요. 그러니 누가 알겠소. 나도 이 콩을 맛있게 먹고 훌륭한 장끼가 될지! 보시오, 얼마나 맛있게 생겼소?"

까투리는 어떤 말을 해도 통하질 않으니 답답해서 눈물이 날 지경이었다.

"당신이 그 콩을 먹고 잘못되면 저는 어떡합니까? 당신이 없으면 저는 그야말로 끈 떨어진 뒤웅박 신세 아닙니까? 그럼 저 푸른 산골짜기는 누구와 함께 날아다닙니까? 당신 없으면 저는 못 살아요. 그러니 제발 먹지 마요."

그러나 장끼는 까투리의 말을 한 귀로 듣고 한 귀로 흘려버렸다. 실망한 까투리는 마지막이라는 심정으로 사정했다.

"옛말에 '고집을 피우면 집안이 망한다.'라는 말이 있어요. 천하를 통일한 진시황도 맏아들 부소의 말을 듣지 않고 고집을 부리다 나라를 잃었고, 초나라 패왕도 범증의 말을 듣지 않고 고집을 부리다 팔천 명의 제자를 다 잃고 스스로 목숨을 끊지 않았습니까? 그런데 당신이 자꾸만 고집을 부리니 큰 걱정입니다. 큰 변을 당하면 어쩌려고 그래요? 일이 난 뒤에는 나를 원망하지 말고 제발 고집 좀 꺾어요."

장끼는 아내의 말을 무시하고 거드름을 피웠다.

"콩을 먹는다고 변을 당하겠소? 옛말에 '콩 태(太)' 자가 들어간 사람은 모두 크게 성공했다고 했소. 태곳적의 천황씨는 만 팔천 살까지 살았고, 태호 복희씨는 그의 나라 15대까지 전하며 풍요롭게 살았단 말이오. 그뿐이오? 한나라 태조와 당나라 태종은 어지러운 세상을 평정하고 큰 나라를 세워서 위대한 왕이 되었으니, 오곡 백곡 온갖 잡곡 중에 콩 태 자가 제일이 아니겠소. 나도 이 콩 먹고 강태공처럼 오래 살아서 출세도 하고, 이태백처럼 하늘로 올라가 태을성과 어울려 천년만년 놀고 싶소."

까투리는 더는 남편을 말릴 수 없어 한 걸음 물러났다. 그러자 장끼는 긴 목을 앞으로 쭉 빼고 콩 쪽으로 다가갔다. / "통통한 것이 맛있게 생겼구나."

장끼는 침을 꼴깍 삼키고 부리로 콩을 콕 찍어 먹었다. 그 순간, 머리 위에서 우당탕 벼락 치는 소리가 나더니 무언가 장끼의 몸을 와락 덮쳤다. / "아이고, 장끼 죽네!"

장끼는 덫에 걸리고 말았다.

1 주제찾기

이야기의 방법과 의도는 무엇입니까? ( )

① 다른 사례에 견주어 평가하고자 했다.
② 힘찬 목소리로 인물의 미덕을 찬양하려 하였다.
③ 까닭을 들어 주장을 말하며 상대를 설득하려고 하였다.
④ 짐승에 빗대어 사람의 못난 점을 비꼬아 비판하려고 하였다.
⑤ 배경이 특수한 의미를 갖도록 하여 신비로운 분위기를 만들려 하였다.

2 글감기

이야기에서 웃음거리로 삼으려 한 짐승은 무엇인지 찾아 쓰세요.

( )

3 사실이해

'까투리'가 '장끼'의 행동을 만류하기 위해 내세운 것을 바르게 묶은 것은 무엇입니까? ( )

① 새끼, 먹이 ② 염치, 체면 ③ 마음, 세상
④ 체면, 눈물 ⑤ 고집, 목숨

7주 34회
해설편 17쪽

4
미루어알기

'장끼'를 덫에 걸리도록 한 성격의 요소는 어느 것입니까? ( )

① 욕심이 많다. ② 화를 잘 낸다. ③ 신중하지 않다.
④ 체면치레에 강하다. ⑤ 자기변명을 일삼는다.

5
세부내용

이 이야기처럼 인물의 말과 행동을 비판하여 바로잡아주려는 의도를 지니고 빗대어 표현하는 방법을 무엇이라고 합니까? ( )

① 해학 ② 풍자 ③ 반어
④ 역설 ⑤ 비유

6
적용하기

'장끼'가 내세운 주장을 이야기에 나온 낱말을 활용하여 완성하세요.

⇨ □ □□ □□ □□ 큰 인물이 된다.

7
요약하기

이야기의 줄거리를 간추렸습니다. 글에 나온 말을 사용하여 빈칸을 완성하세요.

까투리가 ① □□ 와 ② □□ 을 지키는 ③ □□ 처럼 신중하라고 했지만 장끼가 변명하며 거절했다.

↓

까투리가 고집을 피우다가는 망한다면서 다시 장끼가 콩을 먹지 않게 달래었다.

↓

장끼가 ④ □□□ 가 있는 사람은 크게 성공했다며 콩을 먹겠다고 우겨댔다.

↓

장끼가 콩을 집어먹고 덫에 걸려 죽을 지경에 빠졌다.

어휘 넓히기

뜻 낱말의 뜻풀이로 알맞은 것을 보기 에서 골라 괄호 안에 기호를 쓰세요.

(1) 장끼 (　　)
(2) 까투리 (　　)
(3) 꺼병이 (　　)

보기
㉠ 꿩의 암컷. 암꿩. 화려하지 않은 겉모습이다.
㉡ 꿩의 어린 새끼. 옷차림 따위의 겉모습이 잘 어울리지 않고 거칠게 생긴 사람을 비유적으로 이르는 말.
㉢ 꿩의 수컷. 수꿩. 암꿩에 비해 화려한 겉모습이다.

다지기 아래 문장의 빈칸에 알맞은 낱말을 보기 에서 찾아 쓰세요.

보기
까투리　　꺼병이　　장끼

(1) 세수를 하지 않은 듯, 옷은 거꾸로 입은 듯하여 별명을 [　][　][　]라고 붙였다.

(2) 남자가 화장도 하고, 옷차림도 화려하여 꿩이라면 [　][　]라 부를 만했다.

(3) 화려하지 않은 겉모습의 암꿩을 [　][　][　]라 한다.

넓히기 다음 한자어의 구성과 뜻을 알아보고, 빈칸에 알맞은 한자어를 쓰세요.

- **예의염치(禮** 예도 예. **義** 옳을 의. **廉** 청렴할 염. **恥** 부끄러울 치.**)** 예절, 마땅히 지켜야 할 도리, 깨끗한 성품, 부끄러움을 아는 태도.
- **남존여비(男** 남자 남. **尊** 높을 존. **女** 여자 여. **卑** 낮을 비.**)** 사회적 지위나 권리에 있어 남자를 여자보다 우대하고 존중하는 일.

(1) '장끼전'은 [　][　][　][　]의 잘못된 풍습이 남아 있는 사회에서 남성이 얼마나 못나고 무모한 고집만 부리는지 비꼬아 비판하고자 하였다.

(2) 성품이 막되어 [　][　][　][　]를 모르며, 일정한 소속이나 직업이 없이 불량한 짓을 하며 돌아다니는 사람을 '무뢰한'이라 한다.

공부 날짜 [　]월 [　]일
푸는데 걸린 시간 [　]분

맞은 개수 써보기

독해	개/7개	어휘	개/8개

7주 34회
해설편 17쪽

35

이야기를 품고 있는 시는 이야기를 이해하고 감상할 때와 비슷한 방법으로 읽어요. 누가 어떤 일을 겪었는가, 그런 일을 겪으면서 느낌이나 생각이 어떻게 변해 가는가? 언제 어디서 그런 일을 겪었는가? 이렇게 항목을 지어서 내용을 정리해요.

1. 15점 2. 15점 3. 10점 4. 15점 5. 15점 6. 15점 7. 15점

자전거 잃어버린 지
일주일이 지나도
나는 잃어버린 자리를
날마다 찾아간다.

자전거 처음 살 때보다
더 설레며 갔다가
잃어버렸을 때보다
더 기운 없이 돌아온다.

내게 길들어
내 몸처럼 편안했는데,
녹슬어도 찌그러져도
힘차게 달렸는데.

함께 달리던 길을
혼자 걸어서 돌아오며
훔쳐 간 사람한테 욕한다.
그러다 얼른 마음을 고쳐먹는다.

내일이라도 다시 제자리에
가져다 놓으려던 그 사람이
영영 갖다 놓지 않을 것 같아
속으로도 욕하지 않기로 했다.

1

주제찾기

시에서 말하는 사람의 중심 생각은 무엇입니까? ( )

① 자전거를 잃어버리고 실망한다.
② 잃어버린 자전거를 꼭 찾고 싶다.
③ 돌려받을 길 없는 자전거를 포기한다.
④ 자전거를 훔쳐간 사람을 떠올리며 원망한다.
⑤ 앞으로 또 다시 자전거를 잃어버릴까 봐 두려워한다.

2

제목찾기

시에서 말하는 사람이 원하는 상황을 넣어 제목을 5자로 써보세요.

3

사실이해

시에서 말하는 사람이 겪은 일은 무엇입니까? ( )

① 일주일 전에 자전거를 잃어버렸다.
② 자전거를 처음 살 때 얼이 빠져있었다.
③ 자전거가 내 몸에 잘 맞지 않아 애를 먹었다.
④ 자전거와 함께 달리다 가끔 혼자 집에 돌아왔다.
⑤ 자전거를 훔쳐간 사람이 나를 찾아와 용서를 빌었다.

7주 35회

해설편 18쪽

4

미루어알기

시에서 말하는 사람의 마음을 가장 적절하게 표현한 것을 고르세요. ( )

① 미워한다.
② 무서워한다.
③ 조바심친다.
④ 신기해한다.
⑤ 부끄러워한다.

5 세부내용

시의 모양에 나타난 특징은 무엇입니까? ( )

① 모든 연이 4행씩으로 되어 있다.
② 행을 차지한 말의 마디가 넷이다.
③ 연을 차지한 말의 마디가 여덟이다.
④ 행의 말마디와 연의 말마디가 일치한다.
⑤ 연을 차지한 행의 수가 3 또는 4로 되어 있다.

6 적용하기

이 시를 이야기로 바꾸어 써보았습니다. 반드시 들어가야 할 화자의 경험을 한 문장으로 나타낸 다음 문장의 빈칸을 채우세요.

⇨ 내게 □□□ 내 몸처럼 편안했던 □□□를 □ □□□□.

7 요약하기

시의 내용을 아래와 같이 셋으로 묶어 정리했습니다. 빈칸에 알맞은 낱말을 쓰세요.

잃어버린 ① □□□를 찾으러 갔지만 빈손으로 돌아옴.

⇩

내게 길들어 ② □□했던 자전거.

⇩

자전거를 가져간 사람을 ③ □하지 않기로 함.

어휘 넓히기

뜻 **낱말의 뜻풀이로 알맞은 것을 보기 에서 골라 괄호 안에 기호를 쓰세요.**

(1) 잃어버리다 (　　　)
(2) 찾아가다 (　　　)
(3) 고쳐먹다 (　　　)

보기
㉠ 볼일을 보거나 특정한 사람을 만나기 위하여 그와 관련된 곳으로 가다.
㉡ 다른 마음을 가지거나 달리 생각하다.
㉢ 가졌던 물건이 자신도 모르게 없어져 그것을 아주 갖지 아니하게 되다.

다지기 **아래 문장의 설명에 알맞은 낱말을 보기 에서 찾아 쓰세요.**

보기
고쳐먹었다　　잃어버렸다　　찾아가겠다

(1) 자전거가 없어져서 웃음도, 입맛도 □□□□□.
(2) 욕하려고 했지만 얼른 마음을 □□□□□.
(3) 돌려주기만 한다면 어디라도 □□□□□.

넓히기 **다음 한자어의 구성과 뜻을 알아보고, 빈칸에 알맞은 한자어를 쓰세요.**

- **기대(期** 바랄 기. **待** 기다릴 대.) 어떤 일이 원하는 대로 이루어지기를 바라면서 기다림.
- **실망(失** 잃을 실. **望** 바랄 망.) 또는 바라던 일이 뜻대로 되지 아니하여 마음이 몹시 상함.

(1) 자전거를 찾을 수 있으리라는 □□를 가지고 갔다.
(2) 자전거를 아직 못 찾았지만 □□하지 않고, 돌아오길 기다린다.

공부 날짜 　　월 　　일
푸는데 걸린 시간 　　분

맞은 개수 써보기

독해	개/7개	어휘	개/8개

7주 35회
해설편 18쪽

어휘·어법 총정리

7주차

보기 의 낱말을 보고, 뜻과 어울리는 것을 골라 아래의 빈칸에 써보세요.

보기			
자락	어리다	거세다	오곡(五穀)
질식(窒息)하다	억제(抑制)하다	온화(溫和)하다	

1. 사물의 기세 따위가 몹시 거칠고 세차다. 성격 따위가 거칠고 억세다.
2. 옷이나 이불 따위의 아래로 드리운 넓은 조각. 논밭이나 산 따위의 넓은 부분. 넓게 퍼진 안개나 구름, 어둠 따위.
3. 눈에 눈물이 조금 괴다. 어떤 현상, 기운, 추억 따위가 배어 있거나 은근히 드러나다. 빛이나 그림자, 모습 따위가 희미하게 비치다.
4. 숨통이 막히거나 산소가 부족하여 숨이 쉬어지지 아니하다. 숨이 막히다.
5. 다섯 가지 중요한 곡식. 쌀, 보리, 콩, 조, 기장을 이른다.
6. 날씨가 맑고 따뜻하며 바람이 부드럽다. 사람의 성격, 태도 따위가 온순하고 부드럽다.
7. 감정이나 욕망, 충동적 행동 따위를 내리눌러서 그치게 하다.

어법

다음 중 맞춤법에 맞는 것을 골라 동그라미 하세요.

1. 회복이 [되요 / 돼요].
2. [헤아릴 / 해아릴] 수 없는 별.
3. 설사를 억지로 [멎게 / 멋게] 한다.
4. [뭉개구름 / 뭉게구름 / 뭉계구름]
5. [메주 / 매주]에 핀 곰팡이.
6. 표정이 잘 [드러나지 / 들어나지] 않다.
7. [볏집더미 / 볏짚더미].
8. [이남하도 / 이나마도] 감지덕지다.

확인

나의 점수 확인하기

어휘	개 / 7개	어법	개 / 8개

8주차

회차 / 영역	제목	계획 및 점검
36 인문|논설문	동물 실험의 필요성 • 나는 [ ] 월 [ ] 일 [ ] 시에 공부할 것입니다.	• 독해력에서 나의 점수는 [ ] 점입니다. • 어휘력에서 맞은 문제수는 [ ] 개/7개 입니다. • 어려웠던 문제는 ______ 번입니다.
37 사회|논설문	세계화와 우리의 역할 • 나는 [ ] 월 [ ] 일 [ ] 시에 공부할 것입니다.	• 독해력에서 나의 점수는 [ ] 점입니다. • 어휘력에서 맞은 문제수는 [ ] 개/7개 입니다. • 어려웠던 문제는 ______ 번입니다.
38 과학|설명문	생태계의 구성 요소 • 나는 [ ] 월 [ ] 일 [ ] 시에 공부할 것입니다.	• 독해력에서 나의 점수는 [ ] 점입니다. • 어휘력에서 맞은 문제수는 [ ] 개/8개 입니다. • 어려웠던 문제는 ______ 번입니다.
39 산문문학|이야기	어부지리 / 형설지공 • 나는 [ ] 월 [ ] 일 [ ] 시에 공부할 것입니다.	• 독해력에서 나의 점수는 [ ] 점입니다. • 어휘력에서 맞은 문제수는 [ ] 개/8개 입니다. • 어려웠던 문제는 ______ 번입니다.
40 운문문학|시	오우가 • 나는 [ ] 월 [ ] 일 [ ] 시에 공부할 것입니다.	• 독해력에서 나의 점수는 [ ] 점입니다. • 어휘력에서 맞은 문제수는 [ ] 개/6개 입니다. • 어려웠던 문제는 ______ 번입니다.

• 이번 주 독해력 문제에서 나의 점수는 평균 [ ] 점입니다.

• 이번 주 어휘력에서 맞은 문제수는 모두 [ ] 개입니다.

36

동물 실험을 두고 찬성과 반대의 주장을 내세울 수 있습니다. 서로 맞서는 주장을 내세우면서 편을 갈라 토론을 할 수 있습니다. 어느 쪽의 주장을 내세우든, 주장 자체보다는 그 주장을 뒷받침하는 구체적인 내용이 훨씬 중요합니다.

1. 10점 2. 15점 3. 15점 4. 15점 5. 15점 6. 15점 7. 15점

(가) 동물 실험이란 과학적 목적을 위하여 동물을 대상으로 행하는 실험을 말한다. 동물 실험을 거쳐 이루어지는 신약 개발은 국가 경제에 중요한 영향을 미칠 뿐만 아니라 인간의 생명과도 직접 관련된다.

그렇다면 신약 개발을 위한 동물 실험은 왜 필요할까?

첫째, 신약을 개발하면서 나타날 수 있는 부작용에 대하여 연구할 수 있기 때문이다. 새롭게 개발된 약은 사람들의 질병을 치료하는 긍정적인 효과와 함께 부정적인 효과, 즉 부작용도 있다. 따라서 새로 개발한 약을 질병 치료약으로 보급하기 위해서는 그 약이 사람에게 해롭지 않다는 것을 증명하여야 한다. 이를 검증하기 위해서는 여러 번의 실험이 필요하다. 이때 사람에게 직접 실험하게 되면 많은 사람이 고통을 받거나 심지어는 목숨을 잃게 될 수도 있다. 이 과정에서 동물을 대상으로 실험함으로써 많은 사람이 안전하게 약을 섭취할 수 있게 된다.

둘째, 동물 실험을 통하여 질병을 예방하고 치료법을 개발하여 더 많은 생명을 살릴 수 있기 때문이다. 과거에 진행된 여러 동물 실험이 있었기에 과학자들은 다양한 질병에 대하여 알게 되었고, 치료법을 발전하여 많은 생명을 구할 수 있었다. 예를 들면, 동물 실험을 통하여 소아마비, 결핵, 풍진, 홍역 등 치명적인 질병들을 예방하는 백신이 개발되었다.

만약 최소한의 범위에서조차 동물 실험을 허용하지 않는다면 더 이상의 의학 발전은 기대하기 어려울지도 모른다. 또, 다가오는 질병의 위험에 대처하지 못할 수도 있다. 동물 보호를 명목으로 동물 실험을 시도조차 하지 않는다면 질병으로 인하여 사람들의 생명을 잃는 일이 더욱 증가하게 될 것이다.

(나) 우주 개발을 위한 동물 실험을 반대하는 입장도 있다. 동물 보호 단체에서는 사람들이 우주 개발을 위하여 동물에게 마구잡이로 생체 실험을 한다고 비판한다. 우주 개발을 위하여 새끼를 밴 동물들을 우주로 보내거나, 위험한 우주 광선에 일부러 동물들을 노출시키는 등 사람에게는 행할 수 없는 우주 실험을 동물에게도 허용해서는

안 된다고 주장한다.

예를 들면, 우주 탐사를 위하여 스푸트니크 2호에 탑승하였던 개인 라이카의 경우를 생각하여 볼 수 있다. 당시 언론은 라이카가 일주일 동안 우주 공간에서 생존하다가 미리 설치한 장치로 약물이 주입되어 고통 없이 생을 마쳤다고 발표하였다. 그러나 이 발표는 몇 십 년이 지난 뒤 새롭게 공개된 뜻밖의 자료에 의하여 거짓으로 판명되었다. 사실 라이카는 우주선의 가속도와 뜨거운 열을 견디지 못하고 고통과 공포 속에서 버티다가 결국 몇 시간 만에 죽고 말았다는 것이다. 동물의 목숨이 사람보다 가볍다고만은 할 수 없음에도 동물의 죽음은 별로 신경 쓰지 않고 동물 실험이 이루어지고 있다.

우주에서 생명체가 살 수 있는지에 대한 연구가 동물을 대상으로 한 생체 실험으로 이루어져도 그 결과가 사람에게 똑같이 적용된다고 보기 어렵다. 사람과 동물은 신체 구조가 다르기 때문이다. 그러므로 우주 개발이나 과학 발전이라는 목적을 달성하기 위하여 죄 없는 동물들이 생체 실험의 대상으로 죽어가는 일은 없도록 해야 한다.

1 주제찾기

(가)와 (나)는 모두 어떤 물음에 대해 답한 글입니까? ( )

① 동물 실험은 반드시 해야 하는가?
② 신약 개발은 삶에 어떤 보탬이 되는가?
③ 동물 실험이 질병을 예방하고 치료하는가?
④ 우주 개발을 위해서 어떤 동물이 활용되었는가?
⑤ 동물이 우주 공간에서 보일 반응을 예측할 수 있는가?

2 글감찾기

(가), (나)의 공통 글감을 글에서 찾아 쓰세요.

( )

3 사실이해

(가)와 (나)의 내용을 잘못 파악한 것을 고르세요. ( )

① (가)–동물 실험은 과학적 목적이 있다.
② (가)–신약 개발은 경제적인 이익을 가져온다.
③ (가)–신약 개발 과정에서 사람이 위험해질 수 있다.
④ (나)–동물에게 마구잡이로 생체실험을 한다는 비판이 있다.
⑤ (나)–개는 우주선의 가속도와 뜨거운 열을 견디다가 굶어죽었다.

8주 36회

해설편 18쪽

4 미루어알기

동물 실험을 감행하는 사람들이 내세우는 주장의 근거는 무엇이라고 할 수 있습니까? ( )

① 과학과 기술의 발전을 촉진한다.
② 사람들의 삶을 안전하고 편리하게 한다.
③ 사람이 할 수 없는 일을 대신 하도록 한다.
④ 미래에 닥칠지도 모를 위협에 미리 대응한다.
⑤ 실험의 결과가 사람에게 똑같이 적용되도록 한다.

5 세부내용

(가)에서 주장을, (나)에서 근거를 제시하는 방법을 알려주는 표현을 순서대로 늘어 놓은 것은 어느 것입니까? ( )

① 그렇다면-입장도 있다.
② 첫째-예를 들면
③ 따라서-당시 언론은
④ 왜 필요할까?-예를 들면
⑤ 만약-이루어지고 있다.

6 적용하기

다음 주장에 대한 반론을 한 문장으로 쓰세요.

사람과 동물은 신체 구조가 다르기 때문에, 사람을 위한다는 명목으로 동물의 생체 실험을 실행해서는 안 된다.

( )

7 요약하기

(가)와 (나)의 주장을 각각 한 문장으로 나타냈습니다. 빈칸을 채우세요.

(가) 신약 개발을 위해 □□ □□이 □□하다.

(나) 우주 개발을 위한 □□ □□을 □□한다.

어휘 넓히기

뜻

낱말의 뜻풀이로 알맞은 것을 보기에서 골라 괄호 안에 기호를 쓰세요.

(1) 대(對)하다 (   )
(2) 위(爲)하다 (   )

보기
㉠ 대상이나 상대로 삼다. 주로 '~에 대한, 대하여(대해)'의 꼴로 쓴다.
㉡ 어떤 목적을 이루려고 하다. 주로 '~기 위한, 위하여(위해)'의 꼴로 쓴다.

다지기

아래 문장의 빈칸에 알맞은 낱말을 보기에서 찾아 쓰세요.

보기
위해　　대한

(1) 재산을 혼자 차지하기 ☐☐ 수단 방법을 가리지 않고 행동한다.
(2) 세계적으로 우수한 문자인 한글에 ☐☐ 관심이 점점 높아지고 있다.

넓히기

다음 한자어의 구성과 뜻을 알아보고, 빈칸에 알맞은 한자어를 쓰세요.

- **동물 실험**(**動** 움직일 동. **物** 물건 물. **實** 열매 실. **驗** 시험 험.) 과학적인 목적으로 토끼, 원숭이, 개, 쥐, 고양이 따위의 동물에게 행하는 시험.
- **신약 개발**(**新** 새 신. **藥** 약 약. **開** 열 개. **發** 필 발.) 없었던 새로운 약의 개발.
- **우주 개발**(**宇** 집 우. **宙** 집 주. **開** 열 개. **發** 필 발.) 로켓, 인공위성 따위를 이용하여서 지구를 비롯한 여러 천체를 조사하고 연구하여 인류의 생활에 도움이 되는 기술을 개발하는 일.

(1) 연구팀이 개발한 코로나19 치료약은 ☐☐ ☐☐을 모두 마쳤다.
(2) 우리나라도 앞으로 ☐☐ ☐☐ 경쟁에 적극적으로 나서야 한다.
(3) ☐☐ ☐☐은 백혈병을 앓고 있는 사람들에게 반가운 소식이다.

8주 36회

해설편 18쪽

시간

공부 날짜 ☐ 월 ☐ 일

푸는데 걸린 시간 ☐ 분

확인

맞은 개수 써보기

독해	☐ 개/7개	어휘	☐ 개/7개

37

세계화의 좋은 점과 나쁜 점을 모두 설명했다면 내용의 중심이 어디에 놓인다고 보아야 할까요? 글쓴이의 생각이 담긴 문장이 어느 한쪽에 있다면 그쪽에 중심이 놓인다고 보아야 하겠죠. 그렇지 않다면, 다룬 분량이 많은 쪽이 중심이라고 볼 수 있어요.

점수 계산	1. 15점	2. 15점	3. 15점	4. 15점	5. 10점	6. 15점	7. 15점

옛날엔 외국에 나가는 게 흔치 않은 일이었어. 몇 십 년 전만 해도 해외여행을 할 수 있는 사람은 거의 없었지. 그런데 요즘은 해외여행도 많이 하고, 국내에 있는 외국인도 100만 명이 넘어서 이제 50명에 한 명이 외국인이야. 지구 반대편에서 일어나고 있는 일도 실시간으로 알 수 있으니 이젠 외국이라고 해도 멀게 느껴지지가 않아. 세계가 하나의 마을, 지구촌이 된 거지. 세계화란 세계가 점점 더 가까워지고 이전보다 훨씬 더 많은 영향을 서로 주고받게 되는 변화를 일컫는 말이야.

세계가 가까워진다는 말은 무슨 뜻일까? 가까워진다는 것은 그만큼 오고 가기가 쉬워지고, 소식을 전하기도 쉬워진다는 얘기야. 이처럼 세계가 서로 오가기 쉽고 소식을 전하기 쉬워진 것은 교통과 통신 기술이 크게 발달했기 때문이야. 즉 교통과 통신의 발달이 세계화를 가능하게 한 것이지. 교통수단이 발달하면서 이전에는 쉽게 갈 수 없었던 세계 곳곳을 쉽게 갈 수 있게 되었고, 또 직접 가지 않더라도 인터넷과 전화를 통하면 세계 여러 나라의 소식을 그 자리에서 바로 알 수 있게 되었어.

세계화가 되면 어떤 좋은 점들이 있을까? 첫째, ㉠세계를 무대로 활동할 수 있어. 우리나라는 인구에 비해 땅이 그리 넓지 않은 나라야. 하지만 지구촌 시대가 되면서 우리 국토의 범위를 넘어 활동을 넓혀 갈 수 있게 되었어. 둘째, 세계화가 되면 경우에 따라 경제적인 이익을 더 많이 얻을 수도 있어. 예를 들어 인건비가 싼 중국이나 동남아시아에 공장을 지으면, 보다 적은 비용으로 물건을 만들어서 이익을 더 많이 남길 수 있겠지? 셋째, 세계화가 되어 세계 각국의 다양하고 좋은 문화를 접하면 사회가 더욱 발전할 수 있어. 무조건 자기 것만 고집하면, 사회가 폐쇄적인 분위기가 되고 좋지 않은 관습도 계속 지키게 되거든. 넷째, 지구촌 문제를 해결하기 위해서 함께 노력할 수 있어. 오존층 파괴, 지구 온난화 같은 환경 문제는 한 나라에서만 발생하는 것이 아니고 한 나라의 노력만으로는 해결할 수 없는 문제야.

세계화가 진행되면서 나타나는 여러 가지 변화들에는 나쁜 점도 있어. 첫째, 세계화는 여러 문화를 접하는 통로가 되기도 하지만, 선진국의 문화를 일방적으로 전달하는 수단이 되기도 해. 극장에 가 보면 외국 영화는 미국이나 중국, 유럽 영화 정도뿐이잖아? 동남아시아나 아프리카와 같은 제3세계의 영화는 거의 찾아볼 수가 없어. 세계화 시대라면 다양한 나라의 영화를 볼 수 있어야 할 것 같은데 말이야. 못사는 나라의 문화가 선진국의 문화에 가려 사라져 버리는 거야. 둘째, 경제적인 불평등이 더욱 커질 수 있어. 세계화를 통해 경제적 이익이 커질 수 있어. 그렇지만 그 이익이 공평하게 돌아가지 않는다면 어떻게 될까? 예를 들어, 수출을 통해서 번 돈을 몇몇 기업만 나눠 가진다고 생각해 봐. 기업은 돈을 벌었지만 국민들은 여전히 가난하겠지. 그리고 나라 간에도 차이가 있어. 강대국은 더욱 부강해지는 반면 약소국의 발전이 더딘 것도 해결해야 할 문제야.

세계화를 반대하는 사람들의 모임도 있는데, 대표적으로 세계사회포럼이 있어. 이 모임은 세계경제포럼이 선진국 위주의 모임이며 저개발국과 빈곤국가의 관점을 철저히 외면한다고 비판하면서 세계화에 반대하는 각국의 운동가들의 모임이야. 이들의 주요 의제는 부의 집중, 빈곤의 세계화, 지구 환경 파괴를 앞당기는 다보스포럼을 중단시키는 것이야.

1 주제찾기

글의 중심 내용은 무엇입니까? ( )

① 세계화와 더불어 세계가 점점 가까워지고 있다.
② 교통 통신에 의해 영향을 주고받는 나라가 많아지고 있다.
③ 멀리 떨어진 나라의 사람들도 내 이웃처럼 지낼 수 있게 되었다.
④ 세계화가 되면 지구촌 문제를 해결하기 위해 여러 나라가 협력해야 한다.
⑤ 교통 통신의 발달로 세계화가 점점 빨라지고 있으나 좋은 점도, 나쁜 점도 있다.

2 글감찾기

글감을 글에서 찾아 한 낱말로 쓰세요.

( )

3 사실이해

글에서 다루지 않은 것은 어느 것입니까? ( )

① 세계화의 개념
② 세계화가 가능해진 배경
③ 세계화의 부작용을 피하는 방법
④ 세계화가 되면 좋은 점
⑤ 세계화의 나쁜 점

해설편 19쪽

4
미루어알기

세계화의 나쁜 영향을 피하기 위한 방법으로 적절한 것을 고르세요. ( )

① 전파력이 강한 대중문화의 확산을 위해 노력한다.
② 경제 성장에 박차를 가해 입지를 튼튼하게 다져나간다.
③ 환경 문제의 해결에 앞장서기 위해 국제회의를 자주 열도록 한다.
④ 열린 마음으로 다른 문화를 인정하고 공평한 이익을 위해 노력한다.
⑤ 세계화의 이익을 위해 자기나라를 알리는 국제적인 활동에 함께 참여한다.

5
세부내용

㉠에 의해 떠올릴 수 있는 것은 무엇입니까? ( )

① 한류의 확산
② 간편해진 해외여행
③ 늘어나는 외국 관광객
④ 우리나라 제품의 다양화
⑤ 외국에서 시도되는 상품 광고

6
적용하기

글의 내용을 바탕으로 다음 사례에 대한 생각을 완성하세요.

인도네시아 찌아찌아 부족이 사용하는 언어에는 문자가 없었지만, 한국과의 교류를 통해 자신들이 가지지 못한 문자를 한글에서 빌려와 자신들의 언어를 표기하며, 이를 통해 이들은 그들의 고유한 언어를 기록하고 배울 수 있으며 유지할 수 있게 되었다.

⇨ 우리 문화를 □□□하면서 다른 나라의 □□ □□에 도움을 줄 수 있다.

7
요약하기

세계화의 긍정적 영향과 부정적 영향을 표로 정리했습니다. 빈칸을 채우세요.

긍정적 영향	부정적 영향
① □□□ 이익을 더 많이 얻을 수 있다. 다양한 ② □□를 접하여 사회를 발전시킬 수 있다. 지구촌 문제의 해결을 위해 함께 노력할 수 있다.	약자의 ③ □□가 사라질 수 있다. 경제적 ④ □□□이 더 커질 수 있다.

어휘 넓히기

뜻

낱말의 뜻풀이로 알맞은 것을 보기 에서 골라 괄호 안에 기호를 쓰세요.

(1) 멀어지다 (   )

(2) 쉬워지다 (   )

보기
㉠ 어렵거나 힘들지 않게 되다. '쉽다'에서 온 말이다. 반대말은 '어려워지다'.
㉡ 거리가 많이 떨어지게 되다. '멀다'에서 온 말이다. 반대말은 '가까워지다'.

다지기

아래 문장의 빈칸에 알맞은 낱말을 보기 에서 찾아 쓰세요.

보기
멀어진다   쉬워졌다

(1) 친구라도 자주 만나서 이야기를 나누지 않으면 사이가 ☐☐☐☐.

(2) 교통 · 통신의 발달로 다른 나라 사람들과 정보를 주고받기가 ☐☐☐☐.

넓히기

다음 한자어의 구성과 뜻을 알아보고, 빈칸에 알맞은 한자어를 쓰세요.

- **세계화(世** 인간 세. **界** 지경 계. **化** 될 화.) 세계 여러 나라를 이해하고 받아들임. 또는 그렇게 되게 함.
- **다양성(多** 많을 다. **樣** 모양 양. **性** 성질 성.) 모양, 빛깔, 형태, 양식 따위가 여러 가지로 많은 특성.
- **불평등(不** 아닐 불. **平** 고를 평. **等** 무리 등.) 차별이 있어 고르지 아니함.

(1) 서구 문화 중심의 세계화는 문화의 ☐☐☐을 해칠 수 있다.

(2) 한국 문화의 ☐☐☐를 위하여 한류를 적극적으로 활용하여야 한다.

(3) 세계화에서 생긴 이익이 고루 나누어지지 않으면 ☐☐☐이 심해진다.

시간 공부 날짜 ☐ 월 ☐ 일
푸는데 걸린 시간 ☐ 분

확인 맞은 개수 써보기

독해	개/7개	어휘	개/7개

8주 37회

해설편 19쪽

38

과학적인 탐구 과목에서 가장 자주 마주치게 되는 낱말 중의 하나가 '생태계'예요. 사전에는 '생물들이 살아가는 세계'라고 풀어놓았어요. 이 말은 워낙 자주 나타날 것이므로 이 말이 나오는 글은 내용을 잘 정리하면서 읽어두어야 해요.

1.  15점 2. 15점 3. 15점 4. 15점 5. 10점 6. 15점 7. 15점

사람은 음식물을 먹어야 살지만, 토끼풀이나 소나무와 같은 식물은 광합성을 해서 스스로 몸에 필요한 양분을 만들어 살아가. 이렇게 식물이 만들어 낸 양분을 사람과 동물이 먹고 살지. 그래서 식물을 '생산자'라고 불러. 식물은 또 광합성을 할 때 산소를 내뿜어 동물의 산소 호흡을 돕고 있어.

스스로 양분을 만들지 못하기 때문에 식물이나 다른 생물을 먹어야만 살 수 있는 동물을 '소비자'라고 해. 그중에서 풀이나 나뭇잎을 먹는 초식 동물을 1차 소비자라고 하고, 다른 동물을 먹는 육식 동물을 2차 소비자라고 해. 2차 소비자는 다시 3차 소비자인 더 강한 육식 동물에게 먹히게 되지. 세균, 버섯, 곰팡이와 같이 죽은 동식물의 몸을 먹거나 분해하는 미생물을 '분해자'라고 해. 죽은 생물의 몸은 분해자에 의해 분해되어 식물의 거름이 되지.

생태계에서는 생물과 생물, 생물과 환경이 서로 적응하며 조화롭게 살고 있어. 연못 생태계를 예로 들어 볼까? 연못에 사는 식물은 물고기의 먹이가 되고, 곤충과 물고기를 위험으로부터 보호해 주지. 연꽃 같은 식물은 더러운 물을 깨끗하게 해 주기도 해. 그리고 연못을 비추는 햇빛은 물풀이 잘 자랄 수 있게 해 주지. 이렇게 생태계를 이루는 생물의 종류와 수가 급격히 변하지 않고 안정된 상태를 유지하는 것을 '생태계의 평형'이라고 해.

안정된 생태계는 평형을 유지하고 조절하는 능력을 가지고 있어. 하지만 변화가 지나치게 심하면 생태계는 회복되지 못하고 평형이 깨지게 돼. 생태계의 평형이 깨지는 요인에는 가뭄, 홍수, 태풍, 지진, 산불 등과 같은 자연적인 요인과, ㉠ 귀화 생물에 의한 요인, 그리고 댐, 도로, 골프장 건설 등과 같이 사람에 의한 요인이 있어. 한 번 파괴된 생태계가 회복되는 데에는 오랜 시간과 많은 노력이 필요해.

다양한 생물이 살며 생물과 생물, 생물과 무생물이 상호 작용하며 균형을 이룰 때 생태계의 평형이 유지될 수 있어. 안정된 생태계는 스스로 평형을 유지하고 조절하는 능력을 가지고 있지. 우리는 생태계를 보전하기 위하여 환경을 깨끗하게 하고 훼손된 환경을 되돌리기 위해 노력해야 해. 이때 가장 중요한 것은 환경을 사랑하는 마음과 모든 생명체는 함께 살아가야 한다는 생각이란다.

1 주제찾기

글의 주제문으로 적절한 것을 찾으세요. ( )

① 인간은 생태계를 파괴하는 중심에 서 있다.
② 우리는 생태계 보전을 위해 꾸준히 노력해야 한다.
③ 사람, 식물, 동물, 무생물은 상호 작용을 하는 관계이다.
④ 생명이 살아가기에 가장 적합한 행성이 지구임을 알아야 한다.
⑤ 우리의 후손은 생명체가 함께 살아가야 한다는 생각을 가져야 한다.

2 제목찾기

글의 제목을 붙이세요.

( )

3 사실이해

글의 내용과 거리가 먼 것은 어느 것입니까? ( )

① 안정된 생태계는 평형 유지 능력이 있다.
② 녹색 식물은 광합성을 할 때 산소를 내뿜는다.
③ 동물은 식물이나 다른 생물을 먹어야 살 수 있다.
④ 세균, 곰팡이 등의 미생물은 죽은 생물을 분해한다.
⑤ 생태계는 변화가 심하더라도 시간이 지나면 회복한다.

4 미루어알기

글의 내용을 바탕으로 이끌어 낸 생각으로 적절한 것을 고르세요. ( )

① 지구 생태계가 파괴되면 모든 생명체가 사라지게 된다.
② 식물이 사람을 비롯한 다른 동물의 생존에 큰 영향을 준다.
③ 생태계는 상위 '소비자'의 수가 줄어들수록 크게 번성하게 된다.
④ 생물의 종류와 수가 변하지 않으면 생태계에 노화가 일어날 수 있다.
⑤ 생태계의 평형은 주로 가뭄, 홍수, 지진, 태풍 등에 의해 깨어지게 된다.

8주 38회

해설편 19쪽

5 세부내용

㉠에 속하지 않는 것은 어느 것입니까? ( )

① 가물치
② 황소개구리
③ 블루길
④ 뉴트리아
⑤ 베스

6 적용하기

글의 내용을 참고하여, 아래의 물음에 대한 답을 완성하세요.

미국 과학자들은 화성이나 달에 생물이 살 수 있는 기지를 만들 수 있을지 알아보려고, 바이오스피어라는 인공 생태계를 만들었어. 이곳에는 4000종의 동물과 식물, 그리고 4명의 사람들이 들어가 살았는데 2년 만에 실험을 중단했다고 해. 왜 그랬을까?

⇨ 예상하지 못한 심한 변화가 생겨 ☐☐☐의 ☐☐이 깨어졌기 때문이다.

7 요약하기

글의 주요 내용을 아래의 세 항목으로 간추렸습니다. 빈칸에 알맞은 낱말을 글에서 찾아 쓰세요.

생태계에서 생산자, 소비자, 분해자, 환경이 조화롭게 살면서 안정된 상태를 유지하는 것을 '생태계의 ① ☐☐'이라고 한다.

⇩

② ☐☐☐인 요인, 귀화 생물에 의한 요인, 인위적인 요인 등에 의해 생태계가 파괴될 수 있다.

⇩

생태계를 안정된 상태로 보전하기 위해 ③ ☐☐을 사랑하는 마음과 모든 생명체는 함께 살아가야 한다는 생각을 가져야 한다.

어휘 넓히기

뜻

낱말의 뜻풀이로 알맞은 것을 보기 에서 골라 괄호 안에 기호를 쓰세요.

(1) 말다 (　　)
(2) 못하다 (　　)
(3) 아니하다 (　　)

보기
㉠ 어떤 일을 일정한 수준에 못 미치게 하거나, 그 일을 할 능력이 없다.
㉡ 앞말이 뜻하는 행동을 하지 못하게 함을 나타내는 말. 주로 '~지 말아라. 말자. 맙시다'의 꼴로 쓴다.
㉢ 앞말이 뜻하는 행동을 부정하는 뜻을 나타내는 말.

다지기

아래 문장의 빈칸에 알맞은 낱말을 보기 에서 찾아 쓰세요.

보기
못한다　　맙시다

(1) 나이가 어려서 아직 농사짓지 □□□고 말했다.
(2) 제 한 몸밖에 모르는 녀석의 집에는 가지 □□□.

넓히기

다음 한자어의 구성과 뜻을 알아보고, 빈칸에 알맞은 한자어를 쓰세요.

- **광합성(光** 빛 광. **合** 합할 합. **成** 이룰 성.**)** 녹색식물이 빛 에너지를 이용하여 이산화 탄소와 수분으로 유기물을 합성하는 과정.
- **미생물(微** 작을 미. **生** 날 생. **物** 물건 물.**)** 눈으로는 볼 수 없는 아주 작은 생물. 보통 세균, 효모, 원생동물 따위를 이른다.
- **생태계(生** 날 생. **態** 모양 태. **系** 묶을 계.**)** 생물과 생물, 생물과 환경이 서로 적응하며 조화롭게 살고 있는 체계.

(1) 무분별한 자연 개발은 □□□를 뒤흔들어 재앙을 불러올 수도 있다.
(2) 식물들은 햇빛을 받아 □□□을 하여 양분을 만들어 살아간다.
(3) □□□을 이용하여 쓰레기를 공해 없이 처리하는 기술을 개발하였다.

8주 38회

해설편 19쪽

시간 공부 날짜 　월 　일
푸는데 걸린 시간 　분

확인 맞은 개수 써보기

독해	개/7개	어휘	개/8개

39

옛날이야기로부터 만들어져서 사람들이 자주 쓰는 말을 '고사성어(故事成語)'라고 해요. 이런 말은 대개 중국에서 만들어진 것이죠. 이야기에 등장하는 인물이나, 배경은 사실이지만, 벌어진 일은 꾸며진 것이 많아요. 가르침이나 깨달음을 주기 위해서이죠.

1. 15점 2. 15점 3. 15점 4. 15점 5. 10점 6. 15점 7. 15점

(가) 옛날, 중국이 여러 나라로 나누어져 있을 때의 일입니다. 연나라는 남쪽으로 제나라, 서쪽으로 조나라와 국경을 맞대고 있었는데 항상 두 나라의 위협을 받고 있었습니다. 연나라가 제나라와 전쟁 중이던 어느 해, 연나라에 흉년이 들었습니다. 그러자 조나라는 이를 기회로 삼아 연나라를 침략하려고 하였습니다. 연나라는 제나라와 전쟁 중이어서 어떻게든 조나라와의 전쟁을 피하고 싶었습니다. 그래서 연나라의 왕은 소대라는 사람을 보내어 조나라의 왕을 설득하게 하였습니다. 소대는 조나라의 왕을 찾아가 말하였습니다.

"이번에 제가 이곳으로 오는 길에 역수를 건너다가 큰 조개 하나가 입을 벌리고 햇볕을 쬐는 광경을 보았습니다. 그런데 마침 황새 한 마리가 날아와 조개의 살을 쪼았습니다. 그러자 조개는 입을 다물어 황새의 주둥이를 물었습니다. 그때 황새가 말하였습니다. '오늘도 비가 오지 않고 내일도 비가 오지 않는다면 너는 말라 죽을 거야.' 이 말을 들은 조개는 황새에게 말하였습니다. '내가 오늘도 놓지 않고 내일도 놓지 않는다면 너야말로 굶어 죽고 말겠지.' 둘은 서로 양보하지 않고 싸웠습니다. 그때 마침 그곳을 지나던 어부가 그물로 둘을 모두 잡게 되었습니다. 연나라와 조나라가 서로 협력하지 않고 싸운다면 누구에게 이익이겠습니까? 이웃의 크고 강한 진나라가 이득이 아니겠습니까? 이것은 마치 조개와 황새가 서로 다투다가 어부에게 잡히는 형상이라고 할 수 있습니다."

(나) 중국 진나라 차윤은 밤에도 책을 읽고 싶었지만 넉넉지 않은 살림에 좀처럼 기름 살 돈이 생기지 않았어요. 어느 날, 일이 늦게 끝나 캄캄한 밤중에 혼자 집으로 돌아오던 길이었어요. 풀숲을 지나는데 차윤의 발길에 놀란 반딧불이가 화르르 날아오르는 거예요. 반짝반짝 빛을 내며 수십 마리의 반딧불이가 날아오르자 주변이 대낮처럼 환하게 밝아졌어요. "옳거니! 그러면 되겠구나!" 차윤은 무릎을 탁 쳤어요. 그러고는 반딧불이를 자루에 담아 모으기 시작했어요. 그날 밤부터 차윤은 자루에 한가득 담긴 반딧불이를 등불 삼아 열심히 공부했고, 훗날 상서랑이라는 높은 벼슬까지 올랐답니다.

진나라에는 손강이라는 사람도 살았어요. 손강 역시 책을 좋아했지만 집안이 가난하기는 차윤과 마찬가지였어요. 기름 살 돈이 없어 밤이 되면 아무것도 할 수 없었어요. 손강은 답답한 마음에 방에서 나와 혼자 마당을 서성였어요. 저녁 내내 소복소복 내린 눈이 달빛에 반사되어 돌의 조그마한 무늬까지 보일 정도로 주변이 환했어요. "그래, 이 정도면 책에 있는 글자가 보이지 않을까?" 책을 가지고 나와 눈빛에 비추어 보니 글자가 제법 잘 보였어요. 추위와 싸워가며 열심히 공부한 결과 손강은 과거에 급제했고, 훗날 어사대부라는 높은 벼슬에 올랐답니다.

이렇듯 차윤과 손강처럼 어려운 처지에서도 열심히 공부하는 것을 두고 사람들은 '형설지공'이라고 부르게 되었어요.

1 주제찾기

(가)가 전하고자 한 교훈은 무엇입니까? ( )

① 황새와 조개가 싸우면 항상 사람이 노력 없이 이익을 얻는다.
② 두 사람이 싸우고 있는 사이에 엉뚱한 다른 사람이 이익을 얻는다.
③ 이웃한 두 나라 사이에 전쟁이 나면 멀리 있는 다른 나라가 번영한다.
④ 고생을 하면서 부지런하고 꾸준하게 공부하는 자세가 중요하다.
⑤ 가난하고 시끄러운 환경에서도 꿋꿋이 공부하여야 한다.

2 글감찾기

(가)와 (나)에서 이야깃거리로 끌어들인 글감을 모두 찾아 쓰세요.

((가) (나))

3 사실이해

(나)에 대한 설명으로 옳은 것은 어느 것입니까? ( )

① 비유에 의해 상황을 쉽고 생생하게 전달하였다.
② 이야기를 통해 새로운 말이 생긴 유래를 말하였다.
③ 사람이 자연으로부터 이익을 얻을 수 있음을 깨닫게 했다.
④ 옛날에는 양반들도 가난하여 불을 밝힐 기름을 구하기 어려웠다.
⑤ 비슷한 시기에 같은 나라에 살았던 두 선비의 출세 과정을 내용으로 삼았다.

8주 39회

해설편 20쪽

4 미루어알기

(가)와 (나)를 바르게 비교 대조한 내용을 찾으세요. ( )

① (가), (나) 모두 배경이 뚜렷하지 않다.
② (가), (나) 모두 사람의 일을 동물의 일로 비유했다.
③ (가)는 인물이 중심 내용이고 (나)는 사건이 중심 내용이다.
④ (가)는 나랏일에, (나)는 개개인의 삶에 초점을 맞추었다.
⑤ (가), (나) 모두 사건의 순서대로 내용을 전개했다.

5 세부내용

(가)와 (나)처럼 '옛날의 어떤 유래와 사건으로 만들어져 생활 속에서 널리 쓰이는 말'을 무엇이라고 합니까? ( )

① 고사성어(故事成語) ② 관용표현(慣用表現) ③ 속담격언(俗談格言)
④ 상용한자(常用漢子) ⑤ 한자숙어(漢字熟語)

6 적용하기

다음 뜻을 지니면서 에둘러 표현한 말을 (나)의 글에서 찾아 쓰세요.

① 마음이 유쾌하지 않고 우울하다. ② 갑자기 어떤 놀라운 사실을 알게 되었다.

(① ②)

7 요약하기

(가)와 (나)의 내용을 각각 간추렸습니다. 빈칸을 채워 완성하세요.

(가) 연나라를 ① ☐☐에, 조나라를 ② ☐☐에, 진나라를 ③ ☐☐에 각각 비유하여 연나라와 조나라와 싸우면 진나라가 ④ ☐☐☐☐(어부가 이익을 얻다.)하는 내용이다. (나) 진나라 차윤이 ⑤ ☐☐☐☐를 보아 그 불빛으로 글을 읽고, 손강이 ⑥ ☐☐에 비추어 글을 읽었다는 이야기로, 고생하면서 부지런하고 꾸준하게 공부하는 자세를 이르는 말로, ⑦ ☐☐☐☐(반딧불이와 눈과 함께 하는 노력)이라 한다.

어휘 넓히기

뜻 낱말의 뜻풀이로 알맞은 것을 보기 에서 골라 괄호 안에 기호를 쓰세요.

(1) 다투다 (　　　)
(2) 맞대다 (　　　)
(3) 모이다 (　　　)

보기
㉠ 한데 합쳐지다.
㉡ 의견이나 이해의 대립으로 서로 따지며 싸우다.
㉢ 서로 가깝게 마주 대하다.

다지기 아래 문장의 빈칸에 알맞은 낱말을 보기 에서 찾아 쓰세요.

보기
맞대어　　다투면　　모이는

(1) 연필 두 자루를 □□□ 긴 것을 골랐다.
(2) 온 가족이 한자리에 □□□ 추석 명절이 며칠 남지 않았다.
(3) 실력이 비슷한 둘이 □□□ 대개 승부가 잘 나지 않는다.

넓히기 다음 한자어의 구성과 뜻을 알아보고, 빈칸에 알맞은 한자어를 쓰세요.

- **방휼지쟁(蚌** 조개 방. **鷸** 도요새 휼. **之** 갈 지. **爭** 다툴 쟁.) 도요새가 조개와 다투다가 다 같이 어부에게 잡히고 말았다는 뜻으로, 대립하는 두 세력이 다투다가 결국은 구경하는 다른 사람에게 득을 주는 싸움을 비유적으로 이르는 말.
- **절차탁마(切** 끊을 절. **磋** 갈 차. **琢** 다듬을 탁. **磨** 갈 마.) 옥이나 돌 따위를 갈고 닦아서 빛을 낸다는 뜻으로, 부지런히 학문과 덕행을 닦음을 이르는 말.

(1) 실력을 쌓기 위해 □□□□를 게을리하지 않는 것은 뒷날의 영광을 위해서였다.
(2) 어부지리의 옛이야기는 원래는 도요새와 조개가 다투다가 둘 다 어부에게 잡히고 말았다는 내용의 □□□□의 옛이야기에서 비롯되었다.

8주 39회

해설편 20쪽

시간 공부 날짜 □월 □일
푸는데 걸린 시간 □분

확인 맞은 개수 써보기

독해	개/7개	어휘	개/8개

40

윤선도는 황진이, 정철과 더불어 조선시대 3대 시인으로 손꼽혀요. 우리말을 아름답게 곱게 다듬어 쓸 줄 알았기 때문이죠. 연시조 <오우가>는 벗으로 삼을 만한 다섯 가지 자연물을 읊었는데, 모두 본받을 만한 사람의 성품을 빗대어 표현했어요.

1. [15점] 2. [10점] 3. [15점] 4. [15점] 5. [15점] 6. [15점] 7. [15점]

나의 벗 몇인가 하니 물과 돌과 소나무 대나무라
동산에 달이 뜨니 그것 더욱 반갑구나
두어라 이 다섯밖에 또 더하면 무엇 하랴 〈제1수〉

따뜻하면 꽃이 피고 추우면 잎 지는데
소나무여 너는 어찌 눈과 서리 모르느냐
땅 속까지 뿌리가 곧은 줄 그걸로 알겠구나 〈제4수〉

작은 것이 높이 떠서 온 세상 다 비추니
한밤중에 빛남이 너 만한 것 또 있느냐
보고도 말을 않으니 내 벗인가 하노라 〈제6수〉

1

주제찾기

시에서 말하는 사람의 모습으로 적절한 것을 찾으세요. ( )

① 동산에 뜬 보름달을 보고 기뻐한다.
② 자연과 벗하여 한가롭게 살아가고 있다.
③ 친구 다섯 사람과 더불어 단풍놀이를 간다.
④ 꽃이 피었다가 잎이 지는 소나무를 바라본다.
⑤ 친구에게 말을 붙였지만 대꾸가 없어서 외면한다.

2

글감찾기

시에서 말하는 사람이 벗으로 삼으려고 한 자연물들을 모두 찾아 쓰세요.

( )

3

사실이해

시의 표현에 나타난 공통된 특징은 무엇입니까? ( )

① 두 사람이 느낌을 주고받고 있다.
② 사물과 사람의 차이를 드러내고 있다.
③ 물음의 형식으로 말한 내용을 강조하고 있다.
④ 스스로 묻고 답하여 생각이 확실함을 보이고 있다.
⑤ 말꼬리를 물고 같거나 비슷한 말이 잇달아 나타나고 있다.

4

미루어알기

시에서 말하는 사람이 좋아했을 듯한 성품은 어느 것일까요? ( )

① 냉정하고 논리적인 성품
② 너그럽게 용서하는 성품
③ 순하고 남을 배려하는 성품
④ 곧고 원만하며 신중한 성품
⑤ 희생적이고 솔선수범하는 성품

8주 40회
해설편 20쪽

5
세부내용

시조에 흔히 나타나 감탄사로 보아도 좋고, 뜻을 새기지 않아도 좋은 낱말은 어느 것입니까? ( )

① 두어라
② 따뜻하면
③ 소나무여
④ 한밤중에
⑤ 보고도

6
적용하기

〈제4수〉와 〈제6수〉에서 시의 대상이 지닌 속성을 드러낸 시구를 각각 찾아 그대로 옮겨 쓰세요.

〈제4수〉 ⇨
〈제6수〉 ⇨

7
요약하기

시의 내용 흐름에 따라 중심 내용을 아래와 같이 간추렸습니다. 빈칸에 알맞은 낱말을 넣으세요.

	내용
제1수	나의 벗 ① □□
제4수	시련에 굽힘 없는 ② □□□
제6수	너그럽고 원만한 ③ □

어휘 넓히기

뜻 시어의 뜻풀이로 알맞은 것을 보기에서 골라 괄호 안에 기호를 쓰세요.

(1) 소나무 (　　)
(2) 달 (　　)

보기
㉠ 캄캄한 밤중에도 하늘 높이 떠서 온 세상을 훤하게 비추어줘요.
㉡ 아무리 추운 겨울이라도 잎이 떨어지지 않으며 푸른 빛을 잃어버리지 않아요.

다지기 아래 문장의 빈칸에 알맞은 낱말을 보기에서 찾아 쓰세요.

보기
소나무　　서리　　한밤중　　달

(1) 다른 것들은 따뜻하면 꽃이 피고 추우면 잎이 지는데, □□□여 너는 어찌 눈과 □□에 아랑곳하지 않고 잎을 피우고 있느냐.

(2) 작은 것이 높이 떠서 온 세상 다 비추니 □□□에 멀리까지 빛남이 □만한 것이 또 어디 있단 말이냐.

넓히기 다음 한자어의 구성과 뜻을 알아보고, 빈칸에 알맞은 한자어를 쓰세요.

- **송죽지절(松** 소나무 송. **竹** 대나무 죽. **之** 갈 지. **節** 마디 절.) 소나무같이 꿋꿋하고 대나무같이 곧은 절개.
- **상선약수(上** 위 상. **善** 좋을 선. **若** 같을 약. **水** 물 수.) 최고로 착한(좋은) 것은 물과 같다는 뜻. 물이 이 세상에서 으뜸가는 선의 표본으로 여기어 이르던 말.

(1) □□□□란 물처럼 살아가라는 말로, 스스로 낮추어 모든 것을 이롭게 하며 살아가라는 뜻이다.

(2) 나라의 주권이 일본에 빼앗기자 선비들 중에는 □□□□을 지켜 목숨을 저버리는 이까지 생겼다.

8주 40회

해설편 20쪽

공부 날짜 　월 　일

푸는데 걸린 시간 　분

맞은 개수 써보기

독해	개/7개	어휘	개/6개

어휘·어법 총정리

보기 의 낱말을 보고, 뜻과 어울리는 것을 골라 아래의 빈칸에 써보세요.

보기			
버티다	넉넉하다	비추다	폐쇄적(閉鎖的)
부작용(副作用)	직결(直結)되다	허용(許容)하다	

1. 크기나 수량 따위가 기준에 차고도 남음이 있다. 마음이 넓고 여유가 있다. [ ]
2. 빛을 내는 대상이 다른 대상에 빛을 보내어 밝게 하다. [ ]
3. 어려운 일이나 외부의 압력을 참고 견디다. [ ]
4. 어떤 일에 부수적으로 일어나는 바람직하지 못한 일. 약이 지닌 그 본래의 작용 이외에 부수적으로 일어나는 좋지 않은 작용. [ ]
5. 외부와 통하거나 교류하지 않는 것. [ ]
6. 허락하여 너그럽게 받아들이다. [ ]
7. 사이에 다른 것이 끼어들지 아니하고 직접 연결되다. [ ]

어법 **다음 중 맞춤법에 맞는 것을 골라 동그라미 하세요.**

1. 새끼를 [밴 / 벤] 동물.
2. [인권비 / 인건비]가 싼 중국.
3. [오존층 / 온존층] 파괴.
4. [귀화 / 귀하] 생물.
5. [형설지공 / 현설지공]
6. [방율지쟁 / 방휼지쟁]

나의 점수 확인하기

어휘	개 / 7개	어법	개 / 6개

평가와 진단하기

1. 각 회차의 유형에 정답을 맞혔으면 'ㅇ'표를 틀렸으면 '×'를 하세요.
2. 제재별 '소계'에 유형별로 맞은('ㅇ'표) 개수를 쓰세요.
3. 영역별로 맞힌 개수를 적고, 부족한 부분을 파악해 보세요.
4. 많이 틀리는 유형이 한눈에 보이므로 자신의 부족한 부분을 진단하고 보완하세요.

영역	회/주차	1번 (주제찾기)	2번 (제목(글감)찾기)	3번 (사실이해)	4번 (미루어알기)	5번 (세부내용)	6번 (적용하기)	7번 (요약하기)
인문 ( ) /56개	1/01							
	2/06							
	3/11							
	4/16							
	5/21							
	6/26							
	7/31							
	8/36							
	소계	( )/8개	( )/8개	( )/8개	( )/8개	( )/8개	( )/8개	( )/8개
사회 ( ) /56개	1/02							
	2/07							
	3/12							
	4/17							
	5/22							
	6/27							
	7/32							
	8/37							
	소계	( )/8개	( )/8개	( )/8개	( )/8개	( )/8개	( )/8개	( )/8개
과학 ( ) /56개	1/03							
	2/08							
	3/13							
	4/18							
	5/23							
	6/28							
	7/33							
	8/38							
	소계	( )/8개	( )/8개	( )/8개	( )/8개	( )/8개	( )/8개	( )/8개

6단계
5, 6학년 대상

독해력 키움

초등국어

7가지 비법으로 체계적인 독해력 향상

7유형 독해법

정답 및 해설

한국학력평가원

1주차

01 콜럼버스 항해의 진실

본문 10쪽

1 ④　2 콜럼버스, 항해, 진실　3 ⑤
4 ③　5 ②　6 ③
7 콜럼버스의 항해는 '신대륙 발견'이 아니라 원주민이 살고 있던 곳을 침범한 '구대륙 침략'이었다.

어휘력 키우기

뜻 (1) ㉡　(2) ㉠
다지기 (1) 부쳐서　(2) 붙여서
넓히기 (1) 도착　(2) 항해　(3) 지원

1. 까닭을 들면서 자신의 관점을 분명하게 드러내는 문장이어야 해요. 자신만의 새로운 관점이므로 상식을 뒤집는 내용이어야 하겠죠.
2. 띄어 쓰는 하나하나를 '마디'라고 해요. 주인공 이름은 들어가야 하고요.
3. 포르투갈 왕실의 지원을 받지 못하자 에스파냐로 가서 왕실의 지원을 받게 되었다고 했어요.
4. 글에 나온 다음 두 문장에서 콜럼버스가 지구가 둥글다는 사실을 알고 있었음을 짐작할 수 있어요.
   '이탈리아 사람 콜럼버스는 다른 방향으로 항해하여 인도로 가려는 계획을 세웠다.
   땅과 땅의 중간에 다른 대륙이 있으리라고는 아무도 상상하지 못하였으므로 콜럼버스는 대서양을 반대 방향으로 돌아 항해하려고 하였다.'
5. 앞의 내용을 부정하면서 완전히 다른 관점으로 다음 글로 이으려면, 접속어 '그러나'를 중간에 넣어요.
6. 글쓴이가 어떤 관점에서 글을 썼는지 파악하는 방법이에요.
7. 우리의 상식을 뒤집으면서(뒤집으려 하면서) 새로운 관점을 드러내는(드러내고자 하는) 문장이어야 해요.

어휘력 키우기

다지기 (1) 편지는 '부치다'.
(2) 주가 되는 것에 달리게 하거나 딸리게 하다.

넓히기 (1) '항해한 끝에' 어느 섬에 다다랐다고 했어요.
(2) '신대륙을 향한 오랜 시간'과 어울리는 말은 '항해'입니다.
(3) 대양 항해를 위한 왕실의 도움.

02 국민의 권리와 의무

본문 14쪽

1 ⑤　2 권리, 의무　3 ⑤　4 ④
5 ③　6 기본권
7 ① 자유권, ② 평등권, ③ 사회권, ④ 참정권, ⑤ 청구권

어휘력 키우기

뜻 (1) ㉡　(2) ㉠
다지기 (1) 든지, 든지　(2) 던지
넓히기 (1) 기본권　(2) 자유권　(3) 존엄성

1. 국민의 권리가 바탕에 깔고 있는 사상을 첫 문단에 제시한 뒤에 둘째 문단에 그 권리가 무엇인지 상세히 열거하여 설명하였어요.
2. 국민의 마땅히 누릴 수 있는 권리와 해야 할 의무에 대해 설명하고 있네요.

국민의 기본권(1문단), 여러 가지 기본권(2문단)

   ↓

국민의 의무(3문단), 여러 가지 국민의 의무(4문단)

   ⇨ 여러 가지 국민의 권리와 의무
3. '요청'과 비슷한 뜻을 가진 낱말을 가진 권리의 이름을 찾아봐요.
   ① 간섭을 받지 않고 생각하고 행동할 수 있는 권리
   ② 차별 받지 않을 권리
   ③ 인간답게 살 수 있는 권리
   ④ 정치에 참여할 수 있는 권리
4. 세금을 내야 한다고 말했어요. 곧 납세의 의무를 지키겠다는 약속을 했다는 뜻이죠.
5. 능력에 따라 교육 받을 권리인 '사회권'과 '교육의 의무'는 직접 관련되는 내용이에요. 두번째 문단에서 설명했어요.
6. 첫 문단의 끝 문장에 글쓴이의 생각이 무엇에 바탕을 두었는지 잘 나와 있어요.
7. 둘째 문단에 설명한 내용에 따라 알맞은 권리를 찾아보세요.

어휘력 키우기

다지기 (1) 노래를 부르든지, 춤을 추든지 어떤 것이든 관계없다는 뜻
(2) 과거의 일을 회상하며 그때의 느낌을 말했어요.

넓히기 (1) 인간으로서 당연히 누려야 할 권리는 '기본권'.
(2) 종교, 주거의 권리는 '자유권'.
(3) 일부 윤리학자들은 동물의 존엄성을 주장하기도 한다.

03 태양이 지구를, 지구가 태양을

본문 18쪽

1 갈릴레이와 이후 과학자들의 노력으로 대부분의 사람들은 태양 중심설을 믿게 되었습니다.
2 태양, 지구(지구, 태양) 3 ② 4 ②
5 ② 6 ④ 7 ① 망원경, ② 관측, ③ 태양 중심설

어휘력 키우기

뜻 (1) ㉡ (2) ㉠
다지기 (1) 번번히 (2) 번번이
넓히기 (1) 분석 (2) 관찰 (3) 관측

1. 마지막 문단에 중심 내용이 모였어요.

2. 태양 중심설과 지구 중심설을 설명하고 있는 글이에요.
받아들여지지 않았던 태양 중심설(1문단) → 지구 중심설과 그 문제점(2문단) → 코페르니쿠스의 태양 중심설(3문단) → 태양 중심설을 믿게 된 사람들(4문단)

3. 둘째 문단을 보면, 과학적인 증거(여러 관측 자료)를 처음 제시한 사람은 프톨레마이오스예요.

4. 갈릴레이 이전의 학자들은 대부분 자신들의 학설을 뒷받침할 확실한 증거를 제시하지 못하여 사람들에게 믿음을 주지 못했다는 것이 글의 주요한 내용 중 하나예요.

5. 갈릴레이의 태양 중심설이 확신을 얻게 된 데는 정밀한 관측과 분석이 결정적인 역할을 했지요.

6. '행성의 공전을 복잡하고 이상하게 설명하는 문제점'이라고만 했지 어떻게 복잡하고 무엇이 이상한지는 알 수가 없어요. 따라서 그림을 그려가면서 복잡하고 이상한 점을 하나하나 밝혀야 내용을 보다 쉽게 이해할 수 있겠죠.

7. 마지막 문단의 내용을 다시 간추려보면 필요한 낱말을 떠올릴 수 있어요.

어휘력 키우기

다지기 (1) 생김새가 멀끔하고 쓸만하게 생겼는데~
(2) '반장 선거에 나갔을 때마다' 떨어졌으므로, '무엇을 할 때마다'라는 '번번이'가 알맞아요.

넓히기 (1) 물리적/화학적 방법으로 그 조성이나 포함된 요소를 알아내다.
(2) 자세히 살펴보다.
(3) 관찰하여 측정하다.

04 괜찮아

본문 22쪽

1 ④ 2 괜찮아 3 ⑤ 4 ②
5 ③ 6 난 지금도 이 말을 들으면 가슴이 찡해진다. 7 ① 괜찮아, ② 사랑, ③ 용서, ④ 믿기

어휘력 키우기

뜻 (1) ㉡ (2) ㉠
다지기 (1) 괜찮다 (2) 귀찮다
넓히기 (1) 박애 (2) 관용 (3) 동정

1. 깨엿 장수 아저씨가 말을 해준 다음에 마음을 어떻게 정했는지 글에서 확인해 보세요.

아이들의 놀이터인 골목(1문단)
↓
아이들이 노는 것을 구경했던 나(2문단)
↓
나에게도 역할을 맡겨주었던 친구들(3문단)
↓
깨엿 장수가 깨엿을 주고 한 말 '괜찮아'(4문단)
↓
용서와 너그러움의 세상을 믿기 시작함(5문단)
↓
큰 어려움을 당할 때마다 떠올리는 '괜찮아'(마지막)

2. 깨엿 장수 아저씨가 '나'에게 해준 말이 마음을 정하게 하였죠.

3. 글의 끝 부분에 그 뜻이 여러 가지로 늘려 있어요.

4. 바로 앞에 나온 '괜찮아! 조금만 참아, 이제 다 괜찮아질 거야.'와 뜻이 서로 통해야 해요.

5. 이 글은 글의 갈래가 수필로서, 글쓴이의 마음을 형식에 얽매이지 않고 솔직하고 자유롭게 드러내는 특징이 있어요.

6. '가슴이 찡해진다.'는 큰 감동을 받았다는 뜻을 관용적으로 표현한 것입니다.

7. 글에서 가장 인상적인 장면과 거기에 배인 의미, 감동의 말을 다시 확인해 보세요.

어휘력 키우기

다지기 (1) 보통 이상으로 마음에 드는 사람.
(2) 움직이기가 성가시다.

넓히기 (1) 세상 사람 모두를 평등하게 사랑하는 정신.
(2) 남의 잘못을 너그럽게 받아들이는 정신.
(3) 나에 비추어 남의 처지를 미루어 짐작함.

05 길

본문 26쪽

1 ④ 2 길 3 ⑤ 4 ②
5 ① 6 시간은 강물, 시간은 나그네, 시간은 보석, 시간은 빛 등 7 ① 길, ② 마을, ③ 포도알

어휘력 키우기

뜻 (1) ㉡ (2) ㉠
다지기 (1) 덩굴 (2) 덤불
넓히기 (1) 연대 (2) 확장 (3) 근간

1. 8연, 9연에 중심 생각이 나타나고 있네요. 길을 통해 우리가 서로 도와 가면서 마을과 마을이 이어지고 세계가 하나 되기를 바라고 있어요.
2. 중심 소재를 물었죠. 이 시는 '길'이 어떤 모양과 뜻을 지니고 있는지를 읊었어요.
3. 7연의 '갈봄 없이/자라기만 하는/이 덩굴'이라는 표현에서, '갈봄 없이'는 '계절의 변화에 아랑곳하지 않고 계속하여'라는 뜻이고, '자라기만 하는'은 '길의 확장'을 뜻해요.
4. 길이 여러 군데로 나 있듯이 포도 덩굴도 여러 가지로 뻗어 있어요.
5. '포도알 같은/집들'에서 알 수 있네요.
6. '길은 포도 덩굴이다.'가 줄어든 말이니까, 이 형식으로 표현되어야 해요. '시간'과 공통점이 있다고 생각되는 것을 끌어들여 표현하면 되어요.
7. 길이 포도 덩굴처럼 뻗어나간다했으며, 가지에 열린 포도 송이처럼 길에 마을이 생기고 마을에 모여 있는 집들은 마치 포도알 같다고 했어요.

어휘력 키우기

다지기 (1) 장미는 덩굴이지요.
(2) 사이를 헤치고 나아가야 할 수풀은 덤불이에요.

넓히기 (1) 마음을 터놓을 만큼 서로 연결됨.
(2) 전쟁을 통해 영토를 넓힘.
(3) 사물의 중심이 되는 것.

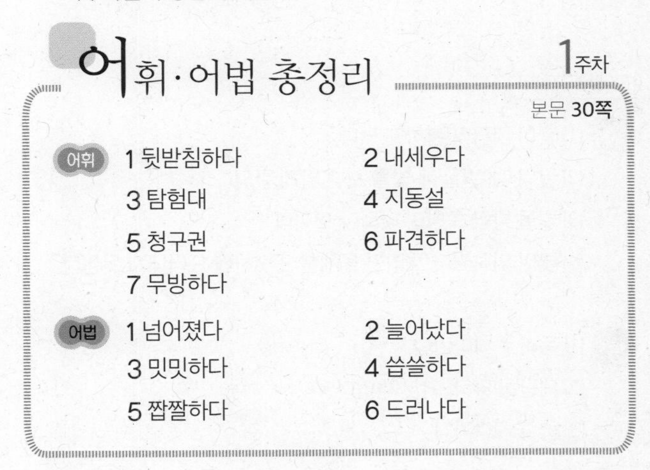

어휘·어법 총정리 1주차

본문 30쪽

어휘 1 뒷받침하다 2 내세우다
3 탐험대 4 지동설
5 청구권 6 파견하다
7 무방하다

어법 1 넘어졌다 2 늘어났다
3 밋밋하다 4 씁쓸하다
5 짭짤하다 6 드러나다

2주차

06 우리의 자랑스러운 판소리

본문 32쪽

1 ⑤ 2 판소리 3 ② 4 ⑤
5 ③ 6 아니리
7 ① 소리꾼, ② 서사적, ③ 아니리, ④ 관중(구경꾼)

어휘력 키우기

뜻 (1) ㉡ (2) ㉢ (3) ㉠
다지기 (1) 모양새 (2) 추임새 (3) 차림새
넓히기 (1) 박진감 (2) 긴장감

1. 전체 내용을 한 문장으로 표현하면, '판소리는 한 사람의 소리꾼이 고수의 북장단에 맞추어 서사적인 이야기를 소리와 아니리를 엮어 발림을 곁들이며 구연하는 우리 고유의 민속악이다.'입니다.

판소리의 구성(소리, 아니리, 발림)
↓
판소리의 추임새(관중의 호응 "얼씨구" 등)
↓
판소리의 고수(북 치는 사람)
↓
공연 예술의 꽃, 판소리

2. 글에서 가장 자주 나온 낱말이 '판소리'이죠.
3. 첫 문단에 '종합예술이라는 점에서 여러 모로 비슷하다'고 밝혔어요.
4. 열려 있기 때문에 소리꾼과 구경꾼이 자유롭게 이야기를 나눌 수 있고, 이를 통해 현실을 비판할 수 있어요.
5. 판소리와 오페라의 공통점과 차이점을 들어 설명하였으므로 비교와 대조이죠.
6. 판소리는 노래하는 '소리'와 이야기를 늘어놓는 '아니리', 그리고 몸짓, 표정 등으로 극적인 상황에 실감을 더하는 '발림'으로 구성이 되어요.
7. 글의 끝 문단에 나온 내용으로 요약하면 되어요.

어휘력 키우기

다지기 (1) 보기좋은 겉모양의 바윗돌.
(2) 관객들이 흥에 겨워 삽입하는 소리.
(3) 눈길을 끌만한 옷 입은 상태, 주인의 화려한 옷차림.

넓히기 (1) 여러 각도에서 촬영하여 생동감있게 만들었다.
(2) 마음을 졸이게 하여 손에 땀을 쥐게 하는 느낌.

07 전란의 극복

본문 36쪽

1 ② 2 전란, 극복 3 ③ 4 ③
5 ④ 6 (1) 농민, 공인, 조정 (2) 지주, 방납업자
7 ① 농사, ② 시설, ③ 기술

어휘력 키우기

뜻 (1) ㉡ (2) ㉢ (3) ㉠
다지기 (1) 사라지다 (2) 쓰러지다 (3) 스러지다
넓히기 (1) 회복 (2) 확충

1. 글의 주요 내용을 백성의 노력은 '생산성의 향상', 조정의 노력은 '재정의 확충'으로 간추릴 수 있어요.

왜란과 호란으로 인한 큰 피해(1문단)
↓
생산력을 늘리기 위한 백성의 노력(2문단)
↓
재정을 늘려 피해를 극복하기 위한 조정의 노력(3문단)

⇨ 생산력 향상과 재정의 확충을 통한 피해 극복 노력

2. 글의 첫 문단의 끝 문장에 제목에 필요한 낱말이 모두 나와요.

3. 농사 기술이 발달하면서 일부 부유한 농민이 생겼지만, 모든 농민이 부유해진 것은 아니에요.

4. 물음 아래의 글은 대동법 시행 이전에 특산물을 세금으로 내게 함으로써 저질러졌던 폐단을 내용으로 하고 있어요.

5. ㉠은 '물건을 사고파는 사람들도 생겨'에 이어지므로 '상업'이 알맞죠.

6. 농민은 방납의 폐해를 피할 수 있어 이익이며, 공인은 국가에 물품을 납품하게 되어 이익이에요. 조정은 정책 시행자이므로 찬성일 수밖에 없죠. 반면, 지주는 땅을 가지고 있으므로 토지 면적에 따라 세금을 내어야 하고, 방납업자는 챙길 이익이 없어지므로 반대쪽이 될 수밖에 없어요.

7. 농업 생산력을 늘리기 위한 노력은 둘째 문단에 자세히 나와 있어요.

어휘력 키우기

다지기 (1) (꿈이) 자취가 없어지다.
(2) (나무들이) 바닥에 누워버리다.
(3) (동이 트면서 별빛이) 희미해지면서 없어지다.

넓히기 (1) (주권의) 회복. 건강을 원래대로 되찾다.
(2) (수리 시설을) 늘리고 넓혀나감.

08 빛의 성질

본문 40쪽

1 ⑤ 2 빛, 성질 3 ① 4 ③
5 ④ 6 반사 7 ① 직진, ② 반사, ③ 굴절

어휘력 키우기

뜻 (1) ㉡ (2) ㉠
다지기 (1) 비친 (2) 비춘 (3) 비쳐서 (4) 비추지
넓히기 (1) 직진 (2) 투명 (3) 투과

1. 빛의 세 가지 성질, 곧 직진, 반사, 굴절을 설명의 중심 대상으로 삼았어요.

광원의 뜻과 광원이 하는 일(1문단)
↓
빛의 직진('투과'도 직진 현상)(2문단)
↓
반사의 법칙과 여러 가지 반사(3문단)
↓
빛의 굴절(4문단)

⇨ 빛의 직진, 반사, 굴절

2. 빛의 성질이 어떠한지를 설명한 글이에요.

3. 첫 문단에서, 스스로 빛을 내지 않더라도 반사에 의해 물체를 볼 수 있다고 했어요.

4. 빛의 성질 '굴절'에 따르면, 태양이 수평선 아래에 있을 때에도 굴절되어 이미 뜬 것으로 볼 수 있으며, 반대로 수평선 너머로 넘어가 버렸더라도 굴절되어 수평선 위에 비칠 수 있는 것이에요.

5. 빛의 성질을 설명하기 위해 필요한 말의 뜻을 밝히고, 같은 성질에 속하는 것들은 함께 묶었어요.

6. 거울은 반사의 성질을 응용한 도구예요. 마주 보고 비추는 상은 좌우가 바뀌어 반사되어요.

7. 빈칸의 앞에 있는 내용만 잘 새겨 보아도 들어갈 낱말을 금방 알 수 있어요.

어휘력 키우기

다지기 (1) 빛이 다다라 환하게 되다.
(2) 달이 '내 얼굴'에 빛을 보내 밝게 한다.
(3) 빛을 받아 모양이 나타나 보이다.
(4) 빛이 약하거나 흐리면 물체를 또렷하게 드러내지 못한다.

넓히기 (1) 똑바로 나아가다.
(2) 대단히 맑다. 거짓이 없다.
(3) 뚫고 지나가다.

09 우주 호텔

본문 44쪽

1 ① 2 우주 호텔 3 ⑤ 4 ④
5 ③ 6 ① 희망, ② 감동적
7 ① 꿈, ② 우주 호텔

어휘력 키우기

뜻 (1) ㉡ (2) ㉢ (3) ㉠
다지기 (1) 띄는 (2) 띠고 (3) 떼고
넓히기 (1) 환각 (2) 환영 (3) 환상

1. 종이 할머니의 삶이 어떻게 변화해갔는지를 중심으로 주제를 떠올릴 수 있어요.

   '땅만 바라보는 종이 할머니와 메이의 만남' → '종이 할머니가 바라보고 있는 포도 모양의 성' → '우주 호텔과 외계인을 설명해준 메이' → '우주 호텔을 보며 살기로 한 할머니'
   ⇨ 꿈을 가지고 사는 삶의 행복

2. 할머니가 꿈꾸며 건강하게 살아갈 수 있도록 해준 상상의 공간을 떠올려 봐요.
3. 글에서 '포도 모양의 성'을 그린 부분을 찾아 확인해 보면, '움직임'은 그릴 때 사용한 요소가 아니에요.
4. '메이'가 종이 할머니에게 우주 호텔이 어떤 곳인지 들려주었고, 그곳이 편히 쉴 곳이라고 상상하게 되어요. 그래서 이제는 허리를 펴고, 우주 호텔이 있는 하늘을 바라보며 희망을 가지고 살아 가리라 고 마음 먹어요.
5. '종이 할머니는 그곳으로 비둘기처럼 날아가고 싶었단다.'라는 표현이 보여요.
6. 종이 할머니가 허리를 펴고, 고개를 들어 하늘을 바라보며 다시는 허리를 구부리지 않겠다고 결심하는 장면은 희망을 가지고 당당하게 살아가겠다는 의지를 드러낸 것입니다.
7. 할머니가 메이의 그림에 꿈을 가지게 되고, 우주 호텔을 떠올리며 희망을 갖게 되어요.

어휘력 키우기

다지기 (1) (빨간 지붕이) 눈에 보이다.
(2) (푸른 빛을) 지니고 (빛나고) 있다.
(3) (오래된 그림을) 떼어 내고 (새 그림을 붙였다.)

넓히기 (1) 보이지 않거나 일어나지 않은 일을 있는 일처럼 생각하는 것.
(2) '죽은 사람'은 없는 것이므로 없는 모습, 형상이 있는 것처럼 보이는 것은 '환영'이다.
(3) 현실적으로 가능성이 없는 헛된 생각이나 공상.

10 목련 그늘 아래서는

본문 48쪽

1 ③ 2 목련 3 ④ 4 ②
5 ③ 6 ① 내용, ② 운율
7 ① 꽃봉오리, ② 흰부리, ③ 탄생

어휘력 키우기

뜻 (1) ㉠ (2) ㉡
다지기 (1) 꽃봉오리 (2) 산봉우리
넓히기 (1) 경외 (2) 비상 (3) 개화

1. 1연과 5연을 보면, 꽃봉오리 터지는 순간, 곧 새 생명이 탄생하는 순간을 보고 몹시 조심스러워하는 모습이에요.
2. '중심 소재'는 소재들 중에서 가장 중요하게 다루어진 소재입니다.
3. '포롱포롱', '날아오른다'가 큰 움직임을 느끼게 해요.
4. 3연을 보면, 꽃봉오리가 터져서 꽃이 피어나는 순간을 새가 부리로 껍질을 깨고 나오는 모습으로 비유하고 있어요.
5. '꽃봉오리'를 '물새알'로 비유하면서, 연관되는 다른 비유도 이루어지고 있어요.
6. 시의 첫 연과 끝 연이 같거나 비슷한 모양으로 되어 있는 구조를 수미상관이라고 해요. 시가 완전하게 맺어진 느낌을 주고, 운율을 이루어요.
7. '물새알', '흰부리'와 같은 말은 목련꽃이 피는 과정이 마치 새가 막 껍질을 깨고 태어나는 것처럼 느껴져서 비유한 말입니다.

어휘력 키우기

다지기 (1) 피기 전의 '꽃망울' → 꽃봉오리.
(2) 산꼭대기를 표현한 말들 → 산봉우리.

넓히기 (1) 놀라운 순간을 두고 취하는 태도.
(2) (새가 알을 깨고 처음으로) 공중을 빙빙 날아오름.
(3) 풀이나 나무에 꽃이 피는 것.

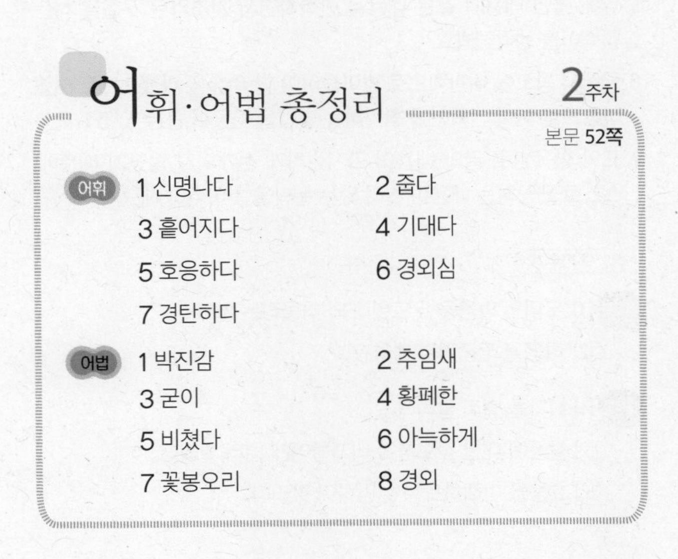

어휘·어법 총정리 2주차

본문 52쪽

어휘
1 신명나다 2 줍다
3 흩어지다 4 기대다
5 호응하다 6 경외심
7 경탄하다

어법
1 박진감 2 추임새
3 굳이 4 황폐한
5 비쳤다 6 아늑하게
7 꽃봉오리 8 경외

3주차

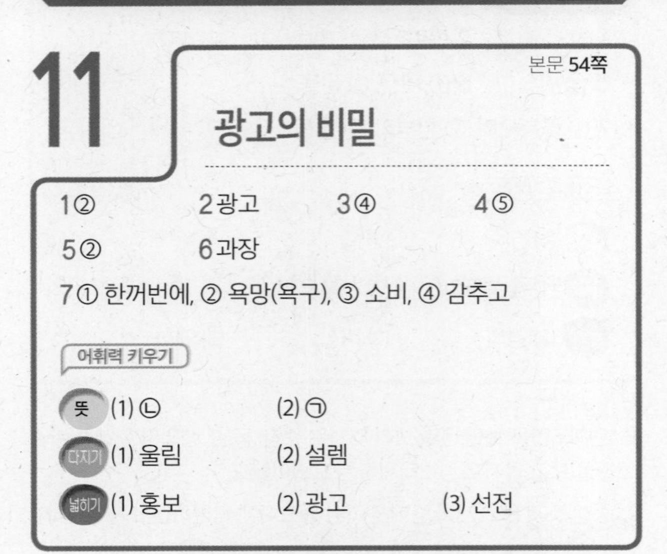

11 광고의 비밀

본문 54쪽

1 ② 2 광고 3 ④ 4 ⑤
5 ② 6 과장
7 ① 한꺼번에, ② 욕망(욕구), ③ 소비, ④ 감추고

어휘력 키우기

뜻 (1) ㉡ (2) ㉠
다지기 (1) 울림 (2) 설렘
넓히기 (1) 홍보 (2) 광고 (3) 선전

1. 광고가 과장과 허상으로 다가와 사람들의 욕구 불만을 채워주지 않고, 끊임없이 또 다른 욕구 불만을 품게만 한다는 내용이 중심 내용이에요.

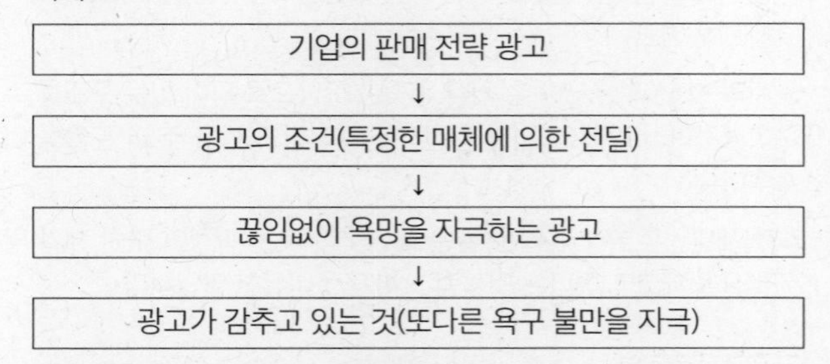

기업의 판매 전략 광고
↓
광고의 조건(특정한 매체에 의한 전달)
↓
끊임없이 욕망을 자극하는 광고
↓
광고가 감추고 있는 것(또다른 욕구 불만을 자극)

2. 가장 여러 번 나와서 중심 내용을 이루도록 한 낱말은 '광고'
3. 셋째 문단을 보면, 광고는 직접적인 만남을 통해 이루어지는 것이 아니라고 하였어요.
4. 광고에 숨겨진 과장과 허위가 있다는 사실을 밝히고 있으므로, 집필의 동기는 그런 사실을 알고 광고를 비판적인 태도로 받아들이도록 하기 위해서라고 할 수 있어요.
5. 앞에 놓인 내용과 같은 내용을 반복하면서 간추리는 구실을 하는 접속어를 생각해봐요.
6. 글에서 광고를 비판적으로 받아들여야 할 이유를 말했으므로 이를 바탕으로 하여 신뢰성을 평가하는 방법을 떠올려 볼 수 있겠지요.
7. 표의 항목별로 글의 내용이 가지런하게 전개되지 않았기 때문에, 스스로 해당하는 내용이 실려 있는 문단을 찾아가야 해요.

어휘력 키우기

다지기 (1) '우리의 마음을 두드린다'와 어울리는 말.
(2) '마음을 두근거리게'의 뜻.

넓히기 (1) 회사를 널리 알리다.
(2) 상품에 대한 정보를 소비자들에게 널리 알리다.
(3) 효능을 이해하도록 설명하여 알리다.

12 조선을 뒤덮은 농민의 함성

본문 58쪽

1 ① 사회의식, ② 양반 2 농민 봉기(농민 항쟁)
3 ⑤ 4 ① 5 ②
6 능력(재능), 양반
7 ① 전정, ② 군정, ③ 환곡, ④ 농민, ⑤ 동학

어휘력 키우기

뜻 (1) ㉡ (2) ㉠
다지기 (1) 늘어났다 (2) 둘러싸고
넓히기 (1) 평정 (2) 성장 (3) 봉기

1. 글에서 정치의 폐단과 백성의 움직임을 함께 다루었으므로, 이 두 가지가 모두 표현되어야 해요. 첫번째 문단에서 '사회 의식 성장', 두번재 문장에서 '양반 중심의 통치체제 붕괴'가 잘 드러나 있어요.
2. 19세기 후반 이후 조선 사회가 농민을 중심으로 보인 새로운 움직임에 대해 설명한 글입니다.

농민 봉기의 시작(1문단)
↓
농민 봉기의 전국적 확대(2문단)
↓
동학 농민 운동의 발생(3문단)
↓
폭발한 농민 운동(4문단)
↓
중앙 군인을 이긴 농민 운동(5문단)

⇨ 농민 봉기에 의한 사회 개혁 운동

3. 전주성 함락 이전에 동학의 농민 지도자들은 힘을 합치면서 단결된 모습을 보여주었어요.
4. 고부 군수 조병갑이 백성들을 착취하고 학대했기 때문에 동학 농민 봉기가 일어나는 직접적인 원인이 되었죠.
5. '주모자가 드러나지 않도록 사발을 엎어 그린 원을 중심으로 참가자의 명단을 빙 둘러가며 적은 글'을 사발통문이라 합니다.
6. 재능도 없는 사람들이 벼슬과 사회적 지위를 차지하고 있는 현실에 대한 불만을 표현한 글입니다.
7. 글이 전개된 순서를 따라가면서 빈칸에 필요한 낱말을 찾아 보세요.

어휘력 키우기

다지기 (1) 세금을 새로 매겨서 세금 부담이 늘어났다.
(2) 농민들과 군수 사이에 물세 문제로 다툼이 생겼다.
넓히기 (1) (농민봉기를) 평온하게 진정하다.
(2) (농민의 의식이) 자라서 점점 커지다.
(3) (억울한 일을 당한 군대가) 떼지어 세차게 일어나다.

13 여러 가지 전지

본문 62쪽

1 ④　2 전지　3 ③　4 ②
5 ①　6 내부의 액이 새어 나오거나 파열될 위험성이 있기 때문이다.　7 ① 광변환, ② 설치

어휘력 키우기

뜻 (1) ©　(2) ㉠　(3) ㉡
다지기 (1) 채워서　(2) 걸러서　(3) 비우면
넓히기 (1) 방전　(2) 충전

1. 전지의 종류로 화학 전지, 태양 전지 등을 들고, 각각의 종류별로 전기를 생산하는 원리를 설명하였어요.

볼타 전지의 원리와 단점 → 2차 전지와 1차 전지 → 2차 전지의 종류와 장·단점 → 태양 전지의 종류와 장·단점

2. 우리의 생활에서 다양하게 사용하고 있는 '전지'를 설명 대상으로 삼았네요.

3. 둘째, 셋째 문단에 거듭해서 자세히 나왔어요. 우리가 일상에서 많이 쓰는 휴대폰이나 노트북의 배터리로 '리튬-이온' 전지를 많이 사용한다고 하네요.

4. 첫 문단의 다음 두 문장에서 떠올릴 수 있는 생각이에요. '아연판의 전자는 도선을 통해 구리판으로 이동하여, 모여 있는 수소 이온(H+)에게 전자를 줘. 이 때 전자는 아연판에서 구리판으로 이동하므로, 아연이 음극(-), 구리는 양극(+)이야.' ①은 볼타 전지에만 해당하는 설명입니다.

5. ㉠: 전류가 더 많이 흐르기 때문에 전지 소모가 빨라지거나, 많아지겠죠.
㉡: 비싼 폴리실리콘을 사용하지 않기 때문에 원가가 결정형에 비해 줄어들거나, 쌀 것입니다.

6. 둘째 문단의 끝에 놓인 두 문장을 활용하여 작성할 수 있어요.

7. 태양 전지에 대해서는 끝 문단에서 자세히 설명하였어요.

어휘력 키우기

다지기 (1) 전기를 전극에 채워서 전지를 사용한다.
(2) 거름종이에 깨끗하게 찌꺼기를 걸러서 사용한다.
(3) 전기를 완전히 비우면 완전 방전이 된다.

넓히기 (1) 전기가 흘러나와 비게 된다.
(2) 새 전기를 채우다.

14 나비를 잡는 아버지

본문 66쪽

1 ③　2 나비　3 ②　4 ③
5 ④　6 고집스럽다　7 나비

어휘력 키우기

뜻 (1) ㉡　(2) ㉠
다지기 (1) 아랑곳없이　(2) 터무니없이
넓히기 (1) 작인　(2) 지주

1. 소작인 집안의 아이여서 상급학교에 가지 못한 바우와 마름 집안의 아이여서 서울로 가서 공부하고 있는 경환이 사이의 계속되는 다툼이 주된 내용이에요.

나비 때문에 다툰 바우와 경환이
↓
경환이에게 빌 마음이 없는 바우
↓
바우를 달래는 어머니
↓
메밀밭 두덩에 사람의 그림자를 본 바우

2. 마지막 문단에서 아버지가 했을 듯한 일을 떠올려보세요. 마지막 문장의 '메밀밭 두덩에 허연 사람의 그림자가 무엇을 쫓는'은 아버지가 나비를 잡는 모습을 표현한 것이죠.

3. 경환이가 나비를 잡으러 다닌 일이 다툼의 출발이 되었어요. 경환이가 '유행가를 부르면 나비를 잡는 꼴이 바우의 눈에는 곱게 보이지 않았다.'고 했어요.

4. 나비를 잡으라고 그렇게 닦달을 받은 바우는 계속 고집을 부리고 있습니다. 바우에게 나비를 잡아오라고 혼을 내던 인물이 결국 나비를 잡으러 나선 것으로 보아야 하겠죠.

5. 모양을 뜻하는 말부터 찾은 후에 앞뒤 문장과 연결하여 뜻을 다시 새겨 보세요.

6. 바우가 자신의 고집을 절대 꺾지 않는 장면이에요.

7. 두 사람이 날카롭게 대립하여 다툼을 보여주는 장면을 찾아서 들어갈 말을 찾아보세요.

어휘력 키우기

다지기 (1) 어떤 꽃을 피우건 관심을 두지 않는다는 뜻
(2) 정당한 이유나 근거 없이

넓히기 (1) 다른 사람의 땅을 빌려 농사를 짓는 사람
(2) (마름에게 땅을 관리하게 하는 사람은) 땅 주인(이지요).

15 수도꼭지/지금은 공사 중

본문 70쪽

1 ③ 2 마음 3 ④ 4 ②
5 ② 6 공사 중
7 ① 공사, ② 수도관, ③ 페인트칠, ④ 꽃나무

어휘력 키우기

뜻 (1) © (2) ㉠ (3) ㉡
다지기 (1) 튀기며 (2) 벗기고 (3) 터져서
넓히기 (1) 수양 (2) 수련 (3) 수리

1. (가)는 수도꼭지에서 나온 물에 의해, (나)는 일상생활의 주변에 있는 물건에 의해 마음을 바꾸고 있어요.
2. (가)의 6연과 (나)의 2연에 나온 '마음'이 공통적인 글감이에요.
(가)는 '수돗물로 마음을 시원하게 씻는다', (나)는 '잘못된 마음을 고치고 있는 중'이라고 하네요.
3. '설렘'은 수돗물에서 화자가 받은 느낌을 드러내는 말이에요.
4. '모퉁이'와 '빈터'에서 각각 어떤 상황이나 마음을 떠올릴 수 있는지 새겨 보세요.
5. (가)는 1연부터 6연까지 모두 2행으로 되어 있어요.
③ (가)는 모두 2행으로 구성되어 있어요.
⑤ (가)는 2행씩으로 규칙적이며, (나)는 불규칙해요.
6. (나)의 2연은 '공사 중'이라는 말이 상황을 표현하기만 해서 구체적인 형상을 지니고 있지 않지만 '마음을 고치고 있다.'는 뜻으로 비유를 위해 끌어들인 말이에요.
7. 마음을 고치는 일을 '공사 중'에 빗대어 표현하고 있어요.

어휘력 키우기

다지기 (1) (침을) 세게 흩어지게 하며.
(2) (오래된) 칠을 긁어내고.
(3) (둑이) 무너져서.

넓히기 (1) 인성을 높은 경지로 끌어올림.
(2) 높은 경지로 오르기 위한 단련.
(3) 낡은 데를 손보아 고침.

어휘·어법 총정리 3주차

본문 74쪽

어휘 1 사로잡다 2 가뜩한데 3 그러다
4 소비자 5 매체 6 고조되다
7 경향

어법 1 가느다란 2 붕괴 3 낱낱이
4 맺다 5 빗자루 6 훼방
7 이튿날 8 모퉁이

4주차

16 억지와 주장의 차이

본문 76쪽

1 ⑤ 2 억지, 주장 3 ③ 4 ④
5 ⑤ 6 ① 주장, ② 억지
7 ① 듣는다, ② 장점, ③ 감정, ④ 논리적

어휘력 키우기

뜻 (1) ㉡ (2) ㉠
다지기 (1) 반드시 (2) 반듯이
넓히기 (1) 강요, 굴복 (2) 설득, 납득

1. 전달하고자 한 중심 내용은 글의 끝에 다섯 항목으로 자세히 늘어놓은 '효과적인 주장을 하기 위한 대화의 기술'이에요.

억지와 주장의 차이점과 공통점(1문단)
↓
대화에 의한 주장(2문단)
↓
자신의 의견을 수정할 수 있는 주장(3문단)
↓
상대의 의견을 존중해주고 칭찬해 주는 주장(4문단)
↓
효과적인 주장을 위한 대화의 기술(마지막)

2. 주장과 억지의 차이를 설명의 대상으로 삼았어요.
3. '자신의 의견에 따르도록 상대를 설득하는 것'이라고 첫 문단에서 짤막하게 둘의 공통점을 설명했어요.
4. 글의 끝 문단에 늘어놓은 다섯 항목에서 찾아보세요.
5. 실제로 '-하다'를 붙여 낱말이 되는지 확인하면 되죠.
6. 억지인지 주장인지만 구별하면 되겠네요.
7. 글의 끝에 놓은 항목들의 내용을 확인하세요.

어휘력 키우기

다지기 (1) 틀림없이 나타난다.
(2) 비뚤어지거나 굽지 아니하고 바르게.

넓히기 (1) 억지로, 강제로 요구 → 강요,
꿇어 엎드려 복종함 → 굴복.
(2) 이야기를 따르도록 깨우쳐 말함 → 설득,
말을 이해하고 긍정함 → 납득

17 새로운 문물을 받아들인 조선

본문 80쪽

1 ⑤ 2 실학 3 ⑤ 4 ③
5 ⑤ 6 ④ 7 농사, 토지

어휘력 키우기

뜻 (1) ㉡ (2) ㉠
다지기 (1) 갈라진 (2) 달랐던
넓히기 (1) 이용후생 (2) 실사구시

1. 첫 문단은 실학의 등장 배경이고, 둘째와 셋째 문단은 유파(학계/예술계에서 생각/방법/경향이 비슷한 사람이 모여서 이룬 무리)별 전개 과정이에요.

'실생활에 유용한 실학의 등장(1문단)' → '중농학파의 개혁론(2문단)' → '중상학파의 개혁론(3문단)'으로 이어져요.

2. 가장 여러 번 반복하여 나타난 낱말을 생각해봐요.

3. 어떤 내용이든 글의 내용과 정확히 일치하는 것을 고르세요.
① 당시 유학자들은 실생활과 상관없는 이론과 예법을 중시했다고 하네요.
② 중상학파는 상공업이 발전하면서 나타났어요.
③ 농촌 문제와 토지 개혁을 주장했어요.
④ 상업을 발전시키기 위한 정책을 펴고, 공업 기술 혁신을 주장했다고 했지만, 교통의 중심지와 관계된 내용은 없어요.
⑤ '실학이 이용후생의 학문'이라고 했어요.

4. 첫 문단에서, 삶에 도움이 되지 않는 이론과 논의만 무성하게 된 현실을 비판하면서 실학이 나타났다고 했죠.
① 글의 내용과 상관없습니다.
②, ④, ⑤ 글에서 나타나지 않았습니다.

5. 글에서 실학자의 이름 다음에 그의 저서가 그대로 나와요. <열하일기>는 박지원의 저서입니다. 박제가는 <북학의>를 지었죠.

6. 첫 문단을 보면, 실학자들이 '실제로 백성들이 잘살 수 있고, 나라의 힘을 기르기 위해 필요한 것을 생각하고 연구했다.'라고 했어요. 이런 이념을 잘 이어받은 주장을 골라봐요.

7. 둘째 문단에 나온 세 학자의 주장을 잘 새겨가면서 공통점을 찾아보세요.

어휘력 키우기

다지기 (1) 뒤에 나오는 '합쳐지도록'과 반대되는 뜻의 말.
(2) 뒤에 나오는 '같아질'과 반대되는 뜻의 말.

넓히기 (1) 기구를 편리하게 사용하여 삶을 나아지게 함.
(2) 사실을 토대로 진리를 탐구하는 일.

18 홍대용, 지구의 자전을 말하다

본문 84쪽

1 ① 2 홍대용, 과학 3 ⑤
4 ③ 5 ② 6 ②
7 ① 수학, ② 혼천의, ③ 회전(자전)

어휘력 키우기

뜻 (1) ㉡ (2) ㉠
다지기 (1) 품었, 배었 (2) 품고
넓히기 (1) 합리적 (2) 실용적

1. 처음에는 수학에 관심을 두었고, 학자 나경적을 만난 뒤로 천문학에 관심을 가졌어요.

2. 다룬 인물은 홍대용이고, 그의 과학 사상이 어떠했는지 설명했어요.

홍대용의 과학적인 실학 사상
↓
홍대용의 근대적인 수학
↓
홍대용의 천문학, 지동설
↓
홍대용의 우주관

⇨ 홍대용의 과학 사상

3. 느낌이나 분위기에 쉽게 젖어드는 태도는 아니에요. 수학 또는 과학 하는 태도여야 해요.

4. 홍대용은 저서 <의산문답>을 통해 지구가 회전한다고 말했어요. 지구가 번개나 포탄처럼 빠르게 회전한다 했죠.

5. 천체 "관측" 기구 제작에 열심이었던 홍대용을 생각해 보세요. 관측은 '관찰하여 측정하는 일'을 뜻합니다.

6. 중력은 만유인력과 지구의 자전에 따른 원심력을 더한 힘이죠. '바닷물의 운동'을 물었으니 밀물과 썰물이 답이 됩니다.
① 달의 인력 때문.
② 태양과 달의 만유인력 때문
④ 달과 태양의 인력에 의해 일어나는 조석간만 차가 최대인 때를 '사리', 최저인 때를 '조금'이라 함.

7. 둘째 문단부터 글이 끝나는 데까지의 내용을 요약해야 해요.

어휘력 키우기

다지기 (1) 알을 '품다', 새끼를 '배다'
(2) 기운이나 분위기를 '품다'.

넓히기 (1) 해결 방법은 이치에 맞아떨어져야 한다.
(2) 횃불보다는 전등이 더 쓰기에 알맞은 것.

19 바리데기

본문 88쪽

1 ② 2 바리데기 3 ① 동수자, ② 약수
4 ② 5 ① 6 낳자마자 버리는 자식
7 ① 서천 서역, ② 아버지, ③ 할머니, 동수자

어휘력 키우기

뜻 (1) ㉡ (2) ㉢ (3) ㉠
다지기 (1) 찾아내어라 (2) 찾아가거라 (3) 찾아오너라
넓히기 (1) 역경 (2) 성취 (3) 여정

1. 굳은 의지로 온갖 어려움을 극복하고 죽은 아버지를 살린 지극한 효심을 배울 만하죠.

아버지를 살리기 위해 떠난 바라데기
↓
서천 서역으로 가는 길을 가르쳐준 할아버지(밭을 갈아줌)
↓
길을 가르쳐준 할머니(빨래를 해줌)
↓
동수자를 만나 결혼함(아이를 낳아줌)
↓
구해온 약수로 아버지를 살림

2. 활동을 주도적으로 한 인물의 이름이 보이네요.

3. 아버지를 살릴 수 있도록 약수를 구한 것이 해결의 결정적 실마리가 된 사건이지요.

4. 이야기 전체의 짜임을 보면, 주인공이 어려움에 놓일 때 그 어려움을 이길 수 있도록 도와주는 사람이 반복해서 나타난다는 점을 알 수 있어요.

5. '약수'는 약이 되는 물로서 어떤 종교, 사상, 신앙과도 관련이 없는 보통 명사이죠.

6. 문항 아래의 글을 읽고 글에 나오는 구절을 그대로 옮겨 답으로 삼을 수 있어요.

7. 약수를 구할 때까지의 줄거리를 정리해보면 되겠죠.

어휘력 키우기

다지기 (1) 보물을 찾아서 드러내어라.
(2) 약수를 찾을 수 있는 곳으로 가거라.
(3) 힘들면 나를 만나러 찾아오너라.

넓히기 (1) 부딪혀 어렵게 된 처지.
(2) 목적한 것을 이루어 보람을 느끼는 경지.
(3) 삶의 과정을 여행의 과정에 비유하는 말.

20 봄비

본문 92쪽

1 ① 2 봄비 3 ② 4 ②
5 ③ 6 하루 종일 봄비가 내리고 있다.
7 ① 소리, ② 봄비

어휘력 키우기

뜻 (1) ㉡ (2) ㉢ (3) ㉠
다지기 (1) 가랑비 (2) 이슬비
넓히기 (1) 교향악 (2) 타악기

1. '교향악'으로 비유되어 표현된 봄의 대표 소리인 봄비 소리를 중심 내용으로 삼았어요.
2. 1연의 '내리는'이라는 말과 8연의 '봄'이라는 낱말을 상상의 바탕에 놓아요. 3연부터 6연까지 비유 또는 직접적인 묘사를 통해 무엇을 표현하고자 한 것인지 구체적으로 떠올려보세요.
3. 2연에 세상의 모든 악기가 나타난 것으로 오해해서는 안 되지요.
4. 2연을 거쳐 3연부터 7연까지 실현되고 있는 자연의 교향악을 보면, '교향악'으로 실현된 내용이 '어울림에서 비롯된 아름다움'임을 알 수 있어요.
5. 시에 여러 번 나타났듯이 소리를 받아들이는 감각이에요.
6. '봄비'를 소리로 비유했으므로, '연주한다'는 비가 내린다는 뜻으로 새길 수 있어요.
7. 봄비 내리는 소리를 중심으로 노래합니다.

어휘력 키우기

다지기 (1) 가늘게 내리는 비는 조금씩 내리기 때문에 옷이 젖는 줄을 깨닫지 못한다는 뜻.
(2) 소금에 비가 맞거나 습기가 차면 녹아버리므로 큰일이지요.

넓히기 (1) 교향악은 타악기, 관악기, 현악기 등이 어우러지는 대규모 조직이다.
(2) 두드려서 소리를 내는 악기.

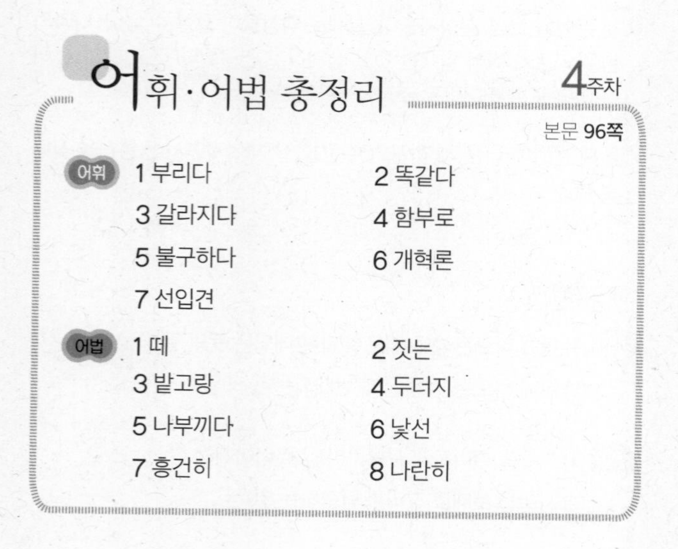

어휘·어법 총정리 4주차

본문 96쪽

어휘 1 부리다 2 똑같다
3 갈라지다 4 함부로
5 불구하다 6 개혁론
7 선입견

어법 1 떼 2 짖는
3 밭고랑 4 두더지
5 나부끼다 6 낯선
7 흥건히 8 나란히

5주차

21 꽉 막힌 생각, 뻥 뚫린 생각

본문 98쪽

1 ③ 2 고정 관념 3 ① 4 ⑤
5 ② 6 고정 관념 7 ① 행동, ② 진실, ③ 창조

어휘력 키우기

뜻 (1) ㉠ (2) ㉡ (3) ㉢
다지기 (1) 갇혀 (2) 박히 (3) 박인
넓히기 (1) 염원 (2) 관념 (3) 체념

1. 끝 문단에 나왔듯이, 고정 관념을 물리치고 자유롭게 생각하자는 것이 글쓴이의 주장이죠.

고정 관념의 뜻, 고정 관념에 사로잡힌 예(1문단)
↓
고정 관념이 일으킨 폐단(2문단), 고정 관념에 사로잡힌 사례(3문단), 길들여지면 약해지는 것(4문단)
↓
창조를 가능하게 하는 자유로운 생각(5문단)

2. 고정 관념이 일으키는 나쁜 폐단까지 제시하여 물리치고자 했어요.
3. 서론에 문제 상황이나 주장을 제시하지 않았고, 결론에 주장을 의문문으로 제시하여 정상적인 논설문의 형식을 따른 것으로 보기 어려워요.
4. 창의성을 키우기 위해 자유롭게 생각하는 모습을 보여주는 것을 고르세요.
5. 주장을 뒷받침하기 위해, 일상생활의 사례를 가장 많이 들었어요.
6. 남, 여 성차별적인 고정 관념에서 벗어나 개인의 능력과 적성에 맞는 성질을 이끌어내도록 어린 시절부터 융통성 있는 성역할 개념을 가르쳐야 합니다.
7. 읽은 글에 나오는 중심 낱말들로 빈칸을 채우세요. '고정 관념이 좋지 않은 까닭'은 둘째 문단의 앞 부분에 잘 설명했으며, '틀에 박히지 않은 생각이 좋은 까닭'은 마지막 문단의 마지막 문장에 나타나 있어요.

어휘력 키우기

다지기 (1) 승강기에서 밖으로 나오지 못하게 되다.
(2) 가슴에 못이 끼워 넣어 꽂히는 것 같다.
(3) 굳은 살이 생긴 아버지의 손바닥.

넓히기 (1) 마음에 간절히 생각하고 원함.
(2) (위생에 대한) 생각이 (철저하지 못한 식당은 가기 싫다.)
(3) 희망을 버리고 더이상 기대하지 않음.

22 조선 시대 여성의 삶

본문 102쪽

1 ④ 2 조선시대 여성들 3 ②
4 ⑤ 5 ④ 6 ③
7 ① 시, 그림, ② 시, ③ 성리학, ④ 실학, 한글

어휘력 키우기

뜻 (1) ㉡ (2) ㉠
다지기 (1) 드러내고 (2) 들어내어
넓히기 (1) 규수 (2) 규방

1. 조선 전기에는 예술에, 후기에는 학문에 뛰어난 재능을 보인 여성들을 소개한 글이에요.

글감 소개(조선시대 어려운 환경에서 능력을 발휘한 여성들)
↓
신사임당의 삶과 작품
↓
허난설헌의 삶과 작품
↓
최고의 여성 성리학자 임윤지당
↓
이방허각의 저술 활동

2. 첫 문단에 있는 낱말들을 활용하여 제목을 붙일 수 있어요.
3. 선택지에 나온 비슷한 낱말에 속지 말고 정확히 글에 나타난 사실인지 확인하세요.
① 이 글의 제목이 '조선시대 여성의 삶'입니다.
② 40폭 정도의 그림, 지은 시에 대해 본문에서 언급했죠.
③ 소설이 아닌, 시를 짓는 능력에 대해 말했습니다.
④ 유교경전을 '새롭게' 해석했습니다.
⑤ 본문에 없는 내용입니다.
4. 글에 나온 여성들은 모두 양반 가문 출신인데도 정식의 이름은 없고 당호(집의 이름에서 따온 주인의 호)만 쓰고 있네요.
5. 끝 문단의 내용에서 금방 알 수 있어요
6. 인물의 활동 분야와 업적을 통해 짐작해볼 수 있겠어요.
7. 요약한 표에 나타난 낱말을 잘 보고 빈칸을 채울 말을 글에서 찾아 쓰세요.

어휘력 키우기

다지기 (1) 보이지 않던 올곧은 정신을 드러내고
(2) 이삿짐을 밖으로 들어 옮겨서

넓히기 (1) '혼인하다'와 연결되려면 사람을 뜻하는 낱말을 골라야 하죠.
(2) 집안에서 부녀자가 거처하는 방이니까요.

23 가마솥에 숨겨진 과학

본문 106쪽

1 ④ 2 가마솥 3 ⑤ 4 ③
5 ② 6 온고지신
7 ① 밥맛, ② 가마솥, ③ 밑바닥, ④ 빠름

어휘력 키우기

뜻 (1) ㉡ (2) ㉢ (3) ㉠
다지기 (1) 슬기 (2) 겨레 (3) 손맛
넓히기 (1) 개과천선 (2) 과대평가 (3) 간과

1. 끝 문단의 '온고지신이라는 말처럼 겨레의 과학적 슬기는 첨단 과학을 뒷받침하는 버팀목으로 응용되고 있을 뿐만 아니라 미래를 여는 열쇠라는 점을 결코 간과해서는 안 될 것이다.'에 있어요.

글감의 소재(1문단)
↓
밥맛을 좋게하는 가마솥 뚜껑(2문단), 가마솥의 원리를 응용한 전기압력밥솥(3문단), 가마솥 밑바닥을 본뜬 통가열식 전기밭솥(4문단)
↓
겨레의 과학적 슬기 이어받기(마지막 문단)

2. 글감은 글에 반복하여 나타나요.
3. 통가열식 밥솥의 바닥에 있는 장치에 대한 설명은 글의 어디에도 보이지 않아요.
   ① 두번째 문장에 나왔어요.
   ② 두번째 문단의 첫문장에 나왔어요.
   ③ 세번째 문단의 첫문장에 나왔어요.
   ④ 손잡이를 돌리면 톱니바퀴들이 서로 맞물려 수증기가 빠져나갈 수 없다고 하네요.
4. 밑바닥이 둥그렇게 되어 있어서 열전도율이 높다는 점을 응용했다고.했어요.
5. 가마솥과 전기 압력 밥솥의 공통점과 차이점을 서로 견주면서 설명함으로써 둘의 특징을 뚜렷이 드러내었어요.
6. 한자 숙어가 글의 끝 문단에 하나 나와요. 낱말 풀이를 참고하세요.
7. 빈칸을 모두 글에 나온 낱말로 채울 수 있어요.

어휘력 키우기

다지기 (1) 온돌에 담긴 조상들의 일을 잘 처리하는 재능.
(2) 같은 핏줄인 사람.
(3) 손으로 이루는 솜씨에서 우러나오는 맛.

넓히기 (1) 지난날의 허물을 고쳐 완전히 딴사람으로 거듭났다.
(2) 그는 자신을 실제보다 높게 평가했다.
(3) 그 일의 심각성을 깊이 인식하지 못하고 대강 넘겨서는 안 된다.

24 양초 도깨비

본문 110쪽

1 ② 2 양초 3 ① 4 ⑤
5 ② 6 ②
7 ① 양초, ② 훈장, ③ 뱅어, ④ 불, ⑤ 물속

어휘력 키우기

뜻 (1) ㉢ (2) ㉠ (3) ㉡
다지기 (1) 휘황찬란 (2) 휘둥그레 (3) 휘늘어져
넓히기 (1) 양궁 (2) 양초

1. 훈장이 처음 보는 물건을 아는 체했고, 훈장과 훈장의 말을 믿은 마을 사람들이 함께 낭패를 당했다는 줄거리의 이야기예요.

양초로 국을 끓여 먹은 마을 사람들
↓
불을 먹었다고 놀라는 마을 사람들
↓
물속으로 뛰어든 마을 사람들
↓
머리까지 물속으로 잠근 마을 사람들

2. 양초를 둘러싸고 마을에 한바탕 우스꽝스런 일이 벌어지고 있어요.
3. 훈장이 양초를 뱅어라고 하는 바람에 마을이 온통 혼란에 빠졌어요.
4. 양초를 뱅어로 바꾸어놓기, 양초의 심지를 뱅어의 주둥이로 바꾸어 놓기, 사람을 도깨비로 바꾸어놓기 등이 웃음을 자아내고 있는 주된 방법.
5. 앞뒤에 있는 말을 보면, '부끄러워서'라는 뜻의 관용 어구가 들어가야 알맞아요.
6. 양초때문에 마을에서 생긴 소동으로 사람들이 즐겁고 재미있게 어울리며 한바탕 시원스럽게 웃자는 뜻이 있어요.
7. 줄거리가 전개되는 순서에 따라 요약해 보세요.

어휘력 키우기

다지기 (1) 고층 빌딩에서 본 야경이 눈부시게 번쩍였다는 뜻의 말을 고르세요.
(2) 깜짝 놀란 눈이 어떻게 되겠는지 생각해 보고 낱말을 고르고 꼴바꿈을 하세요.
(3) 버드나무 가지들이 아래로 축 휘어진 모습이에요.

넓히기 (1) 서양식 활의 점수 판정 기준.
(2) 촛농이 떨어지는 것은 '양초'이지요.

25 물새알 산새알

본문 114쪽

1 ①　　2 물새알 산새알　　3 ⑤

4 ③　　5 ②

6 1연과 2연, 3연과 4연, 5연과 6연

7 ① 색깔, ② 냄새, ③ 산새

어휘력 키우기

뜻 (1) ㉡　　(2) ㉠

다지기 (1) 머리꼭지　　(2) 날갯죽지

넓히기 (1) 요산요수　　(2) 자연친화

1. 알이 새가 되는 모습을 그려 생명의 신비로움을 말하려 했어요.
2. 시의 두 가지 소재는 물새알과 산새알
3. 5연과 6연은 동사 '된다'로 끝나 대상의 변화를 표현했어요.
4. '향긋한 풀꽃 냄새'라는 구절이 느끼게 하는 것
5. 1연, 2연, 5연, 6연에 색깔을 뜻하는 낱말이 나타나고 있어요.
6. 1연과 2연의 '~는 ~에 낳는다. ~알'의 짜임새가 반복되고 있어요. 3연과 4연은 '~알은 ~한 냄새'가 반복되고 있고요. 5연과 6연은 '~알은 ~라서 된다'가 반복되고 있어요.
7. 2연씩 묶어서 한 단계로 삼아, 시의 내용을 정리하면 됩니다.

어휘력 키우기

(1) 볏은 머리꼭지에 달려있다.
(2) 솔개가 날갯죽지를 활짝 펴다.

(1) '요산요수'의 한자 그대로 '산을 좋아하고 물을 좋아한다'입니다.
(2) '물새알 산새알'의 시에서 말하는 사람은 자연을 매우 사랑하는 모습입니다.

어휘·어법 총정리

5주차

본문 118쪽

어휘 1 담그다　　2 보얗다
3 낯설다　　4 간간하다
5 부실하다　　6 자자하다
7 차별하다

어법 1 이래라저래라　　2 부리나케
3 곰곰이　　4 온고지신
5 주마간산　　6 짭조름
7 휩싸여　　8 드러내고

6주차

26 자연 보호와 자연 개발

본문 120쪽

1 (가) 자연, 보호　(나) 자연, 개발　　2 자연 개발

3 ③　　4 ②　　5 ①

6 자연을 반드시 보호해야 하는가?

7 ① 파괴(훼손), ② 생태계, ③ 자연재해, ④ 편리

어휘력 키우기

뜻 (1) ㉠　　(2) ㉡

다지기 (1) 되돌리기　　(2) 벌어지고

넓히기 (1) 발휘　　(2) 계발　　(3) 개발

1. (가), (나) 모두 첫 문단에 글쓴이의 주장을 분명하게 드러내었어요.
2. (가)의 주장은 '자연을 보호해야 한다.'이지만 자연 개발을 반대한다는 내용으로 볼 수 있죠. 그래서 공통적인 글감은 '자연 개발'로 답해야 해요.
3. (가)는 자연 보호의 실천을 주장하고 있어요.
   ① 보호의 첫째 이유를 들었어요.
   ② 개발의 이유로 든 3가지 이유 모두 큰 틀에서 '인류의 발전'으로 묶을 수 있어요.
   ④ 개발의 첫째 이유로 들었어요.
   ⑤ 개발의 셋째 이유로 들었어요.
4. 두 편의 글이 주장의 근거로 든 내용을 보면 모두 자연 개발이 인간의 삶에 어떤 영향을 미치는가를 다루고 있어요.
5. '생물은 서로 유기적인 생태계로 얽혀 있다.'는 것은, 모든 자연의 구성원들이 서로 조화를 이루며 영향을 주고받는다는 뜻이므로 사람도 당연히 자연의 구성원으로서 조화를 이루어야 한다는 뜻입니다.
6. 자연 개발을 찬성하거나 반대하는 의견을 모두 담을 수 있는 내용이어야 해요.
7. (가), (나)의 주장과 근거를 글에서 다시 확인하면서 빈칸을 채우세요.

어휘력 키우기

(1) 자연을 회복 불가능한 상태로 훼손하면 안된다.
(2) 세계곳곳에서 진행되는 지나친 개발.

(1) 실력을 유감없이 떨쳐 드러내다.
(2) 외국어 재능을 일깨우다.
(3) 개발이 덜 되어야 옛 모습이 유지된다.

27 서민 문화의 발달

본문 124쪽

1 풍자 2 조선 후기, 서민 문화 3 ⑤
4 ① 5 ② 6 풍속화, 서민
7 사설시조, 판소리, 탈춤

어휘력 키우기

뜻 (1) ⓒ (2) ㉠ (3) ⓛ
다지기 (1) 풍자하는 (2) 소탈했다 (3) 익살맞은
넓히기 (1) 월반 (2) 양반

1. 둘째 문단과 넷째 문단에 잘 설명되어 있어요.

조선 후기 서민 문화의 등장(1문단)
↓
서민의 꿈을 담아낸 소설(2문단)
↓
사설시조와 판소리 등장(3문단)
↓
탈춤을 통한 풍자(4문단)
↓
김홍도와 신윤복의 서민의 삶을 그린 풍속화(마지막)

2. 글에서 다룬 시대는 조선 후기, 내용은 여러 갈래의 서민 문화예요.

3. 꼭두각시놀음도 서민 문화 중 하나이지만 글에서 다루지는 않았어요.

4. 양반 문화는 주로 양반 계층만 즐길 수 있었지만, 서민 문화는 여러 사람이 즐길 수 있었어요.

5. 시조는 기본적으로 노래예요. 판소리 역시 북을 치는 고수가 장단을 맞추고, 소리꾼이 노래를 불렀어요. 이들은 서민들의 생활과 사랑, 현실 비판과 시대상 풍자 등을 통한 재미와 감동을 주는 즐길거리였어요.

6. 풍속화가 김홍도에 대한 내용이죠. 마지막 문단의 내용을 잘 읽어 봅시다.

7. 둘째 문단부터 한 문단에 하나씩 소개되어 있어요.

어휘력 키우기

(1) 양반의 모습을 빗대어 비웃어주는 가면극이 재미있다.
(2) 그녀의 옷차림은 수수하고 털털했다.
(3) 웃기는 말이나 행동 연기는 그 배우가 최고다.

넓히기 (1) 성적이 뛰어나 상급 학년으로 건너뛰어 올라갔다.
(2) 이전에 비해 형편이 좋은 것이다.

28 농사일을 알려주는 절기

본문 128쪽

1 ③ 2 24절기 3 ① 4 ⑤
5 ⑤ 6 경칩, 곡우, 망종
7 (1) 동식물 (2) 입춘, 입추, 입동

어휘력 키우기

뜻 (1) ⓛ (2) ⓒ (3) ㉠
다지기 (1) 매기 (2) 짓고 (3) 가는
넓히기 (1) 절약 (2) 절기 (3) 계절

1. 24절기의 뜻과 그것으로 할 수 있는 일을 밝힌 문장이 글 전체의 주요 내용을 잘 표현한 문장이에요. 첫 문장에서 설명할 내용을 밝히고 있어요.

2. 계절마다 6개, 달마다 2개씩 놓이는 절기를 설명한 글.

3. 첫째 문단에 나왔듯이, 절기는 양력을 기준으로 삼아 정한 것이에요.
① 절기는 태양의 운동과 일치한대요.
② 첫 문단의 후반부에 나와요.
③ 태양을 중심으로 돌아가는 지구의 위치와 관련이 있어요.
④ 중국 주나라의 화북지방이라고 하네요.
⑤ 글의 후반부에 나와요.

4. 계절의 처음에 놓이는 '입춘, 입하, 입추, 입동' 등은 계절의 시작을 알려줘요. '입(立)'은 '시작된다.'라는 뜻.

5. 끝 문단에서, 한식, 단오, 칠석, 삼복은 절기가 아니라고 했죠.

6. '경칩'은 겨울잠을 자던 벌레, 개구리 따위가 깨어 꿈틀거리기 시작한다는 시기. '곡우'는 봄비가 내려서 온갖 곡식이 윤택하여진다고 해요. '망종'은 보리가 익어 먹게 되고 모를 심게 되어요.

7. 셋째 문단의 끝에 절기의 이름을 붙인 두 가지 근거가 밝혀져 있죠. 절기의 시작과 끝의 이름은 그림 위에 잘 정리되어 있어요.

어휘력 키우기

(1) 잡풀을 뽑기 위해
(2) 앞의 '농사를'과 뜻이 어울리도록.
(3) 소를 부려 밭을 파서 뒤집다.

넓히기 (1) 함부로 쓰지 말고 아껴써야 하는데 물을 틀어놓고 양치를 한다.
(2) 계절의 기준 보다 일찍 꽃이 피었다.
(3) 제 계절에 나는 제철음식이 몸에 좋다.

29 세상을 밝힌 꿈

본문 132쪽

1 ④ 2 세상, 꿈 3 ③ 4 ④
5 ① 6 강영우 박사는 장애인을 무시하고 차별하는 어려움을 극복하여(극복함으로써) 많은 사람의 존경을 받았다. 7 ① 장학금, ② 시각 장애인, ③ 권익

어휘력 키우기

뜻 (1) ㉡ (2) ㉠

다지기 (1) 부셨다 (2) 가셨다 (3) 부셨다

넓히기 (1) 졸업식 (2) 대졸자 (3) 뇌졸중

1. 장애인은 큰일을 할 수 없다는 세상 사람들의 치우친 생각과 장애인에 대한 믿지 못함을 극복하고 노력하여 꿈을 이룬, 강영우 박사를 통해 배울 수 있는 것을 고르면 되겠죠.

시력을 잃고, 부모와 누나를 잃게 된 영우(1문단)

↓

다시 꿈을 갖게 된 영우(2문단)

↓

시련을 극복하고 어렵게 대학을 졸업한 영우(3문단)

↓

장애인 차별법을 고치고 유학을 떠난 영우(4문단)

↓

시각 장애인 박사가 된 영우(5문단)

↓

더불어 살아가는 삶을 위해 노력한 영우(마지막)

2. 마지막 문단은 장애인의 꿈이 세상을 밝혔다는 내용이에요.
3. 미국 대학의 입학 허가서는 받았지만, 국내에서 장애인은 유학 시험을 볼 수 없다는 법 때문에 어려움을 겪었어요.
4. 대학에 입학하고 졸업할 때까지, 미국에서 유학을 마칠 때까지 항상 어려움에 처했지만 노력으로 극복하는 모습을 보여주었죠.
5. ㉠의 앞과 뒤는 내용이 서로 반대되게 놓여 있으므로 '그러나'를 넣어야 하고, ㉡은 '앞에서와 같으면, 앞에서와 같은 행동을 하면'의 뜻이므로 '그러면'을 넣어야 해요.
6. 앞이 이유이고 뒤가 결과로 이어져야 자연스럽게 어울려요.
7. 글의 단계별로 해당하는 부분을 찾아서 들어갈 말을 정해 보세요.

어휘력 키우기

다지기 (1) 그릇을 물로 씻어 깨끗하게 했다.
(2) 배고픔이 없어졌다.
(3) 빛이 세거나 강렬해서 바라보기가 어렵다.

넓히기 (1) 규정에 따라 교과과정을 마치고 하는 식.
(2) 대학을 졸업한 사람.
(3) 뇌의 마비 증세.

30 웃는 기와

본문 136쪽

1 ⑤ 2 웃는 기와 3 ② 4 ③
5 ④ 6 환한(밝은) 웃음 7 ① 기와, ② 웃음

어휘력 키우기

뜻 (1) ㉢ (2) ㉠ (3) ㉡

다지기 (1) 도리 (2) 기둥 (3) 처마

넓히기 (1) 여유 (2) 미소 (3) 겸손

1. 시의 4연에 그대로 드러나 있어요.
2. 반복하여 나타난 시의 중심 대상, 글감은 '웃는 기와'입니다.
3. 기와로 즐비한 거리는 시에 나타나지 않았어요.
4. 깨졌지만 웃고 있는 기와에 시선을 집중하면서 자신도 그런 모습을 지었으면 하는 생각을 하고 있죠.
5. '얼굴 한 쪽이 금 가고 깨진' 기와에서 떠올릴 수 있는 사람의 경험은 세월에 시련을 당하고 상처 입은 모습이라 할 수 있어요.
6. 시의 목소리 주인공과 같은 생각을 했으리라고 짐작할 수 있죠. 시의 4연 내용을 이야기의 화자의 생각으로 바꾸어 문장을 만들 수 있어요.
7. '천 년을 가는 웃음을 남기고 싶음'이 이 시의 주제입니다. 무엇을 보고 시를 쓰게 되었는지, 어떤 생각이나 느낌을 표현했는지 정리해 보아요.

어휘력 키우기

다지기 (1) 기둥 위에 건너지르는 나무.
(2) 주춧돌 위에 세우는 것.
(3) 한옥의 지붕이 도리 밖으로 내민 부분.

넓히기 (1) 남을 너그럽게 받아들일 수 있는 마음의 상태.
(2) '짓다'와 어울릴 수 있는 낱말.
(3) 남을 존중하고, 자기를 내세우지 않는 자세.

어휘·어법 총정리 6주차

본문 140쪽

어휘 1 돌리다 2 새하얗다
3 벌어지다 4 순식간
5 신분 6 배치하다
7 일치하다

어법 1 훼손된 2 찬란한
3 즐길 거리 4 돋우었고
5 뇌졸중 6 매달렸다

7주차

31 시애틀 추장

본문 142쪽

1 ④ 2 자연, 인간(인간, 자연) 3 ⑤
4 ③ 5 ② 6 ⑤
7 ① 성스럽게, ② 사랑, ③ 대기, ④ 소유, ⑤ 그물

어휘력 키우기

뜻 (1) ㉡ (2) ㉠ (3) ㉢
다지기 (1) 빌려서 (2) 차지한 (3) 억눌러
넓히기 (1) 소유 (2) 정복 (3) 공존

1. 끝에서 두 번째 문단에 요약해서 나타났듯이, '그물 속에 들어 있는 하나의 그물코'로 비유하여 만물이 서로 연결되어 있다고 보았어요.

'성스러운 자연(1문단)' → '성스럽게 지켜야할 자연(2, 3문단)' → '사람은 땅의 일부임(4문단)' → '자연 파괴를 일삼는 백인들에 대한 경고(5문단)' → '세상만물은 하나임(6문단)' → '자연 사랑의 당부(마지막)'

2. 인간이 무엇인지, 인간에게 자연이 어떤 의미를 지니고 있는지에 대해 말했어요.

3. 글의 끝 문단에 처해 있는 상황이 잘 나타나 있어요.

4. 다섯째 문단에서, '들소들이 도살되고', '야생마가 길들여지고', '숲 속에 숨어 있던 장소가 인간의 냄새로 질식해 버리고', '그저 살아남기 위한 투쟁이 시작되겠지'라고 했어요.

5. '한가족'의 '한'은 '같은'의 뜻을 지니고 있어요.

6. 글 속의 '나'는 사람이 자연의 일부이며 만물은 서로 연결되어 있다고 생각하고 있으므로, 자연을 아끼고 보호해야 할 대상으로 보고 있어요.

7. 글이 전개된 순서를 따라 가면서 중심 낱말을 찾아 빈칸을 채워요.

어휘력 키우기

다지기 (1) 세상을 소유하는 것이 아닌, 후손들에게 돌려줘야 한다는 입장.
(2) 힘을 써서 자기 것으로 가지다.
(3) 원주민들을 자유롭게 행동하지 못하도록 해 놓고.

넓히기 (1) 좋은 책들을 많이 가지고 있다.
(2) 원주민을 힘으로 정벌하여 복종시켰다.
(3) 함께 존재해야 한다.

32 풍요로운 가을날, 세 여인의 고된~

본문 146쪽

1 ③ 2 이삭 줍는 풍경(이삭 줍는 사람들, 이삭 줍는 여인, 이삭 줍는 세 여인) 3 ③ 4 ④
5 ⑤ 6 아직 숙제를 반밖에 못 했어.
7 ① 풍요로운, ② 생동감, ③ 가난한, ④ 땀방울

어휘력 키우기

뜻 (1) ㉡ (2) ㉠
다지기 (1) 한창 (2) 한참 (3) 한참 (4) 한창
넓히기 (1) 존귀성 (2) 생동감

1. (가), (나)의 끝 문장을 읽어보면 무엇에 초점을 맞추었는지 알 수 있어요.

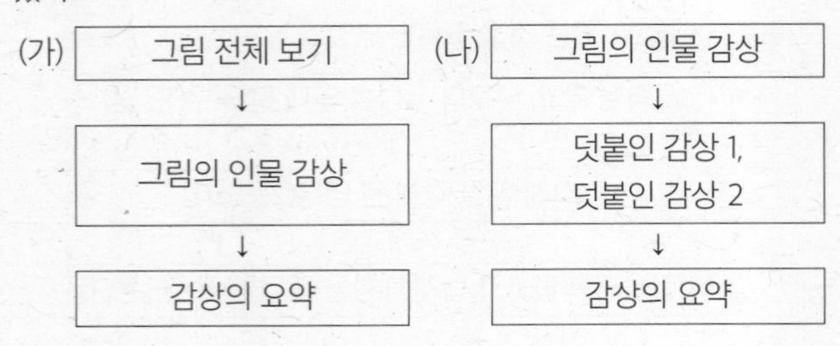

2. 그림이 나타난 풍경에 초점을 맞추어 제목을 붙일 수 있어요. 이삭 줍는 사람들, 이삭 줍는 여인, 이삭 줍는 세 여인 등도 답이 될 수 있어요.

3. '고된 땀방울'은 (나)의 인상이죠.

4. 두 편의 글을 읽어 보면, 보는 사람의 관점에 따라 같은 사물이나 현상이 달리 보이고 생각된다는 것을 알 수 있어요.

5. '이렇게', '이처럼', '이와 같이' 등은 앞에 나온 것과 같게(것처럼, 같이)로 새길 수 있어서 앞선 내용을 요약하는 구실을 해요.

6. 긍정적인 관점을 부정적인 관점으로 바꾸어 보아요.

7. 초점을 달리함으로써 주장이 달라진다는 사실을 다시 확인해 보세요.

어휘력 키우기

다지기 (1) 진달래가 가장 왕성하여서
(2) 시간이 꽤 지나는 동안을 걸어가니
(3) 꽤 많이 남아 있어
(4) 벼가 가장 왕성하게 잘 자란다

넓히기 (1) 인간의 높고 귀한 성질을 잃지 않고 있다.
(2) '힘차 보인다'와 어울리는 말.

33 발효와 부패

본문 150쪽

1 ⑤ 2 발효와 부패 3 ④
4 ① 5 ④ 6 (1) 누룩, (2) 유산균
7 ① 곰팡이, ② 세균, ③ 발효, ④ 부패, ⑤ 식중독

어휘력 키우기

뜻 (1) ㉢ (2) ㉠ (3) ㉡
다지기 (1) 만들어 (2) 생긴다 (3) 버리지
넓히기 (1) 발효 (2) 부패

1. 첫 문단에 부패와 발효의 공통점과 차이점을 함께 말해두고 이를 바탕으로 하여 뒤의 설명을 이어갔어요.

부패와 발효의 공통점과 차이점(1문단)
↓
발효에 속하는 것들(2문단), 젖산 발효와 그 이로움(3문단) 및 몸속에서의 젖산 발효(4문단)
↓
서로 자리바꿈할 수 있는 발효와 부패(5문단)
↓
식중독의 원인과 치료 방법(6문단)

2. 글에 반복하여 나타난 중심 낱말이 '부패', '발효'.
3. 넷째 문단을 읽어보면, 운동을 심하게 할수록 젖산이 더 많이 생기는 것이지 소모되는 것이 아니에요.
   ① 된장, 고추장, 간장을 만드는 재료가 '메주의 곰팡이'라고 하죠.
   ② 효모가 포도당을 분해하여 알코올을 만든다고 해요.
   ③ 젖산균은 염분에 잘 견딘다고 나왔어요.
   ⑤ 음식물 쓰레기에 미생물을 넣어서 메탄가스를 만든다고 했죠.
4. 김치가 오래 되어서 군내가 나는 것은 발효를 거쳐 부패했기 때문이라고 할 수 있죠.
5. '발효라고 하면 아주 오랜 시간이 걸리는 것으로 생각하기 쉽지만 효모로 식빵이나 호빵을 만들 때처럼 짧은 시간에 발효하는 경우도 있어요.'라고 글에서 설명했죠.
6. 곰팡이로는 '누룩곰팡이', 세균으로는 '유산균'을 떠올릴 수 있어요.
7. 발효와 부패를 비교 대조하여 글의 중심 내용으로 요약했어요.

어휘력 키우기

다지기 (1) 젖산 발효로 만들어지는 것들.
(2) 우리 몸 안에서 생기는 젖산.
(3) 부패한 음식을 먹으면 식중독 발생의 원인.

넓히기 (1) 효모가 유기 화합물을 분해하여 알코올을 만든다.
(2) 부패에 대한 설명.

34 장끼전

본문 154쪽

1 ④ 2 장끼 3 ② 4 ①
5 ② 6 잘 먹고 힘을 내야
7 ① 염치, ② 체면(예절), ③ 군자, ④ 콩 태 자

어휘력 키우기

뜻 (1) ㉢ (2) ㉠ (3) ㉡
다지기 (1) 꺼병이 (2) 장끼 (3) 까투리
넓히기 (1) 남존여비 (2) 예의염치

1. 수꿩 장끼에 빗대어 고집 세고 어리석은 말과 행동을 일삼는 어리석은 사람을 비꼬아 비판하고자 했어요.

콩을 먹지 말라고 달래는 까투리
↓
콩을 먹고 덫에 걸려 죽게 된 장끼

2. 못난 말과 행동을 일삼은 것은 수꿩 장끼이지요.
3. 첫 번째 내세운 것은 '꿈'이고, 두 번째는 군자가 갖추어야 할 덕목이에요.
4. 장끼를 죽음으로 몰고 간 것은 눈앞의 콩을 먹고 말겠다는 헛된 욕심이에요.
5. 풍자가 이런 의도를 지니고 있기 때문에, 자아내는 웃음은 차가운 웃음[냉소], 비웃음[조소], 쓴웃음[고소]이에요.
   * 풍자와 해학: 주어진 사실을 과장하거나 비꼬아서 우스꽝스럽게 표현하는 공통점이 있으나 풍자는 비판적 인물을 공격하여 웃음을 유발하고, 해학은 동정을 불러 일으키는 것으로 '놀부'는 풍자의 대상 '흥부'는 해학의 대상이다.
6. 까투리의 두 번째 만류에 변명하면서 늘어놓은 장끼의 말에 있는 구절을 짜맞추기만 하면 이 문장이 되어요.
7. 줄거리를 순서대로 간추려서 문장을 만들어 봐요.

어휘력 키우기

다지기 (1) 꺼병이는 꿩의 어린 새끼이지만 옷차림 등이 어울리지 않은 모습을 한 사람을 비유적으로 이르기도 합니다.
(2) 수꿩처럼 화려하다.
(3) 암꿩을 까투리라 합니다.

넓히기 (1) 남존여비의 사회적 태도를 비판하고 남녀평등의 의식을 품고 있는 소설.
(2) 성품이 막되어 먹었으니 부끄러움도 모르고, 지켜야 할 도리도 모른다.

35 자전거 찾기

본문 158쪽

1 ② 2 자전거 찾기 3 ①
4 ③ 5 ① 6 길들어, 자전거, 잃어버렸다
7 ① 자전거, ② 편안, ③ 욕

어휘력 키우기

뜻 (1) ㉢ (2) ㉠ (3) ㉡
다지기 (1) 잃어버렸다 (2) 고쳐먹었다 (3) 찾아가겠다
넓히기 (1) 기대 (2) 실망

1. 1연, 2연, 5연에 말하는 사람의 생각이 잘 드러나 있어요.
2. 시에 가장 자주 나타난 낱말을 사용하고 내용에 잘 어울리게 제목을 떠올려 보세요.
3. 말하는 사람에게 일주일 전에 자전거를 잃어버린 일이 가장 중요해요.
4. 잃어버린 자전거를 되찾을 수 없을까 봐 몹시 조바심치고 있어요. '조바심'은 조마조마하여 마음을 졸임을 뜻합니다.
5. 시가 5연으로 되어 있으며, 모든 연이 4행씩으로 일정한 모양을 보여 주어요.
6. 자전거에 대한 추억이 주된 경험으로 나타나야 실감을 주겠죠.
7. 1~2연, 3연, 4~5연에 나온 낱말을 사용하여 답을 써봅시다.

어휘력 키우기

다지기 (1) 입맛이 없어졌다.
(2) 마음을 달리 생각했다.
(3) 어디든 관련된 곳으로 가겠다.

넓히기 (1) ('찾을 수 있으리라'는) 바라고 기다리는 마음.
(2) 마음이 몹시 상하지만 (희망을 잃지 않고)

어휘·어법 총정리 7주차

본문 162쪽

어휘
1 거세다 2 자락
3 어리다 4 질식하다
5 오곡 6 온화하다
7 억제하다

어법
1 돼요 2 헤아릴
3 멋게 4 뭉게구름
5 메주 6 드러나지
7 볏짚더미 8 이나마도

8주차

36 동물 실험의 필요성

본문 164쪽

1 ① 2 동물 실험 3 ⑤ 4 ②
5 ④ 6 사람과 동물은 닮은 점이 많기 때문에 사람을 위해서 동물 생체 실험을 실행해야 한다.
7 (가) 동물 실험, 필요 (2) 동물 실험, 반대

어휘력 키우기

뜻 (1) ㉠ (2) ㉡
다지기 (1) 위해 (2) 대한
넓히기 (1) 동물 실험 (2) 우주 개발 (3) 신약 개발

1. 두 편의 글이 주장은 서로 다르지만 같은 물음에서 출발한 것이에요.
2. 두 편의 글감이 같다는 사실은, 같은 중심 낱말을 사용하고 있는 데서 알 수 있죠.
3. 글에서 확인해보면, 개는 우주선의 가속도와 열을 견디지 못하고 죽었어요.
   ① (가)의 첫 문장에 나와요.
   ② (가)의 둘째 문장에 나와요.
   ③ 신약 개발을 위한 동물 실험의 필요성을 주장하는 첫째 이유에 나와요.
   ④ (나)의 둘째 문장에 나와요.
4. 동물 실험을 찬성하는 (가)에서는 말할 나위 없고, (나)에서도, 실험에서 사람들의 안전과 편리를 목적으로 내세운다고 했어요.
5. (가)에서는 '동물 실험이 왜 필요할까?'에서 동물 실험이 필요한 까닭을 보여주겠다고 밝히며, (나)에서는 '우주 실험에 동물을 이용해서는 안된다.'는 근거를 '예를 들면'으로 시작하네요. 주장의 근거를 제시하는 방법에는 '예를 들기', '인용하기', '자세히 설명하기' 등이 있어요.
6. 근거와 주장을 함께 바꾸어야 완전한 반론이 될 수 있어요.
7. (가)와 (나)에서 주장을 품고 있는 문장을 찾아 글쓴이의 생각이 잘 드러나도록 문장을 써보세요.

어휘력 키우기

다지기 (1) 재산을 혼자 차지하려는 목적을 이루려고 하여서.
(2) 한글을 대상으로 삼은.

넓히기 (1) 과학적 목적으로 동물에게 행하는 실험.
(2) 여러 천체를 조사하고 연구하는 일.
(3) 새로운 약의 개발.

37 세계화와 우리의 역할

본문 168쪽

1 ⑤　　2 세계화　　3 ③　　4 ④
5 ①　　6 세계화, 문화 발전(문화 성장)
7 ① 경제적, ② 문화, ③ 문화, ④ 불평등

어휘력 키우기

뜻 (1) ㉡　　(2) ㉠
다지기 (1) 멀어진다　　(2) 쉬워졌다
넓히기 (1) 다양성　　(2) 세계화　　(3) 불평등

1. 글감인 '세계화'가 반드시 들어가고 글 전체의 내용을 아우를 수 있어야 해요.

세계화의 현실(1문단)
↓
교통과 통신의 발달로 가능해진 세계화(2문단)
↓
세계화의 좋은점(3문단), 세계화의 나쁜 점(4문단)
↓
세계화를 반대하는 모임(마지막)

2. 문단마다 몇 번씩 나온 낱말이에요.
3. 세계화의 부작용을 피하는 방법을 글에서 말하지는 않았어요.
4. 세계화의 부작용은 어느 한 쪽에서만 이익을 얻으려 하는 데서 생기기 때문에 상대를 배려하는 자세가 이를 피하는 데 필수적이에요.
5. 대중 예술을 비롯하여 다양한 우리 문화가 전세계로 퍼져나가는 모습을 떠올려볼 수 있겠죠.
6. 찌아찌아 족이 한글을 받아들여 자신들의 언어문화를 발전시킬 수 있었다는 내용이에요.
7. 셋째, 넷째 문단에 항목별로 나타나 있는 긍정적, 부정적 영향을 확인하세요.

어휘력 키우기

(1) 서로 소통하지 않으면 멀어진다.
(2) 교통·통신의 발달은 정보의 교류를 쉽게 한다.

넓히기 (1) (문화의) 여러 가지의 특성.
(2) 세계적으로 널리 받아들이게 함.
(3) 차별이 있고 고르지 않음.

38 생태계의 구성 요소

본문 172쪽

1 ②　　2 생태계 평형(생태계 보전)　3 ⑤
4 ②　　5 ①　　6 생태계, 평형
7 ① 평형, ② 자연적, ③ 환경

어휘력 키우기

뜻 (1) ㉡　　(2) ㉠　　(3) ㉢
다지기 (1) 못한다　　(2) 맙시다
넓히기 (1) 생태계　　(2) 광합성　　(3) 미생물

1. '생태계를 보전하고 평형을 유지하기 위한 노력의 중요성'을 설명했어요.

생산자인 식물(1문단)
↓
생태계의 순환(2문단)
↓
생태계의 평형과 평형이 깨지는 요인들(3, 4문단)
↓
생태계 보전을 위한 노력(마지막)

2. 글감이 '생태계'이니까 제목에 반드시 들어가야 해요. 생태계와 함께 여러번 반복되어 나오는 말을 찾아보세요.
3. 다섯째 문단에서, 생태계는 변화가 지나치게 심하게 일어나면 회복되기 어렵다고 했어요.
① 넷째 문단의 첫 문장에 있어요.
② 첫째 문단에 나와요.
③ 초식 동물을 1차 소비자, 육식 동물을 2차 소비자라 하네요.
④ 둘째 문단의 마지막 문장에 나와요.
4. 동물은 식물이 광합성에 의해 만든 양분에 의존하여 살아가요.
5. 다른 나라에서 흘러들어와 최근에 우리나라에 정착한 생물을 '귀화생물'이라고 불러요.
6. 적절하게 평형을 이룬 생태계를 만들었지만, 무너진 이유는 평형이 깨졌기 때문입니다.
7. 셋째 문단 이하에서 빈칸에 필요한 낱말을 찾을 수 있어요.

어휘력 키우기

(1) 농사지을 능력이 없다.
(2) 함께 가지 말자고 청함.

넓히기 (1) 생물과 환경이 조화롭게 살고 있는 체계.
(2) 빛을 받아 양분을 만드는 작용.
(3) 세균이나 효모같은 작은 생물.

39 어부지리 / 형설지공

본문 176쪽

1 ②　2 (가) 황새, 조개　(나) 반딧불이, 눈
3 ②　4 ④　5 ①
6 ① 마음이 답답하다.(답답한 마음) , ② 무릎을 치다.
7 ① 조개, ② 황새, ③ 어부, ④ 어부지리, ⑤ 반딧불이, ⑥ 눈빛, ⑦ 형설지공

어휘력 키우기

뜻 (1) ㉡　(2) ㉢　(3) ㉠
다지기 (1) 맞대어　(2) 모이는　(3) 다투면
넓히기 (1) 절차탁마　(2) 방휼지쟁

1. 이야기를 통해 속뜻으로 전하고자 한 교훈을 물었어요.

2. 두 편의 이야기에서 동물, 자연물이 이야깃거리로 되어 있어요.

(가) '어부지리'의 이야기(황새와 조개가 싸우면 어부가 이득을 취한다.)

↓

(나) '형설지공'의 이야기(반딧불이와 눈빛으로 공부한 성공)

⇨ 옛날 이야기에 담긴 가르침

3. (나)의 마지막 문장을 보면 관용 표현 '형설지공'이 생기게 된 유래를 소개하는 글임을 알 수 있죠.

4. (가)는 나라 사이에 생긴 사건에 초점을 맞추고 있고, (나)는 차윤과 손강이라는 개인의 행적에 초점을 맞추고 있어요.

5. '옛날의 어떤 유래와 사건으로 만들어져'를 한자로 옮기면 '고사성어'예요.

6. 낱말의 사전적 의미를 벗어나 새로운 뜻을 이루어 굳어진 채로 사용하는 표현을 '관용 표현'이라 해요.

7. (가), (나)의 소재들과 고사성어를 다시 떠올려 보세요.

어휘력 키우기

 (1) 서로 마주 대어 보면.
(2) 한데 합쳐지는.
(3) 서로 따지며 싸우면.

넓히기 (1) 부지런히 학문을 갈고 닦은 것은
(2) 어부지리와 비슷한 뜻의 '방휼지쟁'은 '휼방지쟁'이라고도 해요. '둘의 다툼 중에 제3자가 이득을 봄'을 뜻하는 말로 '견토지쟁'도 있어요.

40 오우가

본문 180쪽

1 ②　2 물, 돌, 소나무, 대나무, 달　3 ③
4 ④　5 ①　6 땅속까지 뿌리가 곧은, 한밤중에 빛남　7 ① 다섯, ② 소나무, ③ 달

어휘력 키우기

뜻 (1) ㉡　(2) ㉠
다지기 (1) 소나무, 서리　(2) 한밤중, 달
넓히기 (1) 상선약수　(2) 송죽지절

1. 자연과 벗하며 살아가면서 욕심이 없고 한가로워요.
2. 다섯 가지 자연물을 벗 삼는 노래라고 하여 제목이 '오우가'인데 <제1수>에 모두 나와요.
3. 제1수의 셋째 줄(종장), 제4수와 제6수의 둘째 줄(중장)은 물음의 형식으로 되어 있는데, 말한 내용을 강조하는 표현이에요.
4. 제4수와 제6수를 보면, 소나무처럼 곧고, 달처럼 원만하며 신중한 성품을 좋아할 것 같아요.
5. 제1수 종장의 첫머리에 오는 '두어라'는 '그만두어라'로 새길 수도 있고 그냥 뜻이 없는 감탄사로 볼 수도 있죠. 이런 낱말로 '아희야, 아해야, 아이야'도 있어요.
6. 소나무와 달의 속성을 표현한 부분만 정확히 옮겨야 해요.
7. 제1수에서는 나의 벗이 몇인지를, 제4수에서는 소나무를 보고 시련에 굽힘없는 사람을, 제6수에서는 너그럽고 원만한 사람을 떠올렸어요.

어휘력 키우기

 (1) , (2)는 모두 앞의 시조에서 따온 구절들입니다. 확인하세요.

넓히기 (1) 최고의 선인 '물처럼 살아가라는 말'에 한자어의 뜻이 배어있다.
(2) 나무처럼 부러지지 않고 대나무처럼 꺾이지 않는 정신.

어휘·어법 총정리

8주차

본문 184쪽

어휘 1 넉넉하다　2 비추다
3 버티다　4 부작용
5 폐쇄적　6 허용하다
7 직결되다

어법 1 밴　2 인건비
3 오존층　4 귀화
5 형설지공　6 방휼지쟁